Narraciones ejemplares de Hispanoamérica

PRENTICE-HALL INTERNATIONAL, INC., *London*
PRENTICE-HALL OF AUSTRALIA, PTY. LTD., *Sydney*
PRENTICE-HALL OF CANADA, LTD., *Toronto*
PRENTICE-HALL OF INDIA (PRIVATE) LTD., *New Delhi*
PRENTICE-HALL OF JAPAN, INC., *Tokyo*

Narraciones ejemplares de Hispanoamérica

*Edited with Introduction,
Notes, and Vocabulary*

by

Daniel R. Reedy

and

Joseph R. Jones

*both of The University of North Carolina
at Chapel Hill*

PRENTICE-HALL, INC., *Englewood Cliffs, New Jersey*

Library of Congress Catalog Card No.: 67-10205

Current Printing (last digit)
10 9 8 7 6 5 4 3 2 1

Printed in the United States of America

Preface

This anthology was conceived and executed for the purpose of offering to students Spanish American literary works of high quality, typical of important periods in the development of the short fictional prose narrative from 1838 to 1964. In subject matter, themes, and style, they represent the best that Spanish America has to offer. Most important of all, they are mature pieces of reading which can and should be discussed for their historical-literary significance and their aesthetic value as individual works. With these ideas in mind, we have included introductions which contain brief commentaries on the author, his literary development and background, and the most salient characteristics of the work which should be noted by the student in his reading.

Various reasons for choosing *cuentos largos* have been present in our minds. After several years of working with selections of three to five pages in length and each by a different author, we have found that students tend to lose interest quickly in the writers and the distinctive aspects of their style, with the result that by the end of a class term the student has only a jumbled impression of what he has read and little awareness of its literary significance. We are convinced that language achievement would be greater if the student were allowed to become engrossed in a single work and if he were allowed to spend several days on a single complete selection. Natural repetition of vocabulary and stylistic features within a work should be conducive to increased language learning.

Secondly, we are convinced that the student must be challenged by what he is to read. If a work is too simple or is a mere reworking of the same trite situations, the teacher is left with little to say about the selection and the student will certainly not be stimulated by such "meatless" material.

It is hoped that the five selections in this anthology will stimulate discussion in Spanish. To this end we have included questions which are intended to elicit answers requiring the student to demonstrate his linguistic ability in more than a single word or phrase answer.

This anthology is particularly designed as a reader for intermediate college Spanish classes and as a text for courses in Spanish American literature on the advanced undergraduate or even higher level courses. While there are numerous texts available for these more advanced students, they display, in our opinion, a remarkably uniform criterion of choice which shows small regard for literary excellence and creates for Spanish American literature the illusion of harmless innocence. We envy our colleagues in French who have available a rich selection of un-bowdlerized texts and whose students show enthusiastic interest in the controversial literature which is read and freely discussed in their classes.

The length of assignment will, of course, largely depend on the qualifications of each class. To facilitate the less advanced student's reading, we have included footnotes which translate or explain the more difficult passages. Where lack of comprehension is due to a single word or idiomatic phrase, the student should consult the selected vocabulary at the end of the anthology.

We are indebted to Rafael Arévalo Martínez, Horacio Quiroga, and Agustín Yáñez for granting permission to reprint their works; and to McIntosh, McKee & Dodds, Inc., agent for Alejo Carpentier, for permission to reprint "El acoso" (© 1956 by Editorial Losada, Buenos Aires). To Mr. José Luis Cagigao of The University of North Carolina, who read and made many fine suggestions on the introductory materials, we owe a special word of thanks.

D.R.R.
J.R.J.

Contents

Narraciones ejemplares de Hispanoamérica

Breve reseña del cuento hispanoamericano

El cuento

El cuento como lo conocemos hoy día es un género relativamente moderno. A modo de definición podríamos decir que es una narración corta en la cual predominan los elementos ficticios. No es tan extenso ni tan complejo como la novela, aunque se relaciona más con ésta que con cualquier otro género literario. En contraste con la novela no hay múltiples acciones ni abundancia de personajes. La estructura del cuento no suele ser muy complicada y por lo general hay una sola acción central. La brevedad del género limita el número de personajes e impide que sean desarrollados exhaustivamente. Será difícil encontrar en el cuento un Segismundo como en el drama de Calderón[1] o un Don Quijote como en la novela de Cervantes.[2] Por lo general el diálogo es escaso porque la acción ha de llegar rápidamente a su apogeo y no lentamente como en la novela. El lenguaje ha de tender a la concreción porque no hay tiempo para digresiones, e igualmente resulta casi imposible cambiar el punto de vista de la narración. Por lo general el mundo de ideas en el cuento es más limitado que en la novela.

El antepasado del cuento en la Edad Media es la fábula introducida a

[1] **Calderón**: Pedro Calderón de la Barca (1600–1681), autor español del drama *La vida es sueño*.

[2] **Cervantes**: Miguel de Cervantes Saavedra (1547–1616), autor español de la novela *Don Quijote de la Mancha*.

España por los árabes. Muchas de estas fábulas tienen su origen en una colección oriental, escrita en sanscrito, llamada *Panchatantra*. Otras proceden de las fábulas de Esopo, escritor griego del siglo VI a. de J.C. Estos relatos fueron traducidos al español y empleados por escritores medievales en sus colecciones. *El libro de buen amor* (¿1330?) del Arcipreste de Hita y el *Decamerón* (1348–1353) de Boccaccio se sirven del cuento primitivo como elemento básico. Y *El Conde Lucanor* (1335) de Juan Manuel, sobrino de Alfonso X, es un compendio de cincuenta cuentos medievales. El escritor español que más ha influido en el desarrollo del género narrativo—novela y cuento—en su concepto moderno es Miguel de Cervantes. Su *Don Quijote de la Mancha* (1605 y 1615) es considerado el antecesor de la novela moderna; y sus *Novelas ejemplares* (1613), una serie de novelas cortas, ocupan el mismo lugar en relación con el cuento. La novela corta, como fue llamada entonces, alcanzó gran popularidad durante gran parte del siglo XVII y ha sido imitada por muchos escritores modernos.

Actualmente se discuten las diferencias entre cuento corto, cuento largo y novela corta, haciéndose a veces difícil la inclusión de una obra en una u otra categoría. La mayoría de los críticos parecen estar de acuerdo en definir el cuento corto como una narración de seis a ocho páginas que puede leerse en menos de una hora. Según esto, cuatro de las obras incluidas en esta antología son cuentos largos con la excepción de *El acoso*, que clasificaríamos de novela corta aunque nada más fuera, porque no puede leerse en menos de una hora.

La época colonial

En la época colonial de las letras hispanoamericanas, casi no se puede hablar del cuento en su definición moderna. Algunas de las crónicas historiadas de la conquista del Nuevo Mundo tienen semejanza en sus rasgos esenciales con el cuento, por ejemplo ciertos pasajes de la *Historia verdadera de la conquista de Nueva España* de Bernal Díaz del Castillo (España, 1492–1584). Pero hasta la cuarta década del siglo XIX, después de haber logrado los hispanoamericanos su independencia y con el nacimiento de las distintas repúblicas hispanoamericanas, no aparecerá realmente un distintivo género literario cultivado por un número significante de autores.

El romanticismo

Durante la primera mitad del siglo XIX, el estilo predominante en las letras hispanoamericanas era romántico. Tuvo buena acogida el movimiento en el Nuevo Mundo, seguramente porque correspondía al espíritu de rebeldía que predominaba entre los que poco antes habían estado luchando por su independencia. El autor hispanoamericano, que combatía ahora los usurpadores del poder en las nuevas repúblicas, encontró en el romanticismo una temática que coincidía con sus anhelos. Por eso vemos el tema de la libertad repetirse, tanto en el contenido como en la forma de sus obras. El naciente nacionalismo impulsó a estos escritores a observar las costumbres y la geografía de su región o país. En esto la influencia de los cuadros de costumbres de Ramón de Mesonero Romanos (1803–1882) y Mariano José de Larra (1809–1837), ambos españoles, fue notable.

Uno de los primeros cuentistas y el autor del primer cuento romántico hispanoamericano fue Esteban Echeverría (Argentina, 1805–1851). Su cuento "El matadero" (1838) refleja su oposición a la tiranía política que dominó en su patria durante más de veinte años. "El matadero" es romántico por la técnica subjetiva de la narración, el tema de la lucha por la libertad, el anticaciquismo y la espontaneidad y fervor de la presentación. Pero es de notar también la presencia de cierto realismo, especialmente en la fiel pintura de las costumbres, la detallada crudeza de las descripciones del matadero y el interés por crear un ambiente verídico.

Los escritores de la segunda generación romántica utilizaron con más frecuencia los temas históricos y exóticos. El peruano Ricardo Palma (1833–1919) escribió varias series de *Tradiciones peruanas* (1872–1883), muchas de las cuales se basan en la historia de su país, incluso en la precolombina. Para Palma y otros escritores románticos, los temas más idóneos para un buen cuento o "tradición" eran el honor perdido, el amor imposible, las intrigas amorosas o cualquier situación propicia al sentimentalismo.

El realismo y el naturalismo

Del romanticismo los escritores realistas tomaron el cuadro de costumbres y el interés por el color local, pero en lugar de la subjetividad de los románticos, los realistas trataron de reflejar la realidad contemporánea con objetividad. Trataban de describir ambientes y personajes con un detallismo casi fotográfico. Imitaban en su técnica a los grandes escritores europeos como Flaubert, Zola y Galdós.[3] Predominaban los temas sociales de la época—especialmente el problema del indio, negro y mestizo en su relación con el blanco. La novela *Aves sin nido* (1889), de la peruana Clorinda Matto de Turner (1854–1909), presentó por vez primera el problema del indio oprimido por el blanco. Esta novela de protesta social fue condenada por la sociedad de la época, pero hoy día goza de la fama de haber sido la primera novela indianista escrita en Hispanoamérica. Baldomero Lillo (Chile, 1867–1923) describió los sufrimientos de los mineros en Chile. Los cuentos de *Sub terra* (1904) y *Sub sole* (1907) presentan escenas de las condiciones inhumanas en que trabajaban los poco afortunados de la región minera de Chile.

Los escritores naturalistas, utilizando la técnica objetiva del realismo, describen con crudeza las miserias humanas. Los personajes de la obra naturalista están sacados de las más bajas capas sociales. Los problemas más tratados por los naturalistas fueron el alcoholismo y la prostitución. Los naturalistas añadían a sus obras un elemento no aceptado por completo por los realistas, el determinismo de ambiente y de herencia. Los personajes sufren en un ambiente que rige toda su vida o heredan de sus antepasados alguna enfermedad o debilidad congénita que determina sus posibilidades. El uruguayo Javier de Viana (1868–1926) representa, quizá mejor que cualquier otro, la influencia de la doctrina naturalista en el cuento hispanoamericano.

El modernismo

Hacia fines del siglo XIX aparece una reacción contra el sentimentalismo romántico, que aún perduraba, y los temas sociales del realismo. Se comenzaron a imitar los estilos del parnasianismo y simbolismo franceses. El deseo era crear una realidad aristocrática que no tuviera nada que ver con el medio ambiente. Fue un movimiento hacia la pureza estética como expresado en su lema: "El arte por el arte". El portavoz de la nueva corriente fue Rubén Darío (Nicaragua, 1867–1916), quien

---

[3] **Flaubert, Zola y Galdós:** Gustave Flaubert (1821–1880), Emile Zola (1840–1902) ambos novelistas franceses; Benito Pérez Galdós (1843–1920), novelista español.

publicó en Chile en 1888 un tomo de cuentos y poemas titulado *Azul*. La influencia de este pequeño volumen se dejó sentir inmediatamente en Hispanoamérica y aun en España.

La estética modernista busca en los ambientes exóticos su ideal de belleza. Nuevas metáforas e incluso nuevas palabras aparecen en el idioma literario. En uno de los cuentos de Darío, "La muerte de la emperatriz de la China", se refleja el interés por lo exótico y lo lejano. El modernismo es eminentemente sensual y a veces frívolo. Elige el cisne y el color azul como símbolos de sus aspiraciones aristocráticas. Los escritores modernistas se alejan de la mediocridad del mundo que les rodea, encerrándose en una ideal y bella "torre de marfil".

Los seguidores de Darío fueron numerosos, como Leopoldo Lugones en Argentina (1874–1938) y Amado Nervo en México (1870–1919), uno de los cultivadores del cuento fantástico. Hacia 1915 el modernismo había perdido gran parte de su fuerza y no tenía los discípulos numerosos de los años anteriores. Uno de los últimos cuentistas modernistas de más renombre fue Rafael Arévalo Martínez (Guatemala, 1884–), quien en 1914 escribió "El hombre que parecía un caballo", cuento citado por muchos críticos como el mejor ejemplo del arte modernista en el campo de la narrativa corta.

El criollismo

Quizá los dos acontecimientos más importantes a principios del siglo XX fueron la Revolución Mexicana, que estalló en 1910, y la revolución social que en toda Hispanoamérica hizo resurgir un nacionalismo interesado en los problemas sociales y económicos de cada nación. Aunque algunos de los escritores seguían todavía las huellas de la estética modernista, pronto comenzaron a rechazarla para preocuparse de los problemas del momento. En México, la mayor parte de los cuentistas y novelistas trataban como asunto y tema de sus obras la Revolución Mexicana. La novela *Los de abajo* (1915) de Mariano Azuela (1873–1952) llegó a ser una de las obras más destacadas de las letras mexicanas. Las crueldades de la guerra y el conflicto entre revolucionarios y federales son los temas de esta novela de Azuela, que tiene como principal protagonista la masa de la Revolución. Al igual que Azuela, todos los criollistas preferían el ambiente rural, la verosimilitud del lenguaje de sus personajes y los problemas sociales dominantes en cada región.

El uruguayo Horacio Quiroga (1878–1937) alcanzó una enorme popularidad entre los años 1917 y 1925. Su tema favorito es la crueldad del hombre y de la naturaleza. Describe los paisajes inhóspitos de las selvas ecuatoriales y la inhumana actitud de los hacendados para con los trabajadores.

En unos países donde había un gran porcentaje de indios, como el Perú, Bolivia y el Ecuador, los cuentistas escogieron como asunto de sus obras el conflicto entre el indio y el blanco. Las novelas y cuentos de Alcides Arguedas (Bolivia, 1879–1946) muestran su constante preocupación por el problema y la búsqueda del lugar que debería ocupar el indio en la sociedad moderna. En el Ecuador escritores como Jorge Icaza (1906–   ), autor de la novelita indigenista *Huasipungo* (1934), daban cierto carácter extremista a sus obras, debido a la influencia marxista. Los *Cuentos andinos* (1920) y *Nuevos cuentos andinos* (1927) de Enrique López Albújar (Perú, 1872–   ) presentan las tragedias de los indios en el altiplano de su patria. Su novela corta *Matalaché* (1924) es un documento social que describe la miserable vida del esclavo negro en la costa. En general el criollista usaba la literatura como vehículo de protesta contra las condiciones económicas, sociales y políticas de su país.

El cosmopolitismo[4]

Después de la Primera Guerra mundial la literatura hispanoamericana adquiere nuevos temas y nuevas formas. Las nuevas escuelas europeas del surrealismo, existencialismo y demás "ismos" tienen una gran influencia en Hispanoamérica. Ya no se preocupan los escritores tanto del hombre en su conflicto con la sociedad, sino del hombre en el sentido genérico.

Los escritores surrealistas trataron de superar los límites de la realidad. Incorporaron en sus obras materias poco o nunca usadas antes, intentando expresar las experiencias del inconsciente. El resultado es una obra que parece organizarse sin lógica para reflejar el mundo

---

[4] Hemos optado por el término "cosmopolitismo", que ha sido utilizado por el profesor Seymour Menton en su antología crítico-histórica de *El cuento hispanoamericano* (Fondo de Cultura Económica, México, 1964), p. 8, como el mejor término abarcador para las diversas corrientes literarias en el cuento de los últimos cuarenta años.

caótico de la subconsciencia. Las teorías freudianas tienen influencia decisiva entre los escritores de esta escuela. En Hispanoamérica el surrealismo se refleja en algunas de las obras de Agustín Yáñez (México, 1904–) y del guatemalteco Miguel Angel Asturias (1899–). Aun en *El acoso* (1956) de Alejo Carpentier (Cuba, 1904–) se nota la influencia surrealista en los monólogos interiores que parecen brotar de la subconsciencia y en las preocupaciones sexuales de los personajes.

Las obras escritas por los autores existencialistas tienen como rasgo común el personaje angustiado y perdido en un universo carente de valores. La influencia literaria del francés Jean-Paul Sartre (1905–) y a veces del español Miguel de Unamuno (1864-1936) se nota en las obras de escritores americanos como Eduardo Mallea (Argentina, 1903–). En la novelita ya citada de Alejo Carpentier y en otras obras suyas se deja sentir también la ideología existencialista, con sus personajes de vida agónica y su deseo de superar los límites impuestos por el tiempo.

Al mismo tiempo que las anteriores tendencias, se sigue cultivando el cuento psicológico tradicional. Sus representantes más conocidos son Eduardo Barrios (Chile, 1884-1963) y también Agustín Yáñez con sus *Tres cuentos* (1964) de tipo psicológico-filosófico.

El más famoso de los cuentistas de la posguerra y de la época contemporánea es Jorge Luis Borges (Argentina, 1899–). En 1918, al volver de España, trajo consigo la influencia del movimiento ultraísta que le dio su fama inicial de poeta. En 1941 publicó un tomo de cuentos titulado *El jardín de senderos que se bifurcan* al cual siguieron *Ficciones* (1944) y *El Aleph* (1949). Estas obras de tema filosófico han ganado para Borges fama universal. En el campo de la literatura fantástica ocupa Borges un lugar de excepción también. Su obra ha ejercido y sigue ejerciendo una notable influencia en la literatura hispanoamericana.

En las dos últimas décadas continúan las corrientes existencialistas y surrealistas en el cuento. Algunos autores cultivan el cuento fantástico mientras que otros, como los neorrealistas, prefieren el tema político-social. Al mismo tiempo se siguen escribiendo cuentos psicológicos y filosóficos, pero sería necesario el paso del tiempo para poder juzgar y calificar con cierto criterio crítico las diversas tendencias del cuento hispanoamericano actual.

Esteban Echeverría

Argentina (*1805-1851*)

El cuentista de mayor renombre del romanticismo hispanoamericano, Esteban Echeverría, nace en Buenos Aires el 2 de septiembre de 1805, hijo de padre vasco y madre criolla. Toda su niñez la pasa en la ciudad porteña donde asiste al Colegio de Ciencias Morales y a la Universidad. A los dieciocho años abandona sus estudios para ingresar de dependiente en una casa comercial.

A mediados de octubre de 1825 Echeverría parte de Buenos Aires rumbo a Europa. En París estudia historia política y filosofía, y comienza a leer a los escritores europeos, pero es Byron[1] el autor que más le cautiva.

Regresa a su patria a principios de julio de 1830 donde ahora se confiesa literato, aunque al partir declaró ser comerciante de profesión. Al llegar Esteban a Buenos Aires, estalla el movimiento romántico en Iberoamérica, y el joven escritor desempeña un papel importante en su introducción, debido principalmente a su contacto con los románticos franceses. Sus primeros versos van apareciendo entre 1831 y 1837 en libros o en las revistas y diarios porteños. Su obra poética más importante de aquella época, *Los consuelos* (1834), tiene un éxito inmediato entre los jóvenes literatos y críticos de su patria. En 1837 publica *Las rimas*, que incluye el poema "La cautiva", con el que cumple su promesa de crear una obra de colorido autóctono, aunque se notan influencias extranjeras. Los más esclarecidos de esa gene-

[1] **Byron**: George Gordon, Lord Byron (1788–1824), poeta inglés.

ración—Alberdi, Sarmiento y Gutiérrez,[2] todos ellos miembros de una tertulia literaria, la "Asociación de Mayo"—saludan "La cautiva" con elogios jamás otorgados hasta entonces.

Las virtudes advertidas en "La cautiva" alcanzan su ápice en la descripción a veces realista de "El matadero", escrito el año 1838 y publicado póstumamente. En un tono que empieza siendo humorístico y que concluye en sátira y en descripción realista, "El matadero" presenta a los que sufrían de la tiranía del dictador Manuel Rosas.[3] Echeverría se coloca de parte de los unitarios y contra los federales del sangriento régimen de Rosas. Aunque la pasión antirosista da espíritu al relato, el autor logra superarla y, narrando en primera persona, introduce el motivo de la carne en cuaresma y la complicidad de la Iglesia en los sufrimientos de los argentinos bajo las combinadas fuerzas de Iglesia y gobierno. En escenas detalladas de crudo realismo, el autor pinta un cuadro con sobretonos de doble significado usando el matadero como símbolo de la dictadura de Rosas, y a la vez describiendo las atrocidades cometidas por los federales. Sube la tensión de la obra hasta la muerte violenta del joven unitario que "atado en cruz" nos hace pensar en el Cristo crucificado.

La defensa de los ideales políticos del autor queda patente, no sólo en la acción sino también en los comentarios del narrador a lo largo de la obra. En el último párrafo Echeverría resume la intención de "El matadero". En el cuento no se destaca ningún personaje central, aunque casi todos son tipos vivos y verosímiles. Se dividen todos en dos grupos—los buenos y los malos, unitarios y federales. Los rasgos estilísticos más notables son la detallada descripción de las brutales costumbres, el lenguaje popular lleno de argentinismos y palabras obscenas y el tono entusiasta y

---

[2] **Alberdi, Sarmiento y Gutiérrez:** Juan Bautista Alberdi (1810–1884), jurisconsulto y político argentino; Domingo Faustino Sarmiento (1811–1888), escritor, educacionista y estadista argentino; Juan María Gutiérrez (1809–1878), escritor argentino.

[3] **Manuel Rosas:** Juan Manuel de Rosas (1793–1877), dictador argentino por veinticuatro años (1829–1852).

mordaz del autor ante la narración de su materia, que llega a convertirse en un cuadro real de los acontecimientos de la época.

Después del fracaso de un levantamiento contra Rosas en 1839, Echeverría huyó del país en 1840 y se refugió en el Uruguay, donde pasó los últimos años de su vida sin lograr regresar a su querida patria.

El matadero

A pesar de que la mía es historia, no la empezaré por el arca de Noé y la genealogía de sus ascendientes como acostumbraban hacerlo los antiguos historiadores españoles de América, que deben ser nuestros prototipos. Tengo muchas razones para no seguir ese ejemplo, las que callo por no ser difuso. Diré solamente que los sucesos de mi narración pasaban por los años de Cristo de 183 . . .[1] Estábamos, a más, en cuaresma, época en que escasea la carne en Buenos Aires, porque la Iglesia, adoptando el precepto de Epicteto,[2] *sustine, abstine* (sufre, absténte), ordena vigilia y abstinencia a los estómagos de los fieles a causa de que la carne es pecaminosa, y, como dice el proverbio, busca a la carne. Y como la Iglesia tiene *ab initio*[3] y por delegación directa de Dios el imperio inmaterial sobre las conciencias y los estómagos, que en manera alguna[4] pertenecen al individuo, nada más justo y racional que vede lo malo.

Los abastecedores, por otra parte, buenos federales[5] y por lo mismo buenos católicos, sabiendo que el pueblo de Buenos Aires atesora una docilidad singular para someterse a toda especie de mandamiento, sólo traen en días cuaresmales al matadero los novillos necesarios para el sustento de los niños y de los enfermos dispensados de la abstinencia por la bula y no con el ánimo de que se harten algunos herejotes, que no faltan, dispuestos siempre a violar los mandamientos carnificinos de la Iglesia y a contaminar la sociedad con el mal ejemplo.

Sucedió, pues, en aquel tiempo, una lluvia muy copiosa. Los caminos

---

[1] **Por los años de Cristo de 183 . . .** : in the 1830's.
[2] **Epicteto:** filósofo estoico griego del siglo I.
[3] ***ab initio*** (*latín*): desde el principio.
[4] **en manera alguna**: in no way.
[5] **buenos federales:** partidarios de Juan Manuel de Rosas, dictador argentino desde 1829 hasta 1852.

se anegaron; los pantanos se pusieron a nado[6] y las calles de entrada y salida a la ciudad rebosaban en acuoso barro. Una tremenda avenida[7] se precipitó de repente por el Riachuelo de Barracas y extendió majestuosamente sus turbias aguas hasta el pie de las barrancas del Alto.[8] El Plata, creciendo embravecido, empujó esas aguas que venían buscando su cauce y las hizo correr hinchadas por sobre campos, terraplenes, arboledas, caseríos y extenderse como un lago inmenso por todas las bajas tierras. La ciudad circunvalada del norte al este por una cintura de agua y barro, y al sur por un piélago blanquecino en cuya superficie flotaban a la ventura algunos barquichuelos y negreaban las chimeneas y las copas de los árboles, echaba desde sus torres y barrancas atónitas miradas al horizonte como implorando la protección del Altísimo. Parecía el amago de un nuevo diluvio. Los beatos y beatas gimoteaban haciendo novenarios y continuas plegarias. Los predicadores atronaban el templo y hacían crujir el púlpito a puñetazos. "Es el día del juicio —decían—, el fin del mundo está por venir. La cólera divina rebosando se derrama en inundación. ¡Ay de vosotros, pecadores! ¡Ay de vosotros, unitarios[9] impíos que os mofáis de la Iglesia, de los santos, y no escucháis con veneración la palabra de los ungidos del Señor! ¡Ay de vosotros si no imploráis misericordia al pie de los altares! Llegará la hora tremenda del vano crujir de dientes y de las frenéticas imprecaciones. Vuestra impiedad, vuestras herejías, vuestras blasfemias, vuestros crímenes horrendos han traído sobre nuestra tierra las plagas del Señor. La justicia del Dios de la Federación[10] os declarará malditos."

Las pobres mujeres salían sin aliento, anonadadas, del templo, echando, como era natural, la culpa de aquella calamidad a los unitarios.

Continuaba, sin embargo, lloviendo a cántaros, y la inundación crecía, acreditando el pronóstico de los predicadores. Las campanas comenzaron a tocar rogativas por orden del muy católico Restaurador,[11] quien parece no las tenía todas consigo.[12] Los libertinos, los incrédulos, es decir, los unitarios, empezaron a amedrentarse al ver tanta cara

---

[6] **se pusieron a nado**: became flooded.
[7] **avenida**: flash flood.
[8] **(el) Alto**: antiguo barrio de Buenos Aires.
[9] **unitarios**: los opositores de los federales y Rosas; favorecían la unidad nacional bajo un gobierno centralizado en Buenos Aires.
[10] **Federación**: nombre dado a la organización encabezada por Juan Manuel de Rosas.
[11] **Restaurador**: nombre dado a Juan Manuel de Rosas por sus partidarios.
[12] **quien . . . consigo**: who apparently was worried.

compungida, oir tanta batahola de imprecaciones. Se hablaba ya, como de cosa resuelta,[13] de una procesión en que debía ir toda la población descalza y a cráneo descubierto, acompañando al Altísimo,[14] llevado bajo palio por el obispo, hasta la barranca de Balcarce donde millares de voces, conjurando al demonio unitario de la inundación, 5 debían implorar la misericordia divina.

Feliz, o mejor, desgraciadamente,[15] pues la cosa habría sido de verse,[16] no tuvo efecto la ceremonia, porque bajando el Plata, la inundación se fue poco a poco escurriendo en su inmenso lecho, sin necesidad de conjuro ni plegarias. 10

Lo que hace principalmente a mi historia es que por causa de la inundación estuvo quince días el matadero de la Convalescencia[17] sin ver una sola cabeza vacuna, y que en uno o dos,[18] todos los bueyes de quinteros y aguateros se consumieron en el abasto de la ciudad. Los pobres niños y enfermos se alimentaban con huevos y gallinas, y 15 los gringos y herejotes bramaban por el *beefsteak* y el asado. La abstinencia de carne era general en el pueblo, que nunca se hizo más digno de la bendición de la Iglesia, y así fue que llovieron sobre él millones y millones de indulgencias plenarias. Las gallinas se pusieron a seis pesos y los huevos a cuatro reales y el pescado carísimo. No hubo en aquellos 20 días cuaresmales promiscuaciones ni excesos de gula; pero, en cambio, se fueron derecho al cielo innumerables ánimas, y acontecieron cosas que parecen soñadas.

No quedó en el matadero ni un solo ratón vivo de muchos millares que allí tenían albergue. Todos murieron o de hambre o ahogados en 25 sus cuevas por la incesante lluvia. Multitud de negras rebusconas de achuras, como los caranchos de presa, se desbandaron por la ciudad como otras tantas[19] arpías prontas a devorar cuanto hallaran[20] comible. Las gaviotas y los perros, inseparables rivales suyos en el matadero, emigraron en busca de alimento animal. Porción de viejos achacosos 30

---

[13] **como de cosa resuelta**: as if it had already been decided upon.
[14] **el Altísimo**: the Host.
[15] **Feliz, o mejor, desgraciadamente**: Fortunately, or rather, unfortunately.
[16] **de verse**: worth seeing.
[17] **el matadero de la Convalescencia**: lugar donde se permitía la matanza de ganado durante cuaresma.
[18] **uno o dos**: uno o dos días.
[19] **otras tantas**: so many.
[20] **hallaran**: hallarían. (Nótese el uso frecuente del imperfecto del subjuntivo en vez del condicional o potencial en el estilo de Echeverría.)

cayeron en consunción por falta de nutritivo caldo; pero lo más notable que sucedió fue el fallecimiento casi repentino de unos cuantos gringos herejes, que cometieron el desacato de darse un hartazgo de chorizos de Extremadura, jamón y bacalao, y se fueron al otro mundo a pagar 5 el pecado cometido por tan abominable promiscuación.

Algunos médicos opinaron que si la carencia de carne continuaba, medio pueblo caería en síncope por estar los estómagos acostumbrados a su corroborante jugo; y era de notar el contraste entre estos tristes pronósticos de la ciencia y los anatemas lanzados desde el púlpito por 10 los reverendos padres contra toda clase de nutrición animal y de promiscuación en aquellos días destinados por la Iglesia al ayuno y la penitencia. Se originó de aquí una especie de guerra intestina entre los estómagos y las conciencias, atizada por el inexorable apetito y las no menos inexorables vociferaciones de los ministros de la Iglesia, quienes, 15 como es su deber, no transigen con vicio alguno que tienda a relajar las costumbres católicas: a lo que se agregaba el estado de flatulencia intestinal de los habitantes, producido por el pescado y los porotos y otros alimentos algo indigestos.

Esta guerra se manifestaba por sollozos y gritos descompasados en 20 la peroración de los sermones y por rumores y estruendos subitáneos en las casas y calles de la ciudad o dondequiera concurrían gentes. Alarmóse un tanto el gobierno, tan paternal como previsor, del Restaurador, creyendo aquellos tumultos de origen revolucionario y atribuyéndolos a los mismos salvajes unitarios cuyas impiedades, según los 25 predicadores federales, habían traído sobre el país la inundación de la cólera divina; tomó activas providencias, desparramó a sus esbirros por la población, y por último, bien informado, promulgó un decreto tranquilizador de las conciencias y de los estómagos, encabezado por un considerando muy sabio y piadoso para que a todo trance, y arreme- 30 tiendo por agua[21] y todo, se trajese ganado a los corrales.

En efecto, el décimosexto día de la carestía, víspera del día de Dolores,[22] entró a vado por el paso de Burgos al matadero del Alto una tropa de cincuenta novillos gordos; cosa poca por cierto para una población acostumbrada a consumir diariamente de 250 a 300, y cuya tercera 35 parte al menos gozaría del fuero eclesiástico de alimentarse con carne.

---

[21] **encabezado . . . agua**: beginning with a very wise and pious Whereas, that whatever the cost, and high water notwithstanding.

[22] **víspera . . . Dolores**: víspera de viernes de Pasión (Good Friday Eve).

¡Cosa extraña que haya estómagos privilegiados y estómagos sujetos a leyes inviolables y que la Iglesia tenga la llave de los estómagos!

Pero no es extraño, supuesto que el diablo con la carne suele meterse en el cuerpo y que la Iglesia tiene el poder de conjurarlo: el caso es reducir al hombre a una máquina cuyo móvil principal no sea su voluntad sino la de la Iglesia y el gobierno. Quizá llegue el día en que sea prohibido respirar aire libre, pasearse y hasta conversar con un amigo sin permiso de autoridad competente. Así era, poco más o menos, en los felices tiempos de nuestros beatos abuelos, que por desgracia vino a turbar la revolución de Mayo.[23]

Sea como fuera, a la noticia de la providencia gubernativa, los corrales del Alto se llenaron, a pesar del barro, de carniceros, de achuradores y de curiosos, quienes recibieron con grandes vociferaciones y palmoteos los cincuenta novillos destinados al matadero.

—Chica, pero gorda— exclamaban.— ¡Viva la Federación! ¡Viva el Restaurador!

Porque han de saber los lectores que en aquel tiempo la Federación estaba en todas partes, hasta entre las inmundicias del matadero, y no había fiesta sin Restaurador como no hay sermón sin San Agustín.[24] Cuentan que al oir tan desaforados gritos las últimas ratas que agonizaban de hambre en sus cuevas se reanimaron y echaron a correr desatentadas, conociendo que volvían a aquellos lugares la acostumbrada alegría y la algazara precursora de abundancia.

El primer novillo que se mató fue todo entero de regalo al Restaurador, hombre muy amigo del asado. Una comisión de carniceros marchó a ofrecérselo en nombre de los federales del matadero, manifestándole *in voce*[25] su agradecimiento por la acertada providencia del gobierno, su adhesión ilimitada al Restaurador y su odio entrañable a los salvajes unitarios, enemigos de Dios y de los hombres. El Restaurador contestó a la arenga, *rinforzando*[26] sobre el mismo tema, y concluyó la ceremonia con los correspondientes vivas y vociferaciones de los espectadores y actores. Es de creer que el Restaurador tuviese permiso especial de su

---

[23] **revolución de Mayo**: revolución de Mayo de 1810 que empezó la lucha de los argentinos por su independencia de España.

[24] **como . . . Agustín**: just as there is no sermon without [a learned allusion to] St. Augustine (famoso filósofo cristiano, 354–430).

[25] ***in voce*** (*latín*): in person.

[26] ***rinforzando*** (*término musical italiano*): reemphasizing.

Ilustrísima[27] para no abstenerse de carne, porque siendo tan buen observador de las leyes, tan buen católico y tan acérrimo protector de la religión, no hubiera dado mal ejemplo aceptando semejante regalo en día santo.

5 Siguió la matanza, y en un cuarto de hora cuarenta y nueve novillos se hallaban tendidos en la playa del matadero, desollados unos, los otros por desollar. El espectáculo que ofrecía entonces era animado y pintoresco, aunque reunía todo lo horriblemente feo, inmundo y deforme de una pequeña clase proletaria peculiar del Río de la Plata. 10 Pero para que el lector pueda percibirlo a un golpe de ojo, preciso es hacer un croquis de la localidad.

El matadero de la Convalescencia o del Alto, sito en las quintas al sur de la ciudad, es una gran playa en forma rectangular, colocada al extremo de dos calles, una de las cuales allí se termina y la otra se prolonga 15 hacia el este. Esta playa, con declive al sur, está cortada por un zanjón labrado por la corriente de las aguas pluviales, en cuyos bordes laterales se muestran innumerables cuevas de ratones y cuyo cauce recoge en tiempo de lluvia toda la sangraza seca o reciente del matadero. En la junción del ángulo recto, hacia el oeste, está lo que llaman la casilla, 20 edificio bajo de tres piezas, de media agua, con corredor al frente que da a la calle y palenque para atar caballos, a cuya espalda se notan varios corrales de palo a pique de ñandubay con sus fornidas puertas para encerrar el ganado.

Estos corrales son en tiempo de invierno un verdadero lodazal, en el 25 cual los animales apeñuscados se hunden hasta el encuentro y quedan como pegados y casi sin movimiento. En la casilla se hace la recaudación del impuesto de corrales, se cobran las multas por violación de reglamentos y se sienta el juez del matadero, personaje importante, caudillo de los carniceros y que ejerce la suma del poder en aquella 30 pequeña república[28] por delegación del Restaurador. Fácil es calcular qué clase de hombre se requiere para el desempeño de semejante cargo. La casilla, por otra parte, es un edificio tan ruin y pequeño que nadie lo notaría en los corrales a no estar asociado su nombre[29] al del terrible juez y no resaltar sobre su blanca pintura los siguientes letreros 35 rojos: "Viva la Federación", "Viva el Restaurador y la heroína doña

---

[27] **su Ilustrísima:** His Excellency (the Bishop).
[28] **aquella pequeña república:** i.e. el matadero.
[29] **a . . . nombre:** were its name not associated with.

Encarnación Ezcurra", "Mueran los salvajes unitarios". Letreros muy significativos, símbolo de la fe política y religiosa de la gente del matadero. Pero algunos lectores no sabrán que la tal heroína es la difunta esposa del Restaurador, patrona muy querida de los carniceros, quienes, ya muerta,[30] la veneraban por sus virtudes cristianas y su federal heroísmo en la revolución contra Balcarce.[31] Es el caso que en un aniversario de aquella memorable hazaña de la Mazorca,[32] los carniceros festejaron con un espléndido banquete en la casilla a la heroína, banquete a que concurrió con su hija y otras señoras federales, y que allí, en presencia de un gran concurso, ofreció a los señores carniceros en un solemne brindis su federal patrocinio, por cuyo motivo[33] ellos la proclamaron entusiasmados patrona del matadero, estampando su nombre en las paredes de la casilla, donde estará hasta que lo borre la mano del tiempo.

La perspectiva del matadero a la distancia era grotesca, llena de animación. Cuarenta y nueve reses estaban tendidas sobre sus cueros, y cerca de doscientas personas hollaban aquel suelo de lodo regado con la sangre de sus arterias. En torno de cada res resaltaba un grupo de figuras humanas de tez y raza distintas. La figura más prominente de cada grupo era el carnicero con el cuchillo en mano, brazo y pecho desnudos, cabello largo y revuelto, camisa, chiripá y rostro embadurnados de sangre. A sus espaldas se rebullían, caracoleando y siguiendo los movimientos, una comparsa de muchachos, de negras y mulatas achuradoras cuya fealdad trasuntaba las arpías de la fábula, y entremezclados con ella, algunos enormes mastines olfateaban, gruñían o se daban de tarascones por la presa. Cuarenta y tantas carretas, toldadas con negruzco y pelado cuero, se escalonaban irregularmente a lo largo de la playa, y algunos jinetes con el poncho calado y el lazo prendido al tiento cruzaban por entre ellas al tranco o, reclinados sobre el pescuezo de los caballos, echaban ojo indolente sobre uno de aquellos animados grupos, al paso que, más arriba en el aire, un enjambre de gaviotas blanquiazules, que habían vuelto de la emigración al olor de la carne, revoloteaban, cubriendo con su disonante graznido todos los ruidos y

---

[30] **ya muerta:** although [she was] already dead.

[31] **Balcarce:** Juan Ramón Balcarce (1773–1835), general argentino y enemigo de Rosas.

[32] **la Mazorca:** organización terrorista formada por los partidarios de Rosas, la cual cometió toda clase de atrocidades contra los enemigos del dictador.

[33] **por cuyo motivo:** by reason of which [offer].

voces del matadero y proyectando una sombra clara sobre aquel campo de horrible carnicería. Esto se notaba al principio de la matanza.

Pero a medida que adelantaba, la perspectiva variaba; los grupos se deshacían, venían a formarse tomando diversas actitudes y se 5 desparramaban corriendo como si en medio de ellos cayese alguna bala perdida o asomase la quijada de algún encolerizado mastín. Esto era que ínterin el carnicero en un grupo descuartizaba a golpe de hacha, colgaba en otros los cuartos en los ganchos de su carreta, despellejaba en éste, sacaba el sebo en aquél; de entre la chusma que ojeaba y 10 aguardaba la presa de achura, salía de cuando en cuando una mugrienta mano a dar un tarazón con el cuchillo al sebo o a los cuartos de la res, lo que originaba gritos y explosión de cólera del carnicero y el continuo hervidero de los grupos dichos y la gritería descompasada de los muchachos.

15 —Ahí se mete el sebo en las tetas, la tía— gritaba uno.

—Aquél lo escondió en el alzapón— replicaba la negra.

—¡Che! negra bruja, salí[34] de aquí antes de que te pegue un tajo— exclamaba el carnicero.

—¿Qué le hago, ño[35] Juan? ¡No sea malo! Yo no quiero sino la panza 20 y las tripas.

—Son para esa bruja: a la m . . .[36]

—¡A la bruja![37] ¡A la bruja!— repitieron los muchachos.—¡Se lleva la riñonada y el tongorí!

Y cayeron sobre su cabeza sendos cuajos de sangre y tremendas 25 pelotas de barro.

Hacia otra parte, entretanto, dos africanas llevaban arrastrando las entrañas de un animal; allá una mulata se alejaba con un ovillo de tripas, y resbalando de repente sobre un charco de sangre, caía a plomo, cubriendo con su cuerpo la codiciada presa. Acullá se veían acurrucadas 30 en hileras 400 negras destejiendo sobre las faldas el ovillo y arrancando, uno a uno, los sebitos que el avaro cuchillo del carnicero había dejado en la tripa como rezagados, al paso que otras vaciaban panzas y vejigas y las henchían de aire de sus pulmones para depositar en ellas, luego de secas,[38] la achura.

---

[34] **salí**: i.e. sal (uso del voseo argentino, imperativo familiar).
[35] **ño**: señor.
[36] **Son . . . m . . .** (mierda): They're for that [other] old gal; get the hell out of here.
[37] **¡A la bruja!**: Get the old witch!
[38] **luego de secas**: after they were dry.

Varios muchachos, gambeteando a pie y a caballo, se daban de vejigazos o se tiraban bolas de carne, desparramando con ellas y su algazara la nube de gaviotas que, columpiándose en el aire, celebraban chillando la matanza. Oíanse a menudo, a pesar del veto del Restaurador y de la santidad del día, palabras inmundas y obscenas, vociferaciones preñadas de todo el cinismo bestial que caracteriza a la chusma de nuestros mataderos, con las cuales no quiero regalar a los lectores.

De repente caía un bofe sangriento sobre la cabeza de alguno, que de allí pasaba a la de otro, hasta que algún deforme mastín lo hacía buena presa, y una cuadrilla de otros, por si estrujo o no estrujo,[39] armaba una tremenda[40] de gruñidos y mordiscones. Alguna tía vieja salía furiosa en persecución de un muchacho que le había embadurnado el rostro con sangre, y acudiendo a sus gritos y puteadas los compañeros del rapaz, la rodeaban y azuzaban como los perros al toro,[41] y llovían sobre ella zoquetes de carne, bolas de estiércol, con groseras carcajadas y gritos frecuentes, hasta que el juez mandaba restablecer el orden y despejar el campo.

Por un lado, dos muchachos se adiestraban en el manejo del cuchillo, tirándose horrendos tajos y reveses; por otro, cuatro, ya adolescentes, ventilaban a cuchilladas el derecho a una tripa gorda y un mondongo que habían robado a un carnicero; y no de ellos distante, porción de perros, flacos ya de la forzosa abstinencia, empleaban el mismo medio para saber quién se llevaría un hígado envuelto en barro. Simulacro en pequeño era éste del modo bárbaro con que se ventilan en nuestro país las cuestiones y los derechos individuales y sociales. En fin, la escena que se representaba en el matadero era para vista, no para escrita.

Un animal había quedado en los corrales, de corta y ancha cerviz, de mirar fiero, sobre cuyos órganos genitales no estaban conformes los pareceres, porque tenía apariencias de toro y de novillo. Llególe la hora. Dos enlazadores a caballo penetraron en el corral en cuyo contorno hervía la chusma a pie, a caballo y horquetada sobre sus nudosos palos. Formaban en la puerta el más grotesco y sobresaliente grupo varios pialadores y enlazadores de a pie, con el brazo desnudo y armados del certero lazo, la cabeza cubierta con un pañuelo punzó y chaleco y chiripá colorado, teniendo a sus espaldas varios jinetes y espectadores de ojo escrutador y anhelante.

---

[39] **si . . . estrujo**: trying to trample one another.
[40] **tremenda**: uproar.
[41] **azuzaban . . . al toro**: i.e. como los perros azuzan al toro.

El animal, prendido ya al lazo por las astas, bramaba echando espuma furibundo, y no había demonio que lo hiciera salir del pegajoso barro donde estaba como clavado, y era imposible pialarlo. Gritábanle, lo azuzaban en vano con las mantas y pañuelos los muchachos prendidos 5 sobre las horquetas del corral, y era de oir la disonante batahola de silbidos, palmadas y voces tiples y roncas que se desprendían de aquella singular orquesta.

Los dicharachos, las exclamaciones chistosas y obscenas rodaban de boca en boca, y cada cual hacía alarde espontáneamente de su ingenio y 10 de su agudeza, excitado por el espectáculo o picado por el aguijón de alguna lengua locuaz.

—Hi de p . . . en el toro.[42]

—Al diablo los torunos del Azul.[43]

—Malhaya el tropero que nos da gato por liebre.[44]

15 —Si es novillo.[45]

—¿No está viendo que es toro viejo?

—Como toro le ha de quedar. ¡Muéstreme los c . . . si le parece, c . . . o![46]

—Ahí los tiene entre las piernas. ¿No los ve, amigo, más grandes que 20 la cabeza de su castaño, o se ha quedado ciego en el camino?

—Su madre sería la ciega, pues que tal hijo ha parido. ¿No ve que todo ese bulto es barro?

—Es emperrado y arisco como un unitario.

Y al oir esta mágica palabra, todos a una voz exclamaron: —¡Mueran 25 los salvajes unitarios!

—Para el tuerto los h . . .[47]

—Sí, para el tuerto, que es hombre de c . . . para pelear[48] con los unitarios. El matahambre a Matasiete, degollador de unitarios. ¡Viva Matasiete!

30 —A Matasiete el matahambre.

—Allá va— gritó una voz ronca, interrumpiendo aquellos desahogos de la cobardía feroz.— ¡Allá va el toro!

---

[42] **Hi de p . . .** (Hijo de puta) **en el toro:** Whoreson; damn that bull.

[43] Se supone que el Azul es una hacienda de ganado.

[44] **Malhaya . . . liebre:** Damn the rancher who put this over on us.

[45] **Si es novillo:** But it's a steer.

[46] **Como . . . quedar. ¡Muéstreme los c . . .** (cojones) **si le parece, c . . . o!** (carajo): It may look like a bull to you. Show me his testicles if you don't mind, damnit!

[47] **h . . .** (huevos): testicles.

[48] **es hombre de c . . .** (cojones) **para pelear:** he has the guts to fight.

—¡Alerta! ¡Guarda los de la puerta! ¡Allá va furioso como un demonio!

Y en efecto, el animal, acosado por los gritos y sobre todo por dos picanas agudas que le espoleaban la cola, sintiendo flojo el lazo, arremetió bufando a la puerta, lanzando a entrambos lados una rojiza y fosfórica mirada. Dióle el tirón el enlazador sentando su caballo,[49] desprendió el lazo del asta, crujió por el aire un áspero zumbido y al mismo tiempo se vio rodar desde lo alto de una horqueta del corral, como si un golpe de hacha la hubiese dividido a cercén, una cabeza de niño cuyo tronco permaneció inmóvil sobre su caballo de palo, lanzando por cada arteria un largo chorro de sangre.

—¡Se cortó el lazo!— gritaron unos.— ¡Allá va el toro!

Pero otros, deslumbrados y atónitos, guardaron silencio, porque todo fue como un relámpago.

Desparramóse un tanto el grupo de la puerta. Una parte se agolpó sobre la cabeza y el cadáver palpitante del muchacho degollado por el lazo, manifestando horror en su atónito semblante, y la otra parte, compuesta de jinetes que no vieron la catástrofe, se escurrió en distintas direcciones en pos del toro, vociferando y gritando: ¡Allá va el toro! ¡Atajen! ¡Guarda! ¡Enlaza, Sietepelos! ¡Que te agarra, Botija![50] ¡Va furioso; no se le pongan delante! ¡Ataja, ataja, Morado! ¡Dale espuela al mancarrón! ¡Ya se metió en la Calle Sola! ¡Que lo ataje el diablo!

El tropel y vocería era infernal. Unas cuantas negras achuradoras, sentadas en hilera al borde del zanjón, oyendo el tumulto se acogieron y agazaparon entre las panzas y tripas que desenredaban y deshilvanaban con la paciencia de Penélope,[51] lo que sin duda las salvó, porque el animal lanzó al mirarlas un bufido aterrador, dio un brinco sesgado y siguió adelante perseguido por los jinetes. Cuentan que una de ellas se fue de cámaras;[52] otra rezó diez salves en dos minutos, y dos prometieron a San Benito no volver jamás a aquellos malditos corrales y abandonar el oficio de achuradoras. No se sabe si cumplieron la promesa.

El toro, entretanto, tomó hacia la ciudad por una larga y angosta

---

[49] **sentando su caballo**: making his horse pull back.

[50] **Que te agarra, Botija**: He's about to get you, Botija.

[51] **Penélope**: mujer de Ulises quien se negó a casarse con sus pretendientes durante los veinte años que duró la ausencia de su esposo; prometió elegir a un pretendiente cuando hubiera acabado un lienzo que estaba bordando, pero deshacía por la noche todo lo que había hecho durante el día.

[52] **se fue de cámaras**: lost control of her bowels.

calle que parte de la punta más aguda del rectángulo anteriormente descrito, calle encerrada por una zanja y un cerco de tunas, que llaman *sola* por no tener más de dos casas laterales, y en cuyo apozado centro había un profundo pantano que tomaba de zanja a zanja. Cierto inglés, de vuelta de su saladero, vadeaba este pantano a la sazón, paso a paso, en un caballo algo arisco, y sin duda iba tan absorto en sus cálculos que no oyó el tropel de jinetes ni la gritería sino cuando el toro arremetía al pantano. Azoróse de repente su caballo dando un brinco al sesgo y echó a correr, dejando al pobre hombre hundido media vara en el fango. Este accidente, sin embargo, no detuvo ni refrenó la carrera de los perseguidores del toro, antes al contrario, soltando carcajadas sarcásticas, —Se amoló el gringo; levántate gringo —exclamaron, cruzando el pantano y amasando con barro, bajo las patas de sus caballos, su miserable cuerpo. Salió el gringo como pudo después a la orilla, más con la apariencia de un demonio tostado por las llamas del infierno que de un hombre blanco pelirrubio. Más adelante, al grito de ¡al toro! cuatro negras achuradoras que se retiraban con su presa se zambulleron en la zanja llena de agua, único refugio que les quedaba.

El animal, entretanto, después de haber corrido unas veinte cuadras en distintas direcciones azorando con su presencia a todo viviente, se metió por la tranquera de una quinta, donde halló su perdición. Aunque cansado, manifestaba brío y colérico ceño; pero rodeábanlo una zanja profunda y un tupido cerco de pitas, y no había escape. Juntáronse luego sus perseguidores, que se hallaban desbandados, y resolvieron llevarlo en un señuelo de bueyes para que expiase su atentado en el lugar mismo donde lo había cometido.

Una hora después de su fuga el toro estaba otra vez en el matadero, donde la poca chusma que había quedado no hablaba sino de sus fechorías. La aventura del gringo en el pantano excitaba principalmente la risa y el sarcasmo. Del niño degollado por el lazo no quedaba sino un charco de sangre; su cadáver estaba en el cementerio.

Enlazaron muy luego por las astas al animal, que brincaba haciendo hincapié y lanzando roncos bramidos. Echáronle uno, dos, tres piales; pero infructuosos; al cuarto quedó prendido de una pata; su brío y su furia redoblaron; su lengua, estirándose convulsiva, arrojaba espuma, su nariz humo, sus ojos miradas encendidas. —¡Desjarreten ese animal!— exclamó una voz imperiosa. Matasiete se tiró al punto del caballo, cortóle el garrón de una cuchillada y gambeteando en torno de él con su enorme daga en mano, se la hundió al cabo hasta el puño en la garganta, mostrándola en seguida humeante y roja a los espectadores.

Brotó un torrente de la herida, exhaló algunos bramidos roncos, vaciló y cayó el soberbio animal entre los gritos de la chusma que proclamaba a Matasiete vencedor y le adjudicaba en premio el matahambre. Matasiete extendió, como orgulloso, por segunda vez el brazo y el cuchillo ensangrentado, y se agachó a desollarlo con otros compañeros. 5

Faltaba que resolver la duda sobre[53] los órganos genitales del muerto, clasificado provisoriamente de toro por su indomable fiereza; pero estaban todos tan fatigados de la larga tarea, que lo echaron por lo pronto en olvido. Mas de repente una voz ruda exclamó— Aquí están los huevos— sacando de la verija del animal y mostrando a los especta- 10 dores dos enormes testículos, signo inequívoco de su dignidad de toro. La risa y la charla fue grande; todos los incidentes desgraciados pudieron fácilmente explicarse. Un toro en el matadero era cosa muy rara, y aun vedada. Aquél, según reglas de buena policía,[54] debío arrojarse a los perros; pero había tanta escasez de carne y tantos hambrientos en la 15 población que el señor juez tuvo a bien hacer ojo lerdo.[55]

En dos por tres[56] estuvo desollado, descuartizado y colgado en la carreta el maldito toro. Matasiete colocó el matahambre bajo el pellón de su recado y se preparaba a partir. La matanza estaba concluida a las doce, y la poca chusma que había presenciado hasta el fin se retiraba 20 en grupos de a pie y de a caballo, o tirando a la cincha algunas carretas cargadas de carne.

Mas de repente la ronca voz de un carnicero gritó:

—¡Allí viene un unitario!— y al oir tan significativa palabra toda aquella chusma se detuvo como herida de una impresión subitánea. 25

—¿No le ven la patilla en forma de U? No trae divisa en el fraque ni luto en el sombrero.[57]

—Perro unitario.

—Es un cajetilla.

—Monta en silla como los gringos. 30

—La mazorca[58] con él.

—¡La tijera!

---

[53] **Faltaba . . . sobre**: There still remained to be settled the question of.
[54] **reglas de buena policía**: public health laws.
[55] **tuvo . . . lerdo**: thought it advisable to ignore the regulation.
[56] **En dos por tres**: In two shakes.
[57] Todos los federales llevaban una cinta roja, como insignia de adhesión al régimen de Rosas, y luto en el sombrero por la muerte de doña Encarnación, esposa de Rosas.
[58] **mazorca**: here, torture table.

—Es preciso sobarlo.
—Trae pistoleras por pintar.[59]
—Todos estos cajetillas unitarios son pintores[60] como el diablo.
—¡A que no te le animás,[61] Matasiete!
5 —¿A que no?[62]
—A que sí.[63]
Matasiete era hombre de pocas palabras y de mucha acción. Tratándose de violencia, de agilidad, de destreza en el hacha, el cuchillo o el caballo, no hablaba y obraba. Lo habían picado; prendió la espuela a 10 su caballo y se lanzó a brida suelta al encuentro del unitario.

Era éste un joven como de veinticinco años, de gallarda y bien apuesta persona que, mientras salían en borbotones de aquellas desaforadas bocas las anteriores exclamaciones, trotaba hacia Barracas, muy ajeno de temer peligro alguno. Notando, empero, las significativas 15 miradas de aquel grupo de dogos de matadero, echa maquinalmente la diestra sobre las pistoleras de su silla inglesa, cuando una pechada al sesgo del caballo de Matasiete lo arroja de los lomos del suyo tendiéndolo a la distancia boca arriba y sin movimento alguno.

—¡Viva Matasiete!— exclamó toda aquella chusma, cayendo en 20 tropel sobre la víctima como los caranchos rapaces sobre la osamenta de un buey devorado por el tigre.

Atolondrado todavía el joven, fue, lanzando una mirada de fuego sobre aquellos hombres feroces, hacia su caballo que permanecía inmóvil no muy distante, a buscar en sus pistolas el desagravio y la venganza. 25 Matasiete, dando un salto, le salió al encuentro y con fornido brazo, asiéndolo de la corbata, lo tendió en el suelo tirando al mismo tiempo la daga de la cintura y llevándola a su garganta.

Una tremenda carcajada y un nuevo *viva* estentóreo volvió a vitorearlo.

30 ¡Qué nobleza de alma! ¡Qué bravura en los federales!, siempre en pandillas cayendo como buitres sobre la víctima inerte.

—Degüéllalo, Matasiete; quiso sacar las pistolas. Degüéllalo como al toro.

---

59 **Trae . . . pintar:** He's got holsters just to show off.
60 **pintores:** show-offs.
61 **A . . . animás:** [I'll bet] you don't have the nerve [to pick a fight with him]. (*animás:* uso del voseo.)
62 **¿A que no?:** [You bet] he won't?
63 **A que sí:** [I bet] he will.

—Pícaro unitario. Es preciso tusarlo.
—Tiene buen pescuezo para el violín.[64]
—Tócale el violín.
—Mejor es la resbalosa.[65]
—Probemos —dijo Matasiete, y empezó sonriendo a pasar el filo de su daga por la garganta del caído, mientras con la rodilla izquierda le comprimía el pecho y con la siniestra mano le sujetaba por los cabellos.
—No, no le degüellen— exclamó de lejos la voz imponente del juez del matadero que se acercaba a caballo.
—A la casilla con él, a la casilla. Preparen la mazorca y las tijeras. ¡Mueran los salvajes unitarios! ¡Viva el Restaurador de las leyes!
—¡Viva Matasiete!
"¡Mueran!" "¡Vivan!" —repitieron en coro los espectadores, y atándolo codo con codo, entre moquetes y tirones, entre vociferaciones e injurias, arrastraron al infeliz joven al banco del tormento, como los sayones al Cristo.

La sala de la casilla tenía en su centro una grande y fornida mesa, de la cual no salían los vasos de bebida y los naipes sino para dar lugar a las ejecuciones y torturas de los sayones federales del matadero. Notábase además en un rincón otra mesa chica con recado de escribir y un cuaderno de apuntes y porción de sillas, entre las que resaltaba un sillón de brazos destinado para el juez. Un hombre, soldado en apariencia, sentado en una de ellas, cantaba al son de la guitarra la resbalosa, tonada de inmensa popularidad entre los federales, cuando la chusma llegando en tropel al corredor de la casilla lanzó a empellones al joven unitario hacia el centro de la sala.

—A ti te toca la resbalosa— gritó uno.
—Encomienda tu alma al diablo.
—Está furioso como toro montaraz.
—Ya le amansará el palo.
—Es preciso sobarlo.
—Por ahora verga y tijera.
—Si no, la vela.
—Mejor será la mazorca.
—Silencio y sentarse— exclamó el juez, dejándose caer sobre un sillón. Todos obedecieron, mientras el joven, de pie, encarando al juez, exclamó con voz preñada de indignación:

---

[64] **el violín**: parece ser una alusión chistosa a la horca.
[65] **la resbalosa**: canto argentino; "tocar la resbalosa" quiere decir degollar.

—¡Infames sayones! ¿Qué intentan hacer de mí?

—¡Calma!— dijo sonriendo el juez.— No hay que encolerizarse. Ya lo verás.

El joven, en efecto, estaba fuera de sí de cólera. Todo su cuerpo parecía estar en convulsión. Su pálido y amoratado rostro, su voz, su labio trémulo, mostraban el movimiento convulsivo de su corazón, la agitación de sus nervios. Sus ojos de fuego parecían salirse de la órbita, su negro y lacio cabello se levantaba erizado. Su cuello desnudo y la pechera de su camisa dejaban entrever el latido violento de sus arterias y la respiración anhelante de sus pulmones.

—¿Tiemblas?— le dijo el juez.

—De rabia porque no puedo sofocarte entre mis brazos.

—¿Tendrías fuerza y valor para eso?

—Tengo de sobra voluntad y coraje para ti, infame.

—A ver las tijeras de tusar mi caballo: túsenlo a la federala.[66]

Dos hombres lo asieron, uno de la ligadura del brazo, otro de la cabeza, y en un minuto cortáronle la patilla que poblaba toda su barba por bajo, con risa estrepitosa de sus espectadores.

—A ver— dijo el juez,— un vaso de agua para que se refresque.

—Uno de hiel te daría yo a beber, infame.

Un negro petiso púsosele al punto delante[67] con un vaso de agua en la mano. Diole el joven un puntapié en el brazo, y el vaso fue a estrellarse en el techo, salpicando el asombrado rostro de los espectadores.

—Este es incorregible.

—Ya lo domaremos.

—Silencio— dijo el juez —. Ya estás afeitado a la federala; sólo te falta el bigote. Cuidado con olvidarlo.[68] Ahora vamos a cuentas.[69] ¿Por qué no traes divisa?

—Porque no quiero.

—¿No sabes que lo manda el Restaurador?

—La librea es para vosotros, esclavos, no para los hombres libres.

—A los libres se les hace llevar a la fuerza.[70]

—Sí, la fuerza y la violencia bestial. Esas son vuestras armas, infames. ¡El lobo, el tigre, la pantera también son fuertes como vosotros! Deberíais andar como ellos en cuatro patas.

---

[66] **a la federala:** in the federalist style.
[67] **púsosele al punto delante:** appeared before him instantly.
[68] **Cuidado con olvidarlo:** You had better not forget to grow one.
[69] **vamos a cuentas:** let's get down to business.
[70] **A los libres . . . fuerza:** One makes "free men" wear them by force.

—¿No temes que el tigre te despedace?

—Lo prefiero a que maniatado me arranquen,[71] como el cuervo, una a una las entrañas.

—¿Por qué no llevas luto en el sombrero por la heroína?

—Porque lo llevo en el corazón por la patria, por la patria que vosotros habéis asesinado, infames.

—¿No sabes que así lo dispuso el Restaurador?

—Lo dispusisteis vosotros, esclavos, para lisonjear el orgullo de vuestro señor y tributarle vasallaje infame.

—¡Insolente! Te has embravecido mucho. Te haré cortar la lengua si chistas. Abajo los calzones a ese mentecato cajetilla y a nalga pelada denle verga, bien atado sobre la mesa.

Apenas articuló esto el juez, cuatro sayones salpicados de sangre suspendieron al joven y lo tendieron largo a largo sobre la mesa, comprimiéndole todos sus miembros.

—Primero degollarme que desnudarme,[72] infame canalla.

Atáronle un pañuelo a la boca y empezaron a tironear sus vestidos. Encogíase el joven, pateaba, hacía rechinar los dientes. Tomaban ora sus miembros la flexibilidad del junco, ora la dureza del fierro, y su espina dorsal era el eje de un movimiento parecido al de la serpiente. Gotas de sudor fluían por su rostro, grandes como perlas; echaban fuego sus pupilas, su boca espuma, y las venas de su cuello y frente negreaban en relieve sobre su blanco cutis como si estuvieran repletas de sangre.

—Atenlo primero— exclamó el juez.

—Está rugiendo de rabia— articuló un sayón.

En un momento liaron sus piernas en ángulo a los cuatro pies de la mesa, volcando su cuerpo boca abajo. Era preciso hacer igual operación con las manos, para lo cual soltaron las ataduras que las comprimían en la espalda. Sintiéndolas libres el joven, por un movimiento brusco en el cual pareció agotarse toda su fuerza y vitalidad, se incorporó primero sobre sus brazos, después sobre sus rodillas, y se desplomó al momento murmurando:

—Primero degollarme que desnudarme, infame canalla.

Sus fuerzas se habían agotado. Inmediatamente quedó atado en cruz y empezaron la obra de desnudarlo. Entonces un torrente de sangre brotó borbolloneando de la boca y las narices del joven, y extendiéndose

---

[71] **a . . . arranquen**: to your tearing out.

[72] **Primero degollarme que desnudarme**: [I would far rather] you slit my throat than strip me.

empezó a caer a chorros por entrambos lados de la mesa. Los sayones quedaron inmóviles y los espectadores estupefactos.

—Reventó de rabia el salvaje unitario— dijo uno.

—Tenía un río de sangre en las venas— articuló otro.

—Pobre diablo, queríamos únicamente divertirnos con él y tomó la cosa demasiado a lo serio— exclamó el juez frunciendo el ceño de tigre.

—Es preciso dar parte;[73] desátenlo y vamos.

Verificaron la orden; echaron llave a la puerta y en un momento se escurrió la chusma en pos del caballo del juez cabizbajo y taciturno.

Los federales habían dado fin a una de sus innumerables proezas.

En aquel tiempo los carniceros degolladores del matadero eran los apóstoles que propagaban a verga y puñal la federación rosina, y no es difícil imaginarse qué federación saldría de sus cabezas y cuchillas. Llamaban ellos salvaje unitario, conforme a la jerga inventada por el Restaurador, patrón de la cofradía, a todo el que no era degollador, carnicero, ni salvaje, ni ladrón; a todo hombre decente y de corazón bien puesto, a todo patriota ilustrado amigo de las luces y de la libertad; y por el suceso anterior puede verse a las claras que el foco de la federación estaba en el matadero.

CUESTIONARIO

1. *¿Qué importancia tiene el marco histórico y geográfico para el entendimiento de este cuento? ¿Cuáles son las escenas que nos permiten decir que Echeverría tenía una buena concepción de la realidad de su época?*
2. *¿Cómo se definen los términos "color local" y "costumbrismo"? ¿Cuáles son las manifestaciones del color local y costumbrismo en "El matadero"?*
3. *¿Cuáles son los pasajes de "El matadero" que muestran mejor el humorismo y sentido satírico de la narrativa de Echeverría?*
4. *¿Cuál es la intención política y propagandista de las ideas expuestas en esta obra? ¿Qué es el caudillismo? ¿Cómo se manifiesta el anti-caudillismo de Echeverría?*
5. *¿Qué es una alegoría? ¿Cuáles son los aspectos esencialmente alegóricos de "El matadero"? ¿Qué simbolismo religioso tiene la escena en la cual los federales torturan al joven unitario?*

---

[73] **dar parte**: to report it to the authorities.

6. *Según el autor, ¿de parte de quiénes está la Iglesia? ¿Qué es la actitud de la Iglesia en cuanto a los unitarios? ¿Cómo logra Echeverría su sátira de la Iglesia y de los federales?*
7. *¿Qué posición toma Echeverría ante el clericalismo y la credulidad religiosa de sus compatriotas? ¿Qué indicaciones de esta actitud se encuentran en "El matadero"?*
8. *En cuanto a la estructura de este cuento, ¿cómo se justifica la inclusión del episodio del joven unitario, con sus fuertes sobretonos políticos, en lo que es aparentemente un simple relato costumbrista?*
9. *Según Echeverría, ¿qué es la actitud de los federales en cuanto a 1) los derechos humanos, 2) la vida humana, 3) los extranjeros, 4) el refinamiento cultural?*
10. *¿Cómo se desarrollan los temas de la libertad y la tiranía en "El matadero"?*
11. *¿Qué comparación se puede hacer entre la vida política descrita por Echeverría y la vida moderna argentina de la época de Perón, o con otros dictadores hispanoamericanos?*
12. *¿Cuáles son los rasgos puramente regionales de "El matadero"? ¿Cuáles son sus rasgos universales?*

Dar a cada estudiante una pregunta.

Rafael Arévalo Martínez

Guatemala (1884-)

Es raro que un escritor de renombre literario internacional carezca de biografía oficial, pero tal es el caso de Rafael Arévalo Martínez, considerado el maestro de los prosistas del modernismo. En una carta dirigida al muy conocido crítico e historiador Arturo Torres-Ríoseco, Arévalo Martínez cuenta lo siguiente sobre su vida: "En cuanto a datos biográficos sólo le puedo decir que nací en 1884, que casé en 1911, que tengo siete hijos, un cuerpo endeble hasta lo inverosímil (peso noventa y cuatro libras), una neurastenia crónica desde los catorce años. Y nada más." Sabemos algo más de su vida—que nació en la Ciudad de Guatemala el 25 de julio de 1884 y que se educó en el Colegio de Infantes en la misma ciudad. Ha pasado casi toda su vida en Guatemala donde fue Director de la Biblioteca Nacional de 1926 a 1944 cuando fue nombrado Embajador en Washington ante la Organización de Estados Americanos. Alrededor de 1919 hizo un corto viaje a Nueva York para seguir tratamiento médico, quizá a causa de la neurastenia que él mismo mencionaría años más tarde en su carta. En 1920 se difundió desde Guatemala la noticia de su muerte; sin embargo en 1928 aparecieron nuevas obras de Arévalo Martínez, que afortunadamente seguía vivo y en la más productiva etapa de su carrera. Vive actualmente en la Ciudad de Guatemala, retirado ya de sus cargos oficiales.

La obra que ganó para Arévalo Martínez su fama inicial de literato fue el cuento "El hombre que parecía un caballo", escrito en 1914. Gabriela Mistral, poetisa chilena y recipiente del Premio Nobel de literatura, escribió las siguientes palabras sobre este cuento: "Hemos leído sus libros en un pequeño círculo amigo, con una admiración efusiva, prolongada y fraternal. Su 'Hombre que parecía un caballo' es una de las lecturas perfectas que me ha dado la vida." El cuentista ha sido elogiado también por Rubén Darío, el creador del movimiento modernista, y por el gran pensador mexicano José Vasconcelos.

La mayor parte de las obras anteriores a "El hombre que parecía un caballo" habían sido de poesía, pero a partir de 1922 empezaban a publicarse obras en prosa: *Manuel Aldano* (1922), novela en forma autobiográfica, y *La oficina de paz de Orolandia* (1925), novela sobre el imperialismo yanqui, escrita, según el autor, a insistencia de un norteamericano que le convenció de la popularidad que tendría la obra traducida al inglés. En 1938 y 1939 publicó dos novelas de tema alegórico-político: *El mundo de los maharachías* y *Viaje a Ipanda.* Arévalo Martínez ha seguido escribiendo obras en prosa hasta los últimos años. Sus primeros versos se publicaron en 1911 bajo el título de *Maya.* Después, han aparecido otros cuatro tomos de poesías, siendo el más conocido *Las rosas de Engaddi* (1927). Predominan en su lírica las notas filosóficas, patrióticas y religiosas, a veces con cierto vuelo místico.

"El hombre que parecía un caballo", cuento de tipo psico-zoológico, refleja la influencia modernista que recibiera su autor en los últimos años de aquel movimiento. El cuento es una especie de estudio psicológico y fisonómico del señor de Aretal, el protagonista, que al autor parecía un caballo. Se ha sugerido la idea de que el poeta colombiano Porfirio Barba Jacob (1883–1942) le sirvió de modelo a Arévalo Martínez para el señor de Aretal. El otro personaje principal de la obra es el narrador mismo, quien nos cuenta cómo conoció al señor de Aretal y el efecto que su relación con él produjo en lo más hondo de su espíritu. El protagonista del cuento se nos presenta rodeado de una atmósfera de misterio, y la constante preocupación del narrador es descubrir el enigma del señor de Aretal, lo cual logra al final de la obra. Desde la primera página hasta la última sigue creciendo la impresión de que el señor de Aretal tiene todo el aspecto de un caballo: "estiraba el cuello como un caballo", "veía como un caballo", "caía como un caballo" etc. Además del interesante estudio psicológico de los personajes del cuento, es de notar la brillantez de su estilo. Las metáforas y los símiles de "El hombre que parecía un caballo" tienen toda la elegancia y el colorido de las mejores obras modernistas de la época. A lo largo de sus páginas se repiten las imágenes evocadoras de flores, joyas y colores. El conjunto de todos los elementos del cuento logran crear una atmósfera exquisita, sensual y refinada que está muy lejos del mundo rutinario y cotidiano que nos rodea.

El hombre que parecía un caballo

En el momento en que nos presentaron, estaba en un extremo de la habitación, con la cabeza ladeada, como acostumbran a estar los caballos, y con aire de no fijarse en lo que pasaba a su alrededor. Tenía los miembros duros, largos y enjutos, extrañamente recogidos, tal como los de uno de los protagonistas en una ilustración inglesa del libro de Gulliver.[1] Pero mi impresión de que aquel hombre se asemejaba por misterioso modo a un caballo, no fue obtenida entonces sino de una manera subconsciente, que acaso nunca surgiese a la vida plena del conocimiento,[2] si mi anormal contacto con el héroe de esta historia no se hubiese prolongado.

En esa misma prístina escena de nuestra presentación, empezó el señor de Aretal a desprenderse, para obsequiarnos, de los traslúcidos collares de ópalos, de amatistas, de esmeraldas y de carbunclos que constituían su íntimo tesoro.[3] En un principio de deslumbramiento,[4] yo me tendí todo, yo me extendí todo, como una gran sábana blanca, para hacer mayor mi superficie de contacto con el generoso donante. Las

---

[1] Esto se refiere a las ilustraciones de la cuarta parte de *Gulliver's Travels* (1726), de Jonathan Swift, que cuenta las andanzas de Gulliver por la tierra de los Houyhnhnms, una raza de caballos inteligentes y nobles.

[2] **nunca . . . conocimiento**: would never have risen to the full life of [conscious] knowledge.

[3] El sr. de Aretal es un poeta, centro de un círculo admirador de jóvenes artistas, quienes se reúnen en su cuarto de hotel para escuchar sus versos y conversación enjoyados.

[4] **En un principio de deslumbramiento**: At first, in my bedazzled state.

antenas de mi alma se dilataban, lo palpaban y volvían trémulas y conmovidas y regocijadas a darme la buena nueva: —Este es el hombre que esperabas; éste es el hombre por el que te asomabas a todas las almas desconocidas, porque ya tu intuición te había afirmado que un día serías enriquecido por el advenimiento de un ser único. La avidez con que tomaste, percibiste y arrojaste tantas almas que se hicieron desear y defraudaron tu esperanza, hoy será ampliamente satisfecha: inclínate y bebe de esta agua.

Y cuando se levantó para marcharse, lo seguí, aherrojado y preso como el cordero que la zagala ató con lazos de rosas. Ya en el cuarto de habitación de mi nuevo amigo, éste, apenas traspuestos los umbrales que le daban paso a un medio propicio y habitual,[5] se encendió todo él. Se volvió deslumbrador y escénico como el caballo de un emperador en una parada militar. Los faldones de su levita tenían vaga semejanza con la túnica interior de un corcel de la edad media, enjaezado para un torneo. Le caían bajo las nalgas enjutas, acariciando los remos finos y elegantes. Y empezó su actuación teatral.

Después de un ritual de preparación cuidadosamente observado, caballero iniciado de un antiquísimo culto,[6] y cuando ya nuestras almas se habían vuelto cóncavas,[7] sacó el cartapacio de sus versos con la misma mesura unciosa con que se acerca el sacerdote al ara. Estaba tan grave que imponía respeto. Una risa hubiera sido acuchillada en el instante de nacer.

Sacó su primer collar de topacios,[8] o mejor dicho, su primera serie de collares de topacios, traslúcidos y brillantes. Sus manos se alzaron con tanta cadencia que el ritmo se extendió a tres mundos.[9] Por el poder del ritmo, nuestra estancia se conmovió toda en el segundo piso,[10] como un globo prisionero, hasta desasirse de sus lazos terrenos y llevarnos en un silencioso viaje aéreo. Pero a mí no me conmovieron sus versos, porque eran versos inorgánicos. Eran el alma traslúcida y radiante de los minerales; eran el alma simétrica y dura de los minerales.

Y entonces el Oficiante de las Cosas Minerales sacó su segundo

---

[5] **que . . . habitual**: which opened to him a favorable and habitual environment.
[6] **caballero . . . culto**: [which he performed as if he were] a knight-initiate of some very ancient cult.
[7] **cóncavas**: concave, i.e. properly receptive.
[8] **su primer collar de topacios**: i.e. sus versos.
[9] **el ritmo . . . mundos**: the rhythm pervaded all three worlds (alusión clásica al infierno, la tierra y el cielo).
[10] **nuestra . . . piso**: the whole room on the second floor [where we were] moved.

collar. ¡Oh esmeraldas, divinas esmeraldas! Y sacó el tercero. ¡Oh, diamantes, claros diamantes! Y sacó el cuarto y el quinto, que fueron de nuevo topacios, con gotas de luz, con acumulamientos de sol, con partes opacamente radiosas. Y luego el séptimo: sus carbunclos. Sus carbunclos casi eran tibios; casi me conmovieron como granos de granada o como sangre de héroes; pero los toqué y los sentí duros. De todas maneras, el alma de los minerales me invadía; aquella aristocracia inorgánica me seducía raramente, sin comprenderla por completo. Tan fue esto así que[11] no pude traducir las palabras de mi Señor interno,[12] que estaba confuso y hacía un vano esfuerzo por volverse duro y simétrico y limitado y brillante, y permanecí mudo. Y entonces, en imprevista explosión de dignidad ofendida, creyéndose engañado, el Oficiante me quitó su collar de carbunclos, con movimiento tan lleno de violencia, pero tan justo, que me quedé más perplejo que dolorido. Si hubiera sido el Oficiante de las Rosas, no hubiera procedido así.[13]

Y entonces, como a la rotura de un conjuro, por aquel acto de violencia, se deshizo el encanto del ritmo; y la blanca navecilla en que voláramos por el azul del cielo se encontró sólidamente aferrada al primer piso de una casa.

Después, nuestro común presentante, el señor de Aretal y yo, almorzamos en los bajos del hotel.

Y yo, en aquellos instantes, me asomé al pozo del alma del señor de los topacios. Vi reflejadas muchas cosas. Al asomarme, instintivamente había formado mi cola de pavo real;[14] pero la había formado sin ninguna sensualidad interior, simplemente solicitado por tanta belleza percibida y deseando mostrar mi mejor aspecto, para ponerme a tono con ella.[15]

¡Oh las cosas que vi en aquel pozo! Ese pozo fue para mí el pozo mismo del misterio. Asomarse a un alma humana, tan abierta como un pozo, que es un ojo de la tierra, es lo mismo que asomarse a Dios. Nunca podemos ver el fondo. Pero nos saturamos de la humedad del agua, el gran vehículo del amor; y nos deslumbramos de luz reflejada.

Este pozo reflejaba el múltiple aspecto exterior en la personal manera

---

[11] **Tan fue esto así que**: This was true to such a degree that.

[12] **mi Señor interno**: my inner Master (i.e. el alma, la voz íntima del joven artista).

[13] **Si hubiera . . . así**: Si el señor de Aretal hubiera escrito poesías llenas de rosas en vez de cosas minerales, no hubiera procedido así. Es decir que su poesía inorgánica indica la indiferencia y altivez de su actitud.

[14] **había . . . real**: I had spread my feathers (i.e. traté de impresionar favorablemente al señor de Aretal).

[15] **para . . . ella** in order to be in harmony with it [la belleza].

del señor de Aretal. Algunas figuras estaban más vivas en la superficie del agua: se reflejaban los clásicos, ese tesoro de ternura y de sabiduría de los clásicos; pero sobre todo se reflejaba la imagen de un amigo ausente, con tal pureza de líneas y tan exacto colorido, que no fue uno 5 de los menos interesantes atractivos que tuvo para mí el alma del señor de Aretal, este paralelo darme el conocimiento del alma del señor de la Rosa,[16] el ausente amigo tan admirado y tan amado. Por encima de todo se reflejaba Dios. Dios de quien nunca estuve menos lejos. La gran alma que a veces se enfoca temporalmente. Yo comprendí, aso-10 mándome al pozo del señor de Aretal, que éste era un mensajero divino. Traía un mensaje a la humanidad: el mensaje humano, que es el más valioso de todos. Pero era un mensajero inconsciente. Prodigaba el bien y no lo tenía consigo.

Pronto interesé sobremanera a mi noble huésped. Me asomaba[17] con 15 tanta avidez al agua clara de su espíritu, que pudo tener una imagen exacta de mí. Me había aproximado lo suficiente,[18] y además yo también era una cosa clara que no interceptaba la luz. Acaso lo ofusqué tanto como él a mí. Es una cualidad de las cosas alucinadas el ser a su vez alucionadoras. Esta mutua atracción nos llevó al acercamiento y 20 estrechez de relaciones. Frecuenté el divino templo de aquella alma hermosa. Y a su contacto empecé a encenderme. El señor de Aretal era una lámpara encendida y yo era una cosa combustible. Nuestras almas se comunicaban. Yo tenía las manos extendidas y el alma de cada uno de mis diez dedos era una antena por la que recibía el conocimiento del 25 alma del señor de Aretal. Así supe de muchas cosas antes no conocidas. Por raíces aéreas, ¿qué otra cosa son los dedos?, u hojas aterciopeladas, ¿qué otra cosa que raíces aéreas son las hojas?, yo recibía de aquel hombre algo que me había faltado antes. Había sido un arbusto desmedrado que prolonga sus filamentos hasta encontrar el humus necesario en 30 una tierra nueva. ¡Y cómo me nutría! Me nutría con la beatitud con que las hojas trémulas de clorofila se extienden al sol; con la beatitud con que una raíz encuentra un cadáver en descomposición; con la beatitud con que los convalecientes dan sus pasos vacilantes en las mañanas de primavera, bañadas de luz; con la beatitud con que el niño se pega al 35 seno nutricio y después, ya lleno, sonríe en sueños a la visión de una

---

16 **no fue uno . . . Rosa:** not the least of the attractions of señor de Aretal's soul for me was his acquainting me simultaneously with the soul of señor de la Rosa.

17 **Me asomaba:** He caused me to look into.

18 **Me . . . suficiente:** He had drawn me sufficiently near.

ubre nívea. ¡Bah! Todas las cosas que se completan tienen beatitud así. Dios, un día, no será otra cosa que un alimento para nosotros: algo necesario para nuestra vida. Así sonríen los niños y los jóvenes, cuando se sienten beneficiados por la nutrición.

Además me encendí. La nutrición es una combustión. Quién sabe qué niño divino regó en mi espíritu un reguero de pólvora, de nafta, de algo fácilmente inflamable, y el señor de Aretal, que había sabido aproximarse hasta mí, le había dado fuego. Yo tuve el placer de arder: es decir, de llenar mi destino. Comprendí que era una cosa esencialmente inflamable. ¡Oh padre fuego, bendito seáis![19] Mi destino es arder. El fuego es también un mensaje. ¿Qué otras almas arderían por mí?[20] ¿A quién comunicaría mi llama? ¡Bah! ¿Quién puede predecir el porvenir de una chispa?

Yo ardí y el señor de Aretal me vio arder. En una maravillosa armonía, nuestros dos átomos de hidrógeno y de oxígeno habían llegado tan cerca, que prolongándose, emanando porciones de sí, casi llegaron a juntarse en alguna cosa viva. A veces revolaban como dos mariposas que se buscan y tejen maravillosos lazos sobre el río y en el aire. Otras, se elevaban por la virtud de su propio ritmo y de su armoniosa consonancia, como se elevan las dos alas de un dístico. Una estaba fecundando a la otra. Hasta que . . .

¿Habéis oído de esos carámbanos de hielo que, arrastrados a aguas tibias por una corriente submarina, se desintegran en su base, hasta que perdido un maravilloso equilibrio, giran sobre sí mismos en una apocalíptica vuelta, rápidos, inesperados, presentando a la faz del sol lo que antes estaba oculto entre las aguas? Así, invertidos, parecen inconscientes de los navíos que, al hundirse su parte superior, hicieron descender al abismo. Inconscientes de la pérdida de los nidos que ya se habían formado en su parte vuelta hasta entonces a la luz, en la relativa estabilidad de esas dos cosas frágiles: los huevos y los hielos.[21]

Así de pronto, en el ángel transparente[22] del señor de Aretal empezó a formarse una casi inconsistente nubecilla obscura. Era la sombra proyectada por el caballo que se acercaba.

---

[19] **¡Oh . . . seáis!**: posible alusión al *Cántico del hermano Sol* de San Francisco de Asís (1182–1226), donde el santo alaba a Dios por el "hermano" fuego.

[20] **por mí**: because of me.

[21] **Inconscientes . . . hielos**: [The icebergs are] unaware of the destruction of the nests which had already been built on the part which had up to that time been turned toward the light in the relative stability of those two fragile things: eggs and ice.

[22] **el ángel transparente**: i.e. la personalidad.

¿Quién podría expresar mi dolor cuando en el ángel del señor de Aretal apareció aquella cosa obscura, vaga e inconsistente? Había mi noble amigo bajado a la cantina del hotel en que habitaba. ¿Quién pasaba? ¡Bah! Un obscuro ser, poseedor de unas horribles narices aplastadas y de unos labios delgados. ¿Comprendéis? Si la línea de su nariz hubiese sido recta, también en su alma se hubiese enderezado algo. Si sus labios hubiesen sido gruesos, también su sinceridad se hubiese acrecentado. Pero no. El señor de Aretal le había hecho un llamamiento. Ahí estaba . . . Y mi alma, que en aquel instante tenía el poder de discernir, comprendió claramente que aquel homecillo, a quien hasta entonces había creído un hombre, porque un día vi arrebolarse sus mejillas de vergüenza, no era sino un homúnculo. Con aquellas narices no se podía ser sincero.

Invitados por el señor de los topacios, nos sentamos a una mesa. Nos sirvieron coñac y refrescos, a elección. Y aquí se rompió la armonía. La rompió el alcohol. Yo no tomé. Pero tomó él. Pero estuvo el alcohol próximo a mí, sobre la mesa de mármol blanco. Y medió entre nosotros y nos interceptó las almas. Además, el alma del señor de Aretal ya no era azul como la mía. Era roja y chata como la del compañero que nos separaba. Entonces comprendí que lo que yo había amado más en el señor de Aretal era mi propio azul.[23]

Pronto el alma chata del señor de Aretal empezó a hablar de cosas bajas. Todos sus pensamientos tuvieron la nariz torcida. Todos sus pensamientos bebían alcohol y se materializaban groseramente. Nos contó de una legión de negras de Jamaica, lúbricas y semidesnudas, corriendo tras él en la oferta de su odiosa mercancía por cinco centavos. Me hacía daño su palabra y pronto me hizo daño su voluntad. Me pidió insistentemente que bebiera alcohol. Cedí. Pero apenas consumado mi sacrificio, sentí claramente que algo se rompía entre nosotros. Que nuestros Señores internos se alejaban y que venía abajo, en silencio, un divino equilibrio de cristales. Y se lo dije: —Señor de Aretal, usted ha roto nuestras divinas relaciones en este mismo instante. Mañana usted verá en mí llegar a su aposento sólo un hombre y yo sólo encontraré un hombre en usted. En este mismo instante usted me ha teñido de rojo.

El día siguiente, en efecto, no sé qué hicimos el señor de Aretal y yo. Creo que marchamos por la calle en vía de cierto negocio. El iba de

---

[23] **mi propio azul**: i.e. el color de mi alma. Nótese que el azul (el color preferido de los modernistas) aquí equivale al refinamiento del espíritu mientras que el rojo, su opuesto, indica la vulgaridad.

nuevo encendido. Yo marchaba a su vera apagado ¡y lejos de él! Iba pensando en que jamás el misterio me había abierto tan ancha rasgadura para asomarme,[24] como en mis relaciones con mi extraño acompañante. Jamás había sentido tan bien las posibilidades del hombre; jamás había entendido tanto al dios íntimo[25] como en mis relaciones con el señor de Aretal.

Llegamos a su cuarto. Nos esperaban sus formas de pensamiento. Y yo siempre me sentía lejos del señor de Aretal. Me sentí lejos muchos días, en muchas sucesivas visitas. Iba a él obedeciendo leyes inexorables. Porque era preciso aquel contacto para quemar una parte en mí, hasta entonces tan seca, como que se estaba preparando para arder mejor.[26] Todo el dolor de mi sequedad hasta entonces, ahora se regocijaba de arder; todo el dolor de mi vacío hasta entonces, ahora se regocijaba de plenitud. Salí de la noche de mi alma en una aurora encendida. Bien está. Bien está. Seamos valientes. Cuanto más secos estemos, arderemos mejor. Y así iba a aquel hombre y nuestros Señores[27] se regocijaban. ¡Ah! ¡Pero el encanto de los primeros días! ¿En dónde estaba?

Cuando me resigné a encontrar un hombre en el señor de Aretal, volvió de nuevo el encanto de su maravillosa presencia. Amaba a mi amigo. Pero me era imposible desechar la melancolía del dios ido.[28] ¡Traslúcidas, diamantinas alas perdidas! ¿Cómo encontrarnos los dos y volver a donde estuvimos?

Un día, el señor de Aretal encontró propicio el medio. Eramos varios sus oyentes; en el cuarto encantado por sus creaciones habituales, se recitaron versos. Y de pronto, ante unos más hermosos que los demás, como ante una clarinada, se levantó nuestro noble huésped, piafante y elástico. Y allí, y entonces, tuve la primera visión: *el señor de Aretal estiraba el cuello como un caballo.*

Le llamé la atención: —Excelso huésped, os suplico que adoptéis esta y esta actitud.

Sí, era cierto: *estiraba el cuello como un caballo.*

Después, la segunda visión; el mismo día. Salimos a andar. Y de

---

[24] **Iba . . . asomarme:** I was going along thinking how fate had never before torn such a large opening for me to [be able to] see through.

[25] **(el) dios íntimo:** i.e. su propia alma.

[26] **como . . . mejor:** as if it had been preparing itself to burn better.

[27] **Señores:** i.e. nuestros espíritus.

[28] **Pero me era . . . dios ido:** But it was impossible for me to get over the [feeling of] melancholy for my fallen idol.

pronto percibí, lo percibí: *el señor de Aretal caía como un caballo.* Le faltaba de pronto el pie izquierdo y entonces sus ancas casi tocaban tierra, como un caballo claudicante. Se erguía luego con rapidez; pero ya me había dejado la sensación. ¿Habéis visto caer a un caballo?

Luego la tercera visión, a los pocos días. Accionaba el señor de Aretal sentado frente a sus monedas de oro, y de pronto lo vi mover los brazos como mueven las manos los caballos de pura sangre, sacando las extremidades de sus miembros delanteros hacia los lados, en esa bella serie de movimientos que tantas veces habréis observado cuando un jinete hábil, en un paseo concurrido, reprime el paso de un corcel caracoleante y espléndido.

Después, otra visión: *el señor de Aretal veía como un caballo.* Cuando lo embriagaba su propia palabra, como embriaga al corcel noble su propia sangre generosa, trémulo como una hoja, trémulo como un corcel montado y reprimido, trémulo como todas esas formas vivas de raigambres nerviosas y finas, inclinaba la cabeza, ladeaba la cabeza, y así veía, mientras sus brazos desataban algo en el aire, como las manos de un caballo. ¡Qué cosa más hermosa es un caballo! ¡Casi se está sobre dos pies![29] Y entonces yo sentía que lo cabalgaba el espíritu.

Y luego cien visiones más: *El señor de Aretal se acercaba a las mujeres como un caballo.* En las salas suntuosas no se podía estar quieto. Se acercaba a la hermosa señora recién presentada, con movimientos fáciles y elásticos, baja y ladeada la cabeza, y daba una vuelta en torno de ella y daba una vuelta en torno de la sala.

Veía así, de lado. Pude observar que sus ojos se mantenían inyectados de sangre. Un día se rompió uno de los vasillos que los coloreaban con trama sutil; se rompió el vasillo y una manchita roja había coloreado su córnea. Se lo hice observar.

—Bah, —me dijo— es cosa vieja. Hace tres días que sufro de ello. Pero no tengo tiempo para ver a un doctor.

Marchó al espejo y se quedó mirando fijamente. Cuando al día siguiente volví, encontré que una virtud más lo ennoblecía. Le pregunté: ¿Qué lo embellece en esta hora?[30] Y él respondió: Un matiz. Y me contó que se había puesto una corbata roja para que armonizara con su ojo rojo. Y entonces yo comprendí que, en su espíritu, había una tercera coloración roja y que estas tres rojeces juntas eran las que

[29] **Casi . . . pies:** He is almost standing on his two hind legs (i.e. es casi ser humano).
[30] **¿Qué . . . hora?:** What is it that makes you look better now?

me habían llamado la atención al saludarlo. Porque el espíritu de cristales del señor de Aretal se teñía de las cosas ambientes. Y eso eran sus versos: una maravillosa cristalería teñida de las cosas ambientes: esmeraldas, rubíes, ópalos . . .

Pero esto era triste a veces porque a veces las cosas ambientes eran obscuras o de colores mancillados: verdes de estercolero, palideces verdes de plantas enfermas. Llegué a deplorar el encontrarlo acompañado, y cuando esto sucedía, me separaba con cualquier pretexto del señor de Aretal, si su acompañante no era una persona de colores claros.

Porque indefectiblemente el señor de Aretal reflejaba el espíritu de su acompañante. Un día lo encontré, ¡a él, el noble corcel!, enano y meloso. Y como en un espejo, vi en la estancia a una persona enana y melosa. En efecto, allí estaba; me la presentó. Era una mujer como de cuarenta años, chata, gorda y baja. Su espíritu también era una cosa baja. Algo rastreante y humilde; pero inofensivo y deseoso de agradar. Aquella persona era el espíritu de la adulación. Y Aretal también sentía en aquellos momentos una pequeña alma servil y obsequiosa. ¿Qué espejo cóncavo ha hecho esta horrorosa trasmutación? me pregunté yo, aterrorizado. Y de pronto todo el aire transparente de la estancia me pareció un transparente vidrio cóncavo que deformaba los objetos. ¡Qué chatas eran las sillas . . .! Todo invitaba a sentarse sobre ello.[31] Aretal era un caballo de alquiler más.

Otra ocasión, y a la mesa de un bullanguero grupo que reía y bebía, Aretal fue un ser humano más, uno más del montón. Me acerqué a él y lo vi catalogado y con precio fijo. Hacía chistes y los blandía como armas defensivas. Era un caballo de circo. Todos en aquel grupo se exhibían. Otra vez fue un jayán. Se enredó en palabras ofensivas con un hombre brutal. Parecía una vendedora de verduras. Me hubiera dado asco; pero lo amaba tanto que me dio tristeza. Era un caballo que daba coces.

Y entonces, al fin, apareció en el plano físico una pregunta que hacía tiempo formulaba:[32] ¿Cuál es el verdadero espíritu del señor de Aretal? Y la respondí pronto. El señor de Aretal, que tenía una elevada mentalidad, no tenía espíritu: era amoral. Era amoral como un caballo y se dejaba montar por cualquier espíritu. A veces, sus jinetes tenían

---

[31] **Todo . . . ello:** The whole thing invited you to sit on it.
[32] **que . . . formulaba:** which I had been formulating for some time.

miedo o eran mezquinos y entonces el señor de Aretal los arrojaba lejos de sí, con un soberbio bote. Aquel vacío moral de su ser se llenaba, como todos los vacíos, con facilidad. Tendía a llenarse.

Propuse el problema a la elevadísima mente de mi amigo y ésta lo aceptó en el acto. Me hizo una confesión: —Sí: es cierto. Yo, a usted que me ama, le muestro la mejor parte de mí mismo. Le muestro a mi dios interno. Pero, es doloroso decirlo, entre dos seres humanos que me rodean, yo tiendo a colorearme del color del más bajo. Huya de mí cuando esté en una mala compañía.

Sobre la base de esta percepción, me interné más en su espíritu. Me confesó un día, dolorido, que ninguna mujer lo había amado. Y sangraba todo él[33] al decir esto. Yo le expliqué que ninguna mujer lo podía amar, porque él no era un hombre, y la unión hubiera sido monstruosa. El señor de Aretal no conocía el pudor, y era indelicado en sus relaciones con las damas como un animal. Y él:

—Pero yo las colmo de dinero.

—También se lo da una valiosa finca en arrendamiento.[34]

Y él:

—Pero yo las acaricio con pasión.

—También les lamen las manos sus perrillos de lanas.

Y él:

—Pero yo las soy fiel y generoso; yo las soy humilde; yo las soy abnegado.

—Bien; el hombre es más que eso. Pero ¿las ama usted?

—Sí, las amo.

—Pero ¿las ama usted como un hombre? No, amigo, no. Usted rompe en esos delicados y divinos seres mil hilos tenues que constituyen toda una vida. Esa última ramera que le ha negado su amor y ha desdeñado su dinero, defendió su única parte inviolada: su Señor interno; lo que no se vende. Usted no tiene pudor. Y ahora oiga mi profecía: una mujer lo redimirá. Usted, obsequioso y humilde hasta la bajeza[35] con las damas; usted, orgulloso de llevar sobre sus lomos una mujer bella, con el orgullo de la hacanea favorita, que se complace en su preciosa carga, cuando esta mujer bella lo ame, se redimirá: conquistará el pudor.[36]

---

[33] **Y sangraba todo él:** And his whole being bled.

[34] **También . . . arrendamiento:** So does a valuable piece of rented property [give one lots of money].

[35] **humilde hasta la bajeza:** humble to [the point of] baseness.

[36] **conquistará el pudor:** [woman's] modesty will conquer.

Y otra hora propicia a las confidencias:

—Yo no he tenido nunca un amigo.

Y sangraba todo él al decir esto. Yo le expliqué que ningún hombre le podría dar su amistad, porque él no era un hombre, y la amistad hubiese sido monstruosa. El señor de Aretal no conocía la amistad y era indelicado en sus relaciones con los hombres, como un animal. Conocía sólo el camaraderismo. Galopaba alegre y generoso en los llanos, con sus compañeros; gustaba de ir en manadas con ellos; galopaba primitivo y matinal, sintiendo arder su sangre generosa que lo incitaba a la acción, embriagándose de aire y de verde y de sol; pero luego se separaba indiferente de su compañero de una hora lo mismo que de su compañero de un año. El caballo, su hermano, muerto a su lado, se descomponía bajo el dombo del cielo, sin hacer asomar una lágrima a sus ojos . . . Y el señor de Aretal, cuando concluí de expresar mi último concepto, radiante:

—Esta es la gloria de la naturaleza. La materia inmortal no muere. ¿Por qué llorar a un caballo cuando queda una rosa? ¿Por qué llorar a una rosa cuando queda un ave? ¿Por qué lamentar a un amigo cuando queda un prado? Yo siento la radiante luz del sol que nos posee a todos, que nos redime a todos. Llorar es pecar contra el sol. Los hombres, cobardes, miserables y bajos, pecan contra la naturaleza, que es Dios.

Y yo, reverente, de rodillas ante aquella hermosa alma animal, que me llenaba de la unción de Dios:

—Sí, es cierto; pero el hombre es una parte de la naturaleza; es la naturaleza evolucionada. ¡Respeto a la evolución! Hay fuerza y hay materia: ¡respeto a las dos! Todo no es más que uno.

—Yo estoy más allá de la moral.

—Usted está más acá de la moral: usted está bajo la moral. Pero el caballo y el ángel se tocan,[37] y por eso usted a veces me parece divino. San Francisco de Asís amaba a todos los seres y a todas las cosas, como usted; pero además, las amaba de un modo diferente; pero las amaba después del círculo, no antes del círculo como usted.[38]

---

[37] **Pero . . . tocan**: But the horse and angel meet [in you].

[38] El círculo representa el proceso de desprenderse el alma de las cosas del mundo para adherirse a Dios; el alma, purgada de las pasiones carnales, luego se vuelve hacia las criaturas con un amor completamente puro; el círculo es el doble movimiento del amor perfecto hacia Dios y hacia sus criaturas: "antes del círculo" y "después del círculo" significan "con amor carnal" y "con amor puro".

Y él entonces:

—Soy generoso con mis amigos, los cubro de oro.

—También se lo da una valiosa finca en arrendamiento, o un pozo de petróleo, o una mina en explotación.

Y él:

—Pero yo les presto mil pequeños cuidados. Yo he sido enfermero del amigo enfermo y buen compañero de orgía del amigo sano.

Y yo:

—El hombre es más que eso: el hombre es la solidaridad. Usted ama a sus amigos, pero ¿los ama con amor humano? No; usted ofende en nosotros mil cosas impalpables. Yo, que soy el primer hombre que ha amado a usted, he sembrado los gérmenes de su redención. Ese amigo egoísta que se separó, al separarse de usted, de un bienhechor, no se sintió unido a usted por ningún lazo humano. Usted no tiene solidaridad con los hombres.

—. . .

—Usted no tiene pudor con las mujeres, ni solidaridad con los hombres, ni respeto a la Ley. Usted miente, y encuentra en su elevada mentalidad excusa para su mentira, aunque es por naturaleza verídico como un caballo. Usted adula y engaña y encuentra en su elevada mentalidad excusa para su adulación y su engaño, aunque es por naturaleza noble como un caballo. Nunca he amado tanto a los caballos como al amarlos en usted. Comprendo la nobleza del caballo: es casi humano. Usted ha llevado siempre sobre el lomo una carga humana: una mujer, un amigo . . . ¡Qué hubiera sido de esa mujer y de ese amigo en los pasos difíciles sin usted, el noble, el fuerte, que los llevó sobre sí, con una generosidad que será su redención! El que lleva una carga, más pronto hace el camino.[39] Pero usted las ha llevado como un caballo. Fiel a su naturaleza, empiece a llevarlas como un hombre.

Me separé del señor de los topacios, y a los pocos días fue el hecho final de nuestras relaciones. Sintió de pronto el señor de Aretal que mi mano era poco firme, que llegaba a él mezquino y cobarde, y su nobleza de bruto se sublevó. De un bote rápido me lanzó lejos de sí. Sentí sus cascos en mi frente. Luego un veloz galope rítmico y marcial, aventando las arenas del Desierto. Volví los ojos hacia donde estaba la Esfinge[40] en su eterno reposo de misterio, y ya no la vi. ¡La Esfinge era

[39] **más pronto hace el camino**: travels faster.

[40] **Esfinge**: animal con cuerpo de león y cabeza humana, como la esfinge de Gizeh de Egipto.

el señor de Aretal que me había revelado su secreto, que era el mismo del Centauro![41]

Era el señor de Aretal que se alejaba en su veloz galope, con rostro humano y cuerpo de bestia.

CUESTIONARIO

1. *¿Qué es el boceto elemental de la acción de este cuento?*
2. *¿Qué significa el empleo de las piedras preciosas en "El hombre que parecía un caballo"? ¿Los collares de joyas? ¿Qué rasgo de los versos del señor de Aretal quiere señalar el autor con metáforas de joyas? ¿Por qué llama el autor "el señor de los topacios" al señor de Aretal?*
3. *¿Cuáles son los términos que emplea el autor para significar* el espíritu? *¿Cuáles metáforas se emplean para describir el alma del señor de Aretal? ¿Cuáles son más aptas?*
4. *¿Cómo reacciona el narrador al conocer al señor de Aretal y al escuchar por primera vez sus versos?*
5. *¿Por qué llama "mensajero" el autor al señor de Aretal? ¿Qué es el "mensaje humano" del señor de Aretal?*
6. *¿Cómo se describe el efecto del contacto del autor con el señor de Aretal?*
7. *¿Qué quiere indicar la semejanza entre el señor de Aretal y un carámbano de hielo?*
8. *¿Qué es la fisionomía? ¿Cómo emplea el autor la ciencia de fisionomía en el desarrollo de la personalidad del señor de Aretal?*
9. *¿Qué es el simbolismo de los colores azul y rojo? ¿Qué otras manifestaciones del cromatismo se notan en este cuento?*
10. *¿Cómo explica el autor los cambios en la personalidad del señor de Aretal? ¿Qué efecto producen los compañeros y el alcohol en su carácter?*
11. *¿Qué es la amoralidad? ¿Por qué dice el narrador que el señor de Aretal es amoral?*
12. *¿Cómo se asemeja el señor de Aretal a un caballo en su vida sentimental? ¿En sus relaciones con damas y amigos?*
13. *¿Cómo justifica el señor de Aretal su indiferencia con el sufrimiento de los demás?*
14. *¿Por qué profetiza el autor que el pudor de una mujer, el amor de un amigo y su propia generosidad salvarán al señor de Aretal?*
15. *¿Cómo termina la amistad entre el narrador y el señor de Aretal? ¿Cómo reacciona el señor de Aretal al análisis de su personalidad hecho por su amigo? ¿Logra algún efecto permanente este análisis?*

---

[41] **Centauro:** animal fabuloso, medio hombre y medio caballo.

16. *¿Qué papel simbólico tienen la Esfinge egipcia y el Centauro en esta obra?*
17. *¿Cuáles son los rasgos estilísticos del modernismo que se encuentran en esta obra?*

Horacio Quiroga

Uruguay (1878-1937)

Una de las figuras más destacadas y populares entre los cuentistas hispanoamericanos del siglo XX es el uruguayo Horacio Quiroga, quien es considerado uno de los creadores del cuento criollo. Nacido en la ciudad provincial de Salto, a los nueve años se trasladó a Montevideo donde permaneció hasta 1900. Durante su niñez fue indisciplinado y rebelde hasta el punto de ser temido por sus compañeros de escuela. Más tarde vivió la bohemia literaria, fundando con otros amigos en 1899 la *Revista del Salto*, donde publicó versos y algunos de sus primeros cuentos. En estas primeras narraciones se refleja una gran influencia de Edgar Allan Poe.[1] Quiroga reconoció también el influjo que Maupassant, Kipling y Chejov[2] ejercieron en su obra.

En su juventud hizo Quiroga un viaje a París, pero quedó completamente desilusionado por la vida francesa; y tampoco le impresionó favorablemente la atmósfera literaria. Sin dinero y con todas sus pequeñas propiedades empeñadas, andaba por las calles de París, durmiendo en buhardillas y repitiendo la frase "Me muero de hambre." Por fin, unos amigos le pagaron un pasaje de tercera y el joven logró regresar al Uruguay. De París sólo trajo la barba que nunca más se quitaría.

El primer libro de Quiroga, *Los arrecifes de coral*, apareció hacia fines de 1901, siendo recibido con hostilidad por la mayoría de los críticos, con la única excepción del famoso poeta modernista Leopoldo Lugones,[3] quien creyó ver una chispa de genio artístico en la obra del joven autor.

La fatalidad y la muerte, notas sobresalientes de muchas obras suyas, parecieron perseguir al cuentista durante toda su vida. Se suicidaron su padre, su padrastro, su hermano mayor

---

[1] **Edgar Allan Poe**: escritor norteamericano (1809–1849).

[2] **Maupassant, Kipling y Chejov**: Guy de Maupassant (1850–1893), novelista realista francés; Rudyard Kipling (1865–1936), escritor y poeta inglés; Antón Pavlovich Chejov (1860–1904), cuentista y dramaturgo ruso.

[3] **Leopoldo Lugones**: poeta y novelista argentino (1874–1938).

y su primera esposa. En su adolescencia Quiroga, en un accidente, mató a su mejor amigo. A causa de ello abandonó Montevideo y marchó a Buenos Aires donde consiguió un puesto de profesor en un colegio. En 1903 su amigo Lugones logró hacerle miembro de una expedición a la selva donde Quiroga conoció de cerca el salvaje ambiente tropical. A los pocos meses de su regreso a Buenos Aires apareció su segundo libro, *El crimen del otro* (1904), colección de cuentos a la manera de Poe. Siguieron publicándose otras obras de Quiroga: *Los perseguidos* (1905), un novelín en que denota su preocupación por la psicología anormal, y la *Historia de un amor turbio* (1908), novela que muestra la influencia del escritor ruso Dostoiewski.[4] Tras esta obra hay un largo intervalo de inactividad literaria; durante diez años no aparecerá ningún libro de Quiroga. Este tiempo lo pasó el escritor en la provincia de Misiones como plantador de algodón y oficial de gobierno.

A fines de 1916 y de vuelta a Buenos Aires, Quiroga inició el período de su máxima producción literaria: *Cuentos de amor, de locura y de muerte* (1917), *Cuentos de la selva* (1918), *El salvaje* (1920), *Anaconda* (1921), *El desierto* (1924) y *Los desterrados* (1926). Todos los críticos lo aclamaron como el maestro de los narradores de su época.

Estos últimos libros contienen sus mejores cuentos—algunos de horror y salvajismo situados en un ambiente selvático con escenas de realismo horripilante. Otros, como los *Cuentos de la selva*, son narraciones fantásticas escritas especialmente para niños, con animales—anacondas, tigres, peces, flamingos, yacarés, tortugas, etc.—que sirven de protagonistas. En varias de sus obras, algunos críticos han creído ver muestras de una esquizofrenia no sólo en los personajes creados, sino también en la actitud del escritor frente a su narración. Los últimos libros publicados en vida del autor son *Pasado amor* (novela, 1929) y *Más allá* (1935), una colección de cuentos.

El cuento que aquí presentamos, "Las fieras cómplices", nunca se publicó como parte de uno de los títulos citados. Pertenece a la primera etapa del desarrollo artístico de Quiroga y fue publicado en la revista *Caras y caretas* de Buenos Aires el año 1908 bajo el seudónimo de S. Fragoso Lima. "Las fieras cómplices" ostenta muchos de los rasgos típicos del arte cuentista de Quiroga. En un ambiente selvático, en una noche tempestuosa, el narrador empieza por presentarnos dos personajes: un hombre llamado Longhi y su compañero indio. Un aura de misterio rodea a los dos hombres, creando poco a poco

[4] **Dostoiewski**: Fedor Dostoiewski (1821–1881), literato ruso y autor de novelas de gran profundidad psicológica.

una atmósfera de incertidumbre que capta el interés del lector. Después de la presentación inicial de algunos de los personajes, Quiroga, en visión retrospectiva, explica la presencia de los dos hombres en la selva, sus motivaciones y sus deseos de venganza—tema principal de la obra y que penetra toda ella. Se explica que los dos hombres tienen el cuerpo mutilado a causa del salvaje trato que recibieron de Yucas Alves, que se comporta de forma inhumana con los trabajadores de la selva. La manera original y deliberada que Longhi escoge para su venganza contra el patrón pone nota final a la obra con un clímax aumentado aun más por el temor y frenesí del dueño portugués cuando recibe su merecido castigo. Los elementos de más destacada nota en este cuento son las acciones de extremada crueldad con énfasis en lo feo, el ambiente costumbrista de la selva presentado con detalladas escenas realistas y el desarrollo interior de los tres personajes centrales, cada uno con su propia personalidad.

Horacio Quiroga pasó sus últimos días en un hospital de Buenos Aires. Al darse cuenta de la gravedad de su estado, tomó una fuerte dosis de cianuro y murió el 20 de febrero de 1937. La producción literaria total de este autor le coloca sin duda entre los mejores escritores hispanoamericanos de su época.

Las fieras cómplices

I

En una noche tempestuosa de junio, un hombre caminaba con paso furtivo por una senda en las profundidades de las selvas de Mato Grosso.[1] La noche estaba profundamente oscura. Los truenos rodaban uno tras otro, y a la inmensa agitación del cielo, la selva respondía con el profundo rumor de sus árboles sacudidos por el vendaval. De vez en cuando la lívida luz de un relámpago cruzaba el cielo. El bosque surgía negro, espectral, para ocultarse en seguida en las impenetrables tinieblas.

La selva terrible siempre, aun de día con sus acechanzas y traiciones, a esa hora en la lúgubre soledad llenaba de angustia el alma mejor templada. Una persona en la ciudad y en las más desesperantes situaciones, no se siente jamás sola; las vidas humanas pululan a su alrededor; su inmediata presencia la sostienen. Pero en la selva es distinto. Allí todo conspira contra él: el aire quieto y pesado; el silencio hostil; las exhalaciones mortíferas de las plantas que infiltran la muerte en la fúnebre seducción de su voluptuoso aroma; las fieras agazapadas tras el tronco que miramos indiferente a nuestro paso; las víboras que hacen de ese paraíso terrenal un infierno; todo en la selva se confabula contra el hombre.

Nuestro viajero, sin embargo, a pesar del terror nocturno inherente a una noche de tempestad en el bosque, sin más amparo que el propio valor, no parecía sentir miedo. Su paso cauteloso indicaba preocupa-

[1] **Mato Grosso:** estado del oeste del Brazil.

ción, sí, prevención también, pero no temor. Para un ojo conocedor algo en él delataba a una persona habituada a la selva. Este algo era su modo de caminar. Levantaba los pies más, mucho más de lo que aparentemente era necesario, como cuando se marcha con zancos, y esto con una natural elasticidad que denunciaba a la legua al hijo —natural o adoptivo— del bosque.

En efecto, el suelo de éste, erizado de troncos y ramas, obliga a elevar las piernas para no tropezar, y esta maniobra sumamente fatigante al principio, concluye por volverse inconsciente y ligera por lo tanto. Por ello se puede conocer fatalmente la condición más o menos selvática del caminante.

Nuestro hombre era, pues, una persona habituada al monte. Los relámpagos que nos han permitido, con su fulgurante luz, seguir su marcha felina, nos permitirán saber algo más.

Así, al lívido resplandor de un rayo seguido de un espantoso trueno, pudo verse que el viajero llevaba casco de corcho, blusa y pantalón azul rotos y gruesas botas. El casco decía en seguida que el que lo llevaba no era peón; pero en cambio su visible despreocupación en lo que concernía al bosque, rara en un *patrón*, parecía afirmarlo.

¿Qué era, pues? ¿Dueño de obraje? ¿Y qué podía hacer en esa noche, en plena profundidad del bosque, caminando como quien va alerta a algo, y todo esto sin escopeta? Es lo que pronto sabremos.

Los relámpagos, como latigazos del propio incendio que duraba desde el anochecer, habían disminuido. Pero la lluvia caía ahora torrencialmente, y la selva entera, herida sin tregua por las gotas monstruosas, redoblaba sordamente.

—¡Maldición!— murmuró el viajero deteniéndose. —Solamente las pacas son capaces de salir con este tiempo.

Dijo esto en español, pero con marcado acento italiano. Levantó la cabeza con esa inconsciente curiosidad de mirar el cielo cuando llueve furiosamente. Un fulgurante relámpago se abrió a su cabeza en ese instante. El viajero, deslumbrado, cerró los ojos. Durante un minuto los mantuvo así, para desvanecer el encandilamiento. Cuando los abrió tenía ya la vista natural, y la hundió delante de él en las tinieblas.

—¡Y ese estúpido que no viene![2]— volvió a murmurar.

¿Qué extraña cita podía ser ésa? El viajero continuaba inmóvil, mojándose aun más, si esto fuera posible, porque de su casco corría el agua a hilos, como de paraguas.

---

[2] **¡Y . . . viene!**: And that stupid fool isn't here yet!

Sin embargo, a pesar de su quietud, no pudo oir un rumor suave que se levantó detrás de él. Un trueno bramó en ese momento, y cuando el ruido cesó, cesó también el murmullo.

Las ramas, levemente agitadas, quedaron en completo silencio. No sé qué, no obstante, indicó a nuestro caminante que acababa de pasar algo. ¿Fue preocupación casual? ¿Intuición del peligro en las personas de monte, habituadas a una constante vida de alerta? Con todo, hemos visto que a la que[3] nos ocupa no parecía hacerle ningún efecto la sombría visión de la selva en semejante noche. Pero esta vez no pasó así. Volvió rápidamente la cabeza, hundió su mirada de halcón en el profundo cañaveral que sentía a sus espaldas y quedó un rato inmóvil, prestando ese oído atento que sujeta y crispa todas las demás sensaciones del cuerpo[4] y en el cual el cazador de monte pone toda su alma, porque la vida pende, como de un hilo, de él.

Nada sintió. Volvióse inquiriendo de nuevo en las tinieblas y lanzando un juramento significativo, siguió adelante. En el lado del cañaveral brillaron entonces dos puntos verdes lúgubres. Avanzaron con una lentitud de muerte hasta la picada y siguieron la marcha del viajero. Al rato los dos puntos verdes comenzaron a moverse en dirección de aquél.

Entretanto nuestro extraño caminante seguía su marcha cautelosa, cuando de pronto un lamento de agonía, largo, vibrante, desolador, ahogó el ruido del vendaval. Venía de la profunda lejanía de la selva. Al oirlo, el viajero se detuvo de golpe; pero en vez de terror, una radiante expresión de alegría se retrató en su rostro.

—¡Por fin!— gritó casi corriendo. Un momento después volvió a detenerse presa de viva inquietud.

—Me ha parecido a ras de tierra— murmuró sobrecogido de angustia.

Pasó un instante. Al fin decidiéndose, extendióse la boca con el pulgar e índice de la mano izquierda y lanzó a la noche siniestra un grito largo, el mismo desolado quejido que había llegado hasta él. Un momento después, pero mucho más cerca, sonó la sombría señal, y el viajero lanzó un profundo suspiro de desahogo.

—Tendré que decirle que no imite tan bien— murmuró sonriendo y avanzando.

El grito de agonía que ambos acababan de lanzar era imitación per-

---

[3] **a la que:** a la persona que.

[4] **prestando . . . cuerpo:** listening with that attention which takes over and sharpens all the other bodily senses.

fecta del que deja oir el oso hormiguero en las noches muy frías de invierno, y puede reproducirse por ¡a-hu! ¡a-hu! ¡a-hu! ¡ahu! ¡ahu! ¡ahhhúu!

Un instante después una sombra estaba delante de nuestro conocido. El recién llegado, por lo que permitían entrever los relámpagos, llevaba un gran sombrero de paja, con cinta roja. Sobre el busto una camisa de trabajo, a listones, que no debía conservar ya muchos botones, a juzgar por la ancha abertura que dejaba sobre el pecho. Rodeaba su cintura, por encima de los calzoncillos y hasta la rodilla, un trapo de arpillera sujeto por un hilo angosto.

—¿Cómo has tardado tanto?— le dijo apresuradamente nuestro viajero. —Hace ya una hora que estoy calado hasta los huesos.

—Nada— respondió el recién venido. —El encargado me llamó para revisar las libretas. Dice que está cansado de arreglar todo el sábado.

El viajero se sonrió.

—Caldeira, ¿eh?

—Sí, dice que desde que vos[5] no estás patrón, todo anda mejor.

El viajero volvió a sonreirse sin decir nada. Pero al rato murmuró:

—¡Pobre Caldeira! Creo que *ella* desea verlo también.

Al oir *ella*, el indio, porque era un indio el que había llegado, se estremeció.

—Hace días que no la veo— murmuró.

—¿A quién?

—A *ella*.

—¡Oh! está muy bien.

El indio dirigió al viajero una mirada de respeto y terror.

—¡Cuidado, patrón!

El viajero tornó a sonreir.

—Patrón, me parece demasiado . . .— insistió con la voz baja el indio.

Su interlocutor le puso la mano en el hombro y le clavó en sus ojos una profunda mirada de ironía y compasión.

—¡Pobre Guaycurú!— dijo lentamente. —¡Pobre indio!— repitió. Seguramente esas sencillas palabras evocaban cosas lúgubres, porque el aludido bajó la cabeza como bajo el peso de un recuerdo abrumador.

—¿Ya pasó todo?— le dijo con cariño el viajero.

---

[5] **vos**: uso del voseo.

—Sí— respondió el otro sordamente. Y agregó: —Cuando hace calor me quemo. Tengo veneno en la sangre— murmuró.

—Sin embargo la cara ya está bien— dijo su interlocutor. —A ver...

Acercó la cara a la del indio; y un relámpago rasgó en ese momento el cielo en una fosforescente cortadura. 5

El viajero se echó instantáneamente atrás.

—¡Maldición!— murmuró poniéndose pálido. —Ya no es cara humana...

En efecto, aquello no era cara, sino una cosa deforme, hinchada, desmesurada, acuchillada en fístulas mal cicatrizadas. La frente, el 10 cuello, el pecho, todo lo que se alcanzaba a ver ofrecía el mismo monstruoso aspecto.

El viajero lo miró un rato, en una mirada en que se iban encendiendo por momento sombríos resplandores de venganza.

—¿Alves te ha visto así?— preguntó. 15

—Sí— murmuró el indio.

—¿Qué te ha dicho?

—Se ha reído. Ayer de mañana cuando fui al almacén a buscar grasa, me gritó riéndose...

La voz se apagó y un rugido se escapó de su pecho profundo. El 20 viajero se estremeció.

—¿Qué te dijo?— insistió.

—... que estaba muy contento de la leccioncita que me había dado y que iba a empezar otra vez...— concluyó bajando la voz poco a poco.

En el solo descenso de la voz hasta perderse,[6] había un mundo de 25 sufrimientos, de recuerdos de horror y pesadilla, de dolores intolerables.

—¿Y en los pies?— continuó el viajero —¿puedes caminar bien?

—Sí, no mordieron mucho ahí...

—Alguna vez oí hablar de eso en Africa— murmuró el viajero, como hablando consigo mismo, —pero nunca creí que fuera cierto... En 30 fin,— agregó después de un momento de silencio —ojo por ojo y diente por diente, Guaycurú. Presumo que se acordará algo de ti mañana.

—Y de vos, patrón.

—¿De mí?... ¡yo no tengo nada más que esto! —repuso sonriendo y extendiendo la mano izquierda. Faltaban tres dedos, y los muñones 35 estaban rojos aún.

—¿Pero en el pecho también?— agregó el indio.

—Sí, un poco; una costilla rota. ¿Pero de mí no hablan nada?

---

[6] **En... perderse**: In the way that his voice trailed off.

—El otro día Juan oyó los tiros de su escopeta, pero patrón Alves no cree que sea la suya. Dice que te debe haber comido algún tigre. Un perro trajo del monte la semana pasada un trapo con sangre. El encargado cree que es de tu camisa.

5 —¿Nada más saben?

—Nada más.

—¿Y de *ella*?

El indio volvió a estremecerse.

—No— murmuró con voz sorda.

10 El viajero iba a responder, y seguramente se hubiera sabido algo de *ella*, ese ser bastante terrible para que su sola evocación hiciera bajar la voz; disponíase a responder, decimos, cuando Guaycurú, echándose adelante, lo cogió bruscamente del brazo. Su interlocutor dio un paso atrás.

15 —¡Oí, patrón!— dijo rápidamente el indio.

—¿Qué hay?— respondió el viajero, volviéndose con una agilidad verdaderamente felina.

—¡Sentí, patrón!— respondió el indio . . .

Ambos quedaron en silencio. Entonces sobre el ruido de las hojas 20 azotadas por la lluvia, un rumor lejano y profundo como si saliese de bajo tierra, llegó hasta ellos. Los hombres se miraron un rato en los ojos.

—Es un tigre— dijo sencillamente el viajero. No tenía el menor temblor en la voz, pues a la inquietud de lo desconocido sucedía un 25 peligro real, formidable, sin duda, pero cuyo efecto, en hombres de verdadero temple, es serenar el alma, disponiéndola con todas sus fuerzas para la lucha.

El indio continuaba con el oído orientado a ese terrible anuncio.

—¡Oí, patrón! No es tigre— dijo de nuevo el indio.

30 Volvieron a quedar inmóviles y llegó otra vez el rugido sombrío.

—Cierto, es león. Viene al trote— dijo el viajero.

Un momento después añadió:

—Debe estar cebado.

—Nos ha tomado el rastro.[7] Viene por la picada— murmuró Guay-35 curú.

En efecto, esta vez el rugido se había sentido mucho más cerca. Un instante después sonaba otro, luego otro, y nuestros hombres con la rápida decisión de pensamiento de personas acostumbradas a conocer

---

[7] **Nos . . . rastro:** He has picked up our trail.

el completo alcance de sus fuerzas, comprendieron sin titubear que con ese animal no era posible luchar y que estaban perdidos.

—Para mejor,[8] ni revólver . . . — murmuró el viajero con tono de fastidio, pero no de miedo. —¿Traes el machete?

—Sí; inútil . . . Es un león cebado. ¡Ligero, patrón!— gritó de pronto, cogiendo a éste de un brazo. 5

—¡Viene corriendo! ¡Subamos a este lapacho!

La selva acababa de vibrar con un profundo bramido, próximo ya. La fiera, aguijoneada por el hambre y el deleite de la carne humana, corría hacia la presa, lanzando su grito de ansia. 10

En un momento nuestros hombres estuvieron enhorquetados en las primeras ramas del frondoso árbol. El refugio era nimio, porque el león trepa con mayor empuje aun que el tigre.

Pero de todos modos, la defensa era así posible, mientras que en tierra hubieran sido destrozados en seguida entre las formidables mandíbulas de la fiera. 15

Los bramidos se sucedían cada vez más claros y el animal estaba ya sobre ellos.

—Viene corriendo— murmuró el indio, asegurando el mango del machete en su mano ejercitada. Efectivamente, a ellos llegaba ya un sordo rumor de ramas violentamente agitadas; y un bramido, tan próximo esta vez que hizo latir tumultuosamente el corazón de aquellos predestinados a una horrible muerte, denunció la inmediata presencia de la fiera. Y ya nuestros hombres habían hecho un último llamado a toda su serenidad, cuando el viajero, que desde un momento atrás[9] oía los bramidos con estupefacción, murmuró poniéndose pálido: 20 25

—Yo conozco eso . . . ¡Guaycurú! ¡Ese modo! . . .

Y antes que el indio tuviera tiempo de responder, el viajero lanzó un grito de alegría, golpeándose la frente:[10] —¡Somos unos estúpidos, Guaycurú! ¡No la hemos conocido! 30

Y se lanzaron a tierra.

II

El indio, más ágil, se lanzó desde su posición al vacío. Estaban a cinco metros de altura, y esto es en cualquier parte un salto arriesgado.

---

[8] **Para mejor:** To make matters worse.

[9] **desde un momento atrás:** for the last few seconds.

[10] **golpeándose la frente:** gesto de exasperación.

Pero su increíble agilidad nativa lo salvó, no sacando más que un tobillo torcido.

Apenas en tierra, el viajero, con extraordinaria rapidez, llevóse las dos manos a la boca en forma de bocina[11] y lanzó a la noche un grito ronco y prolongado que sonó lúgubremente en la selva, desafiando así en pleno dominio de fieras por una potente voz humana.[12] Al grito respondió inmediatamente un formidable bramido, tan cerca, que los hombres, no obstante su valor, se estremecieron.

Un momento después las ramas se agitaban, dos ojos relucían en las tinieblas y la sombra enorme se lanzaba sobre ellos de un salto; pero el salto era de alegría.

—¡Quieta, Divina, quieta!— gritó el viajero, conteniendo con su voz imperativa los avances de su leona. Esta continuaba lanzando roncos bramidos de placer, y trataba por todos los medios de restregarse contra su dueño.

Es bien sabido que las caricias de un león son tan de temer como sus iras, y que la zarpa que se tiende hacia su amo con el muy congratulante objeto de acariciar tiene cinco uñas, cinco perfectos puñales árabes que por pequeño que sea el cariño que los anima, se clavan profundamente en la carne. El viajero pues, por más contento que estuviera del amor que le demostraba su leona, tenía buen cuidado de evitar su aproximación.

—¿Y eso, patrón?— preguntó el indio sorprendido y acercándose. Pero el animal volvió la cabeza hacia él y dejó oir un colérico y profundo ronquido.

—¡Cuidado!— le gritó el viajero. —¡No te acerques! Cuando me vuelve a ver después de muchas horas, se pone horriblemente celosa. ¡Quieta, Divina!

En la vaga luz había visto colocarse horizontal y rígida la cola de la leona. Como esto es señal inequívoca de ataque, halló apenas medio de dominarla con la voz. Tuvo en seguida que llenarla de caricias,[13] pues el animal, pasada ya la excitación del primer momento, se frotaba ahora voluptuosamente entre las piernas de su amo. Aun consintió que Guaycurú le rascara suavemente la cabeza. Una vez conseguido esto, y como el placer que experimentaba era mucho mayor que sus pasajeros celos,

---

[11] **llevóse . . . bocina:** cupped both hands around his mouth.

[12] **desafiando . . . humana:** thus uttering a challenge with a powerful human voice in the heart of the domain of the wild animals.

[13] **llenarla de caricias:** to pet her vigorously.

reanudó su franca amistad con el indio. Cinco minutos después, los tres caminaban por la picada en fraternal compañía.

Lluvia, viento y truenos habían cesado. El silencio de la selva parecía aun más profundo, como ahogado. Sólo los relámpagos proseguían encendiendo el cielo en silencio. 5

—¿Y esto?— volvió a preguntar Guaycurú —¿cómo se ha escapado?

El viajero examinaba en ese momento el grueso collar de la fiera que caminaba a su lado, y se incorporó tras un infructuoso examen.

—No sé— respondió. —El collar está en perfecto estado. La cadena se ha desprendido, pero no me explico cómo ha podido zafar el gancho. 10 Si se tratara de un perro, estaría dispuesto a creer que alguien ha sacado la cadena; pero no creo que haya ningún sujeto tan profundamente enemistado con la vida a quien se le ocurra ir a desprender a este gato— concluyó sacudiendo una poderosa palmada sobre[14] los flancos de la leona que runruneó la caricia. La palmada esa, dada con la 15 nerviosa energía del viajero, estaba muy lejos de ser una caricia. Pero seguramente la leona lo entendió así, porque alzó la cabeza a su amo con perezoso cariño en demanda de otra suave prueba de amor.

—¿No tendría hambre?— preguntó Guaycurú.

—No; esta mañana comió la mitad del venado que cazó ayer, y hoy al 20 anochecer, como no sabía qué tiempo iba a estar afuera, la solté para que fuera al monte, pero volvió al rato aburrida. Mejor— murmuró el viajero en conclusión.

La leona, como si comprendiera que hablaban de ella, miraba a uno y otro con los ojos fosforescentes, mientras caminaba con el paso largo y 25 rastreante de las fieras.

Hacía una hora que los dos extraños viajeros y su más extraño acompañante marchaban, y esa noche agitada parecía que iba a concluir sin más trastornos, cuando de pronto la leona se detuvo en seco.

La advertencia de un animal que se para de frente en el bosque es 30 muy digna de ser tenida en cuenta. Mucho más en el caso presente, pues a su condición de animal, la leona añadía la de haber nacido en esa misma selva que acababa de denunciarle algo anormal.

Los hombres se detuvieron.

—¿Qué hay?— preguntó en voz baja el viajero. 35

—No sé— respondió el indio en igual tono. —Ha sentido algo.

Prestaron atento oído, conteniendo la respiración, pero nada oyeron.

---

[14] **sacudiendo una poderosa palmada sobre**: vigorously patting.

Sin embargo la leona continuaba inmóvil, las orejas en alto. Miraba a uno y otro lado de la picada, con esa profunda atención de ojos y oídos de los animales en acecho, para los cuales el débil crujido de una hoja puede ser decisiva señal de vida y muerte.

5 Pasó así un rato. De repente la mirada de la fiera se fijó en un punto a la vera del bosque. Irguió más aún la cabeza, como para mirar mejor lo que veía, y bajándola luego lentamente hasta ras del suelo, lanzó con el hocico pegado a tierra un bramido ahogado, triste, fúnebre, que puso un escalofrío de angustia en el corazón de los hombres.

10 —No veo nada— murmuró el viajero. —Debe ser un rastro.

—¿De gente?

—No; no bramaría así . . . Sin embargo . . .

—Tiene miedo, patrón . . .

—Sí, y si fuera rastro no lo tendría . . . y mucho menos de gente[15]
15 —concluyó con una fina sonrisa que ya notamos otras veces al hablar de ella.

Entretanto la leona había empezado a avanzar con precaución, sin despegar el hocico de tierra, y gimiendo sin cesar.

—¡Ya sé lo que es!— gritó de pronto el viajero. —¡Divina, aquí,
20 Divina! ¡La va a picar!

El indio se estremeció.

—¡Sí, es una víbora! Hace un mes le oí desde lejos ese mismo quejido, y vino con el hocico horriblemente hinchado . . . ¡Divina!

Los dos hombres saltaron adelante, y de un empujón el viajero
25 apartó a la leona. Ya estaban sobre la línea media del bosque[16] y allí, sobre la tierra roja, vieron una ñacaniná, el cuello erguido y pronta a lanzarse sobre el primero que avanzara.

Las ñacaninás, serpientes de dos y aun tres metros, son terriblemente agresivas y no temen a nada. En cuanto se sienten atacadas[17] se lanzan
30 sobre el agresor, sea hombre, perro o fiera. No es sólo esto: persiguen, corren con increíble velocidad tras el que las irritó, y como se ocultan sigilosamente, estas serpientes negras son el huésped más terrible que tiene la selva.

A pesar de todo la leona no quería abandonar la lucha. Su dueño la
35 contenía apenas, muerto de angustia, pues un paso más y su Divina haría que la serpiente se lanzara contra aquélla, y el veneno de la ñacaniná no tiene antídoto alguno.

---

[15] **y . . . gente:** and especially if it were [only] a human [scent].
[16] **Ya estaban . . . bosque:** They were already halfway through the forest.
[17] **En . . . atacadas:** When they think they are being attacked.

—¡Guaycurú, el machete! ¡No puedo más![18]

El indio comprendió. Sacó el machete con la rapidez del rayo y de un salto estuvo entre el grupo y la ñacaniná. Entonces dio un paso adelante y el cuello de la culebra se crispó. La leona, entre los brazos de su amo que la sujetaba por el pescuezo, bramaba forcejeando.

—¡Ligero! ¡Se me va![19]— tuvo tiempo de gritar desesperado. Un segundo después la leona saltaba sobre la serpiente. Pero el indio, con una serenidad espantable, había dado otro paso hacia aquélla y en el momento en que la ñacaniná se distendía recta como un proyectil sobre él, había hecho un rápido movimiento con la muñeca que apenas se notó. Cuando la leona cayó sobre la serpiente, sólo pudo verse un cuerpo negro que en horribles contracciones se revolvía entre las patas de la fiera. Pero ya no tenía cabeza; el machete la había tronchado sin sacudidas, sin violencia alguna, únicamente por un prodigio de serenidad de alma y puño.

¡Por fin! Los hombres lanzaron un suspiro, libres ya de esa segunda angustia de su sombría marcha nocturna. La leona, con dos silenciosos mordiscos, había deshecho el cuerpo aún convulsivo de la enemiga. Tranquila ya, unióse a su amo, y los tres reanudaron el camino.

La tormenta había pasado, pero el cielo, nublado aún, continuaba profundamente negro. Los sombríos caminantes no tenían en esas foscas tinieblas más guía que la línea apenas visible de la picada y sobre todo su agudo instinto montaraz.

Marchaban en línea recta, sin una vacilación; y de lejos quien había estado observándolos hubiera visto en el acongojante desamparo de la selva, dos luces verdosas, los dos terribles puntos luminosos de la selva, que guiaban la marcha nocturna del sombrío terceto.

Entretanto, y mientras la extraña aventura sigue su curso, digamos dos palabras sobre nuestros personajes, a fin de comprender el espantoso drama que se precipitaba.

III

Cierta tarde de verano, a las tres, en medio de una siesta abrumadora de calor, dos hombres sudorosos esperaban a orillas del río el vapor que remontaba la rápida corriente. Las dos personas eran Yucas Alves,

---

18 **¡No puedo más!**: I can't hold her any longer!
19 **¡Se me va!**: She's getting away from me!

dueño de un obraje de madera a cuatro leguas de la costa, y su mayordomo.

Cuando el vapor hubo parado, desprendióse de su costado una chalana, a cuyo bordo subióse[20] un pasajero vestido de blanco. Al llegar a tierra la embarcación, Alves se adelantó al encuentro del pasajero.

—¿Usted es Longhi?— le preguntó en español, pero con marcadísimo acento portugués.

—Yo soy— respondió el otro simplemente, mirando con tranquilidad la repulsiva cara del dueño del obraje.

—Me ha sido muy recomendado— agregó éste. —¿Conoce bien su trabajo?

—Sí, he sido revisador de maderas durante catorce años en Misiones.[21]

—Si no tiene muchas exigencias, creo que quedará contento.

—Así lo espero.

Cuatro horas después llegaban al obraje. El trabajo de revisar la madera labrada por las hachas, hundirse día a día en el monte, ir incesantemente de aquí para allí, aniquilarse de calor y mosquitos, es horriblemente pesado. El nuevo empleado, sin embargo, era de una energía a toda prueba y ocultaba, bajo un cuerpo flaco, extraordinario vigor muscular.

Las cosas al principio fueron bien. Poco a poco comenzó a darse cuenta de las atroces crueldades que imperaban en el obraje. Aquellos que saben lo que pasa en casi todos los obrajes comprenderán perfectamente lo que aquí se oculta; para los que lo ignoran, mucho mejor es que lo ignoren siempre.

Alves era el perfecto tipo del déspota, iracundo, cobarde, miserable, cruel hasta el refinamiento y con una voluntad de hierro.

Al cabo del primer mes, Longhi comprendió que no duraría mucho allí. Al cabo del segundo, estuvo seguro de que Alves lo miraba mal y que algo serio iba a pasar. En efecto, el choque se produjo a propósito de unas vigas mal medidas según Alves.

—Me parece que usted prometía más al principio— le dijo éste secamente.

—Es posible— respondió el otro, tranquilo.

---

[20] **a cuyo bordo subióse**: on which had embarked.

[21] **Misiones**: provincia selvática del nordeste de la Argentina.

—Su deber es hacer las cosas bien— le cortó Alves rudamente.

Longhi lo miró fijamente en los ojos, y repuso pálido:

—Mi deber es hacer lo que puedo— respondió con voz más tranquila aún.

—¡Su deber es callarse!— rugió Alves, encendiéndose de ira. 5

El revisador lívido se metió lentamente las manos en los bolsillos, pero con una pausa mucho más terrible que la cólera contenida, y le dijo articulando bien:

—Me parece que usted se equivoca, señor Alves.

—¿. . .? 10

—Yo no soy un peón.

—¿Eh?

—Ni un empleado como ésos . . .

Alves hizo un ademán, pero Longhi agregó en seguida, sin dejar de mirarlo: 15

— . . . y le juro que al primer movimiento que haga de sacar el revólver, por la sombra de mi madre le juro que le levanto la tapa de los sesos.[22]

El revisador no hizo ni siquiera ademán de recoger el suyo para apoyar su amenaza; la mirada bastó. Alves comprendió en efecto que se 20 había equivocado, y poniéndose verde murmuró algo y se fue. Pero Longhi comprendió a su vez que la lucha no estaba sino comenzada y que Alves no quedaría allí.

En efecto, seis días después el terrible drama previsto caía sobre la cabeza de Guaycurú y del revisador, o sea nuestro nocturno, como ya 25 se habrá comprendido.

El drama se precipitó una mañana, a las doce, y tuvo por causa ocasional lo siguiente: entre los innumerables peones del obraje, había un indio llamado Guaycurú, abandonado moribundo por sus padres en el monte cuando era pequeño, y que un viejo hacheador correntino había 30 recogido y criado. Al principio, el indio —excelente obrajero, por otro lado— había mirado con prevención al nuevo revisador. Esto era perfectamente explicable. Los revisadores, en general, miden de tal modo la madera, que siempre hallan medio de anotar de menos: en vez de cuatro metros, dos y medio; en lugar de ochenta pies cuadrados, 35 cincuenta, y así por el estilo. Es inútil que el mísero hacheador defienda sus pulgadas que le han costado horas de suplicio, de calor, mosquitos y

---

[22] **le levanto . . . sesos**: I'll blow the top of your head off.

víboras en el monte; el revisador suelta la risa o le advierte que, si sigue molestando, se va a ver en la necesidad de hacerle volar los sesos.[23] El hacheador baja la cabeza, entrega su madera sin decir una palabra y así hasta la viga siguiente. ¿Qué hacer? A veces hay desquites trágicos, 5 pero el terror al "patrón" es demasiado grande.

Como se comprenderá, Longhi era demasiado hombre para prestarse a esos robos, tanto más viles cuanto que eran contra un pobre peón desamparado, cuyas penurias y rudos trabajos para conseguir una bolsa de grasa o porotos él conocía bien. De modo que a los 10 quince días habíase conquistado las simpatías de los peones, a despecho de ellos mismos, pues, acostumbrados a la eterna mala fe y expoliación de los revisadores de madera, creían sencillamente que su justicia era aparente, ocultando algún engaño. Longhi se daba cuenta de la lógica desconfianza de esa pobre gente, compadecido desde el 15 fondo de su alma.

El indio, sobre todo, había sido siempre la eterna víctima de los revisadores. En el gran desamparo de su raza y humildad, jamás había podido hacer admitir su madera por la mitad siquiera.[24] Siempre hallaban que sus vigas estaban mal escuadradas, o tenían carcoma 20 o habían sido tumbadas en época de lluvia, siempre algo en su contra.[25] El indio reanudaba, mudo, su trabajo que apenas le alcanzaba para no morir de hambre, y ya hacía veinte años que duraba su violenta miseria.

De modo que su sorpresa al medir el nuevo revisador su madera, sin robarle un centímetro, no tuvo límite. Como los peones, creyó 25 fatalmente que eso no era sino alguna treta, pero cuando entregó otra viga, y otra y otra, y vio todas justamente medidas, en el alma oscura del salvaje comenzó a entrar lentamente la divina luz de la confianza ciega en un ser humano.

No fue sólo esto. Una tarde al concluir de medir Longhi su rollizo 30 y mientras el indio lo miraba, el revisador levantó los ojos y vio que el indio tiritaba, con la cabeza hundida en los hombros.

—¿Qué tienes?— le preguntó. —¿Chucho?

—Sí— respondió el otro lacónicamente, apartando la vista. En su mirada había una tristeza amarga, fría, de enfermo desilusionado y 35 solo como un perro.

—¿Por qué no tomas quinina?

---

[23] **se va a ver . . . sesos:** he will be forced to blow his brains out.
[24] **jamás . . . siquiera:** he had never been given credit for even half of his lumber.
[25] **en su contra:** to his disadvantage.

El indio no respondió.

—¿No hay en el almacén?

—Sí— murmuró el indio, —pero cuesta muy cara.

—¿Cuánto?

El indio dijo algo bajando la voz.

El revisador soltó un grito de indignación.

—¡Qué crimen!— exclamó mirando a ese ser humano condenado fatalmente a consumirse en su fiebre y sintiendo por el pobre paria una ternura que salía de lo más hondo de su fortaleza de hombre. Al fin se fue, y Guaycurú lo vio alejarse con una mirada de dolorosa ironía.

—Como todos— murmuró.

Mas al día siguiente tuvo la sorpresa suponible cuando vio llegar a su cobertizo de paja, en el fondo del monte, al revisador.

—Aquí tienes— le dijo éste, extendiéndole una gruesa caja, —toma dos, una hora antes del chucho. Son cuarenta. Si no te pasa, me avisas.

El indio cogió la caja sin decir una palabra y sin mirarlo.

—Hasta mañana— dijo sencillamente el revisador, alejándose. Cuando había caminado ya una cuadra, sintió ruido de pasos, y vio al indio venir hacia él. Tenía el ceño contraído como si sufriera.

—Quiero saber qué cuesta esto— le preguntó con voz sorda.

—No cuesta nada— le respondió el revisador.

El indio contrajo más el ceño, observándose una por una las uñas.

—¿No es veneno?— murmuró mirándole de reojo.

El revisador comprendió toda la cantidad de sufrimiento, injusticias y desconfianzas que habían agriado esa alma hasta hacerla dudar del más sencillo acto de bondad.

—No, no es veneno— repuso gravemente.

Viendo que el indio continuaba con la cabeza baja, tornó a irse, pero a los dos pasos,[26] sintió su mano fuertemente oprimida contra una boca y oyó una voz quebrada por los sollozos que le decía:

—Vos sos[27] bueno, patrón; vos sos bueno.

Longhi apartó la mano riéndose para disfrazar la profunda conmoción que sentía.

Desde ese instante, no hubo lealtad y fe más grandes que las del indio. El revisador era sencillamente un dios para él, con la fidelidad

---

[26] **a los dos pasos**: when he had gone a few steps.

[27] **Vos sos**: Tú eres.

absoluta de que sólo es capaz un salvaje cuando entrega su alma huraña.

Y esta devoción al revisador, añadida a las simpatías que su empleado inspiraba a los otros peones, fue el motivo que Alves halló 5 para vengarse hasta las heces de la bilis que le había hecho devorar Longhi. Su hostilidad al revisador, que había comenzado por celos del respeto que le tenía su gente, se encendió del todo al saber cuánto lo quería Guaycurú y, sobre todo, cuando se enteró de que no robaba a sus hachadores. Claro es, lo natural parece que echara[28] sin trámite a 10 un empleado que no le hacía ganar bastante; pero, aparte de que lo que pagaba Longhi era mucho menos de lo habitual, Alves quería sencillamente vengarse.

Así fue que una tarde el más insignificante pretexto dio pábulo a su emponzoñada venganza.

15 Volvía Alves del puerto a caballo cuando cerca del obraje encontró a Guaycurú. Alves detuvo su cabalgadura.

—¿Qué haces a esta hora haraganeando por la picada?— lo increpó.

—Nada; voy al almacén a buscar harina— respondió el indio deteniéndose tembloroso.

20 —¿Harina? ¿Y no llevaste el sábado?

—Sí, pero se me mojó.

—¡Se te mojó! ¡Maldito seas! ¿Entregaste madera?

—Sí.

—¿Cuánta?

25 —Un lapacho.

—¿Cuánto?

—Doce pies.

Alves dio un violento golpe con el puño en la cabezada del recado.

—Claro, doce pies.[29] ¡Que no te vuelva a ver en la picada, bandido!

30 El indio murmuró, con la cabeza más baja aún:

—Entregué el sábado también...

—¡Qué me importa tu sábado y tu madera! Lo que quiero es que trabajes. ¿Eh? ¡Ven conmigo! Vamos a ver tu estúpida viga.

Se pusieron en marcha; Alves no hablaba, pero su rostro innoble 35 continuaba contraído. Cuando llegó, bajó del caballo, tiró violentamente las riendas al suelo, seguro de que había allí diez personas que

---

[28] **lo . . . echara:** the natural thing would be for him to fire.

[29] **Claro, doce pies:** Yeah, [I bet you turned in] twelve feet!

se iban a precipitar sobre la rienda del "patrón" Alves, y fue a la planchada con el indio. Observó la viga labrada por aquél, y al fin levantó la cabeza, fijando en Guaycurú su mirada animada de fuego sombrío que anunciaba una tempestad de ira.

—¿Y ésta es la madera que traes?— dijo dando un ligero golpe a la viga con el pie.

El indio, helado, no despegó los labios.

—¿Quién recibió esta madera?

—Patrón Longhi.

—¡Aquí no hay más patrón que yo, bandido!— clamó Alves, poniéndose rojo. —¿Oyes? ¡Yo soy el único patrón aquí, yo, yo! ¡Todos los demás son unos bandidos, todos! ¿Entiendes? ¡Todos!

Esto último lo dijo dirigiéndose a los peones y empleados que oían a corta distancia. Tal era el tiránico dominio que tenía Alves sobre su gente, que ninguno levantó la frente. Los peones se miraron de reojo; los empleados hicieron como si no se tratara de ellos. Pero los truenos eran demasiado violentos para que el rayo no estuviera cerca.[30]

—Patrón Longhi . . . — prosiguió Alves incapaz ya de contenerse. —¡Yo no sé si es patrón en su maldito país! ¡Pero el que ha recibido esta maldita madera es un bruto! ¡Sea Longhi o quien sea! El que . . .

Iba a continuar, pero al ver que las miradas de todos se dirigían a la gran picada que quedaba a sus espaldas, volviéndose, vio a Longhi que llegaba del monte con tranquilo paso. Aunque estaba a media cuadra aún, era imposible que no hubiera oído, dado el silencio del paisaje. Los empleados cambiaron una rápida mirada entre sí. Pero ya Alves había llegado al rojo blanco.[31] Al ver a Longhi se detuvo y durante dos segundos pudo verse retratada en su semblante la lucha entre su temor y su odio a Longhi. Este último triunfó.

—¿Quién ha recibido esta madera?— preguntó dirigiéndose a los empleados, como si lo ignorara.

—Yo fui— respondió Longhi, seguro de que esta vez era decisiva y metiéndose desde ya las manos en los bolsillos para contenerse más.

—¿Usted?— preguntó Alves, volviendo a él desdeñosamente la cabeza. —¡Usted no sabe lo que es madera, entonces!

—Creo que sí, sin embargo— repuso tranquilo Longhi. —¿Qué tiene?— añadió acercándose a la viga.

---

[30] **los truenos . . . cerca**: i.e. por las acciones violentas de Alves, los indios temen que los vaya a castigar.

[31] **había . . . blanco**: had reached the white-hot stage.

—¡Nada! ¡Completamente comida por dentro!

Longhi se agachó y golpeó la viga con los nudillos en distintas partes.

—No me parece— dijo.

5 —¡No le parece! Lo que me parece es que usted me ha estado robando el sueldo; eso me parece.

Los empleados, recordando el incidente anterior entre Alves y Longhi, se estremecieron y abrieron bien los ojos para no perder detalle de lo que iba a pasar.

10 Pero Longhi se había agachado de nuevo, como para examinar más de cerca aún la viga. Cuando se incorporó estaba pálido todavía.

—Además— prosiguió el brasileño —eso no es escuadrar.[32] En su tierra tal vez, pero entre gente honrada no.

Esta vez parecía haber pasado el límite del profundo dominio que 15 de sí mismo sentía Longhi; pero todavía volvió a doblarse sobre el extremo de la viga, puso su ojo a ras de un canto, y confrontó un rato. Se irguió de nuevo. Esta vez estaba lívido.

—Perdón— dijo con una calma espantosa, —esta viga está bastante a escuadra.

20 —¡Ah! ¿*vosé*[33] cree que está a escuadra?— exclamó, olvidándose, en su ira, del *usted* español. —Usted es tan ladrón . . .

Pero no pudo concluir. Longhi, con un grito ronco en que había explotado toda su indignación contenida hasta ese momento por un formidable esfuerzo de voluntad, había lanzado su mano seca y ner-25 viosa sobre la cara de Alves. El golpe fue recio y sonó como un estallido. Alves tambaleó, llevándose la mano a la boca ensangrentada, y un segundo después daba un salto atrás, revólver en mano. Apuntó al pecho de Longhi y lanzó una carcajada sarcástica, estridente.

—¡Ah, ah! Parece que ahora se acabó todo, ¿eh? ¡Ladrón! 30 ¡Ladrón!

Longhi, las manos de nuevo en los bolsillos, estaba inmóvil, blanco como el papel, mirando de hito en hito a su agresor.

—¡*Vosé* es un cobarde!— rugió Alves, a quien la nueva prueba de serenidad encendía más su ira. —¡Lo voy a matar como un perro! 35 ¡Ladrón!

Al oir por triple vez este insulto, los brazos de Longhi hicieron un movimiento convulsivo, al que respondió Alves instantáneamente

---

[32] **eso no es escuadrar**: that's not squared [correctly].
[33] ***vosé*** (portugués): usted.

con el suyo en que esgrimía el revólver. Pudo verse claro, por la contracción de su semblante, que apretaba el gatillo; ya iba el tiro a salir, cuando Guaycurú cayó con un salto de tigre sobre Alves, y de un golpe en la muñeca le hizo volar el revólver.

Pero esta vez las cosas cambiaban; ya no se trataba de Longhi.

—¡Agarren a este bandido!— rugió Alves.

Los peones, que hubieran titubeado tratándose del revisador, se lanzaron en tropel sobre el indio. En un momento estuvo derribado y agarrotado.

—¡Ese otro ahora! ¡Agarrénme a ese otro!— rugió de nuevo, señalando a Longhi, que continuaba con las manos en los bolsillos. Ninguno se movió.

—¡Canallas!— gritó, con los ojos brillantes por lágrimas de impotente ira, y precipitándose sobre su revólver que había caído a un paso de Longhi.

Pero en el momento en que se iba a apoderar de él, el revisador, con un movimiento tranquilo, puso su pie encima, y cogiendo a Alves de un hombro, lo apartó violentamente de sí. Alves gritó y cayó de espaldas.

Es imposible describir la expresión del brasileño cuando se incorporó. Lágrimas de rabiosa exasperación caían de sus ojos.

Longhi, tranquilamente, se bajó, cogió el revólver y lo tiró a los pies de Alves, que se precipitó sobre él con un ronco grito de triunfo y apuntando al grupo de peones: —¡Agarren a ese hombre! Al que no se mueva le levanto la tapa de los sesos.

Los peones, dominados, se dirigieron a Longhi; pero éste, encogiéndose de hombros, sacó su revólver y les dijo tranquilamente:

—No sean chicos, quédense quietos. No tienen . . .

Un estampido cortó sus palabras, a que siguió un grito de dolor de Longhi. El revólver se le cayó, mientras de su mano corría un torrente de sangre. Alves, cuya puntería no se había desmentido en ese momento, acababa de troncharle tres dedos de un balazo, desarmándolo.

—¡Ligero, átenme a ese hombre!— rugió, volviendo el arma a los peones.

Antes de que Longhi pudiera bajarse, se vio rodeado, sofocado por veinte brazos y sólidamente atado.

—¡Llévenme esos dos bandidos al pozo viejo!

Los peones, aterrorizados, cargaron con los dos prisioneros y se pusieron en marcha.

—¡Ya nos vamos a ver, *seu* Longhi![34]— gritóle sarcásticamente Alves. —No tenga miedo, *vosé*: no hay agua en el pozo . . . pero hay otras cosas mejores. En cuanto al otro . . . ¿Está siempre el hormiguero grande allí?— preguntó Alves a los peones.

Al oir esto, una profunda expresión de espanto se retrató en el semblante de todos.

¿Qué suplicio reservaba Alves a sus dos víctimas, para llevar a detener a peones[35] acostumbrados a sus venganzas? Es lo que vamos a ver. La gente, con los prisioneros, siguió por la picada grande hasta la primera bifurcación, a 400 metros del obraje.

—¡Alto!— ordenó Alves. —¡Dejen en el suelo a esos dos!

Los peones tendieron a Longhi y al indio sobre la tierra roja de la picada y esperaron nuevas órdenes de su patrón. Preciso es decir que desde que el revólver de Alves se había fijado por segunda vez sobre sus pechos, había desaparecido todo titubeo, rastro de conciencia o de humanidad de sus almas. La amenaza y la voz iracunda bien conocida de Alves habían despertado la fibra de esclavos que había en ellos, y eran ahora diez autómatas de cara embrutecida, apagados, abyectos, que obedecían ciegamente a la voz de Alves. Había concluido ya en ellos toda simpatía a Longhi; no había ya nada en el mundo fuera de las órdenes de su patrón, y de este modo se aprestaban a ser cómplices y ejecutores de este horrible suplicio.

—¡Vean si hay agua en el pozo!— ordenó el brasileño. —Si hay, sáquenla y sequen con arena. No quiero que se resfríe *seu* Longhi.

Los peones se dirigieron al pozo, un pozo abandonado a los cuatro metros, por falta de agua. Cuando llovía, claro es, recogían unos cuantos litros. Inclináronse sobre su boca, pero estaba seco.

—Muy bien— dijo Alves. —Menos trabajo.— Y dio órdenes en voz baja a los peones. Cuatro de éstos fueron al obraje, volviendo al rato con picos, palas y una caja rectangular. Alves abrió ésta y retiró dos cilindros oscuros, dirigiéndose al revisador, tendido de espaldas.

—¡*Seu* Longhi!— le dijo dándole con el pie en la cabeza. —¿*Vosé* no conoce esto?

Longhi, que tenía los ojos cerrados por el sol, no hizo un movimiento.

—¡Hace mal,[36] *seu* Longhi! ¡hace mal! Si *vosé* se dignara abrir sus ojos, vería que esto es dinamita . . . dinamita, *seu* Longhi— apoyó con

---

[34] **¡Ya nos vamos a ver, *seu* Longhi!** Now we shall see, señor Longhi!
[35] **para . . . peones:** that would cause peons to hesitate.
[36] **Hace mal:** That's not nice.

cortesía. —Bueno; después abriremos los ojos... ¿y el hormiguero está lleno?

—Sí, patrón— respondió un peón.

—Perfectamente; ahora me toca a mí.

Y diciendo esto descendió al fondo del pozo.

—¡Corten una tacuara gruesa!— gritó de abajo —¡Diez pulgadas alcanzan!

Un momento después el trozo descendía. Alves manipuló en el fondo y al rato subió, sudando.

—¡Muy bien! Ahora echen todas esas piedras... las grandes primero. ¡Cuidado! Perfectamente.

Cuando todo estuvo concluido, Alves volvió a descender solo, colocó los cartuchos de dinamita dentro de la tacuara, ajustó la mecha y trepó de nuevo. Bajo su vigilancia los peones volvieron a echar piedras, tapando cuidadosamente el trozo de caña, y media hora después la mina estaba pronta.

—¡Ahora el otro!— dijo Alves. —¡Desnúdenlo!

En un momento el indio estuvo desnudo.

—¡Armen el hormiguero!

Dos peones fueron a éste, y en el instante en que iban a operar, Alves los detuvo.

—¡Un momento! Vayan a buscar la botella grande que está en el depósito; la que tiene etiqueta verde.

Cuando el peón volvió con la botella, Alves se dirigió de nuevo a Longhi con una sonrisa de triunfo.

—¡Vea, *vosé*! Esto que está aquí es trementina... La trementina— añadió, dando suaves palmaditas a la botella —les gusta mucho a las hormigas... solamente que ellas se equivocan y se enojan mucho, *seu* Longhi. Su muy estimado amigo Guaycurú se acordará un poco de esto.

Entonces los peones hundieron sendos palos en el hormiguero revolviendo violentamente en todas direcciones. El aspecto gris de aquél se transformó instantáneamente en negro profundo; millones de hormigas surgían furiosas, buscando al enemigo que las atacaba. Alves regó al formidable batallón con trementina y los peones reforzaron las ligaduras del indio.

De pronto Longhi, que desde hacía un momento no oía una voz, sintió un alarido horrible de dolor y se estremeció violentamente. Otro alarido sonó más intenso aún, en que se desgarraba todo el sufrimiento de que es capaz una criatura humana.

—¡Muy bien, *seu* Guaycurú! ¡Muy bien!— oyó que decía Alves. —Esto es muy útil para aprender a respetar a los patrones...

A pesar de su indomable energía, un sudor frío empapó la frente de Longhi.

5 El suplicio había comenzado. El indio, arrojado desnudo en medio de trillones de hormigas enfurecidas, se estremecía de dolor. Su cuerpo era una masa monstruosa y negra de hormigas; parecía un carbón. La trementina, matando a muchas, había desesperado a las demás, y sus formidables tenazas devoraban vivo al indio.

10 Al cabo de un minuto —un minuto es horriblemente largo en tales circunstancias— Longhi oyó, de Alves:

—¡Un momento de tregua, ahora! ¡Sáquenlo!

El indio fue retirado y sus gritos disminuyeron poco a poco, hasta concluir en sollozos ahogados, sollozos de impotencia y dolor sobre-
15 humanos, de hombres cuya resistencia se quiebra al fin.

Longhi tenía siempre los ojos cerrados; permanecía sin mover un dedo. Pero dentro de su alma agitábase, como un mar, cuanto de indignación y rabia generosa cabe en un pecho viril. Mas había llegado su turno.

20 —Ahora, *seu* Longhi,— le dijo Alves, volviéndose de nuevo a él, —ahora voy a enseñarle una cosa que usted ignora. ¿Usted no sabe volar, verdad?

Longhi no respondió.

—*Seu* Longhi, por favor, ¡no sea mal educado!— le reconvino Alves,
25 dándole con el pie en la cabeza. —¡Le estoy hablando!

El rostro del revisador permaneció impasible; sólo su palidez, esa terrible palidez que ya conocía Alves, invadió su semblante. El brasileño, al notarlo, tuvo una sonrisa de alegría.

—Bien; eso me prueba de que usted me oye, por lo menos. Ahora,
30 *seu* Longhi, se trata de volar. Dentro de media hora su protectora persona volará, cosa que no estaba en sus generosos cálculos. Volará tan bien que acaso nunca vuelva, ¿oye? Entonces, como no es justo que viejos conocidos se separen así, sin despedirse, despidámonos, *seu* Longhi.

35 Y levantando bruscamente su fusta, cruzó de un horrible latigazo el rostro del revisador.

—¡Esa es mi despedida, canalla!— rugió violentamente, olvidando su cortesía, mientras una línea sangrienta surgía sobre el rostro de Longhi. —¡Lleva este recuerdo mío! ¡A ver, ustedes!— gritó a los
40 peones —coloquen a éste sobre el pozo.

Los peones alzaron a Longhi y lo pusieron sobre la mina cargada. Al llenar el pozo de piedras, habían dejado un hueco para que el revisador no pudiera rodar, una especie de ataúd en que fue colocado Longhi. Tumba viva, por decirlo así, en que Longhi iba a contar segundo por segundo sus últimos momentos de vida antes de ser proyectado en pedazos. 5

Una vez pronto todo, Alves acercóse al pozo y encendió la mecha, que chisporroteó un momento y luego se fue consumiendo lenta, silenciosa y fatalmente.

—Luego de un cuarto de hora— dijo Alves, sacando el reloj 10 —cuando falten cinco minutos, coloquen de nuevo al otro sobre el hormiguero. Es justo que el señor Longhi tenga música.

Unos tras otros, lentos, eternos, Longhi sintió que se iban deteniendo los últimos golpes de péndulo de su vida.

De pronto, el mismo alarido horrible que indicaba el suplicio del 15 indio, rompió el aire puro.

—Faltan cinco minutos aún— murmuró Longhi.

Los gritos continuaban, cada vez más desesperados.

Oyó luego ruido de pasos que se alejaban.

—Se van— se dijo. —Dentro de un minuto no viviré más. 20

Y por primera vez sintió un nudo de angustia en la garganta, al pensar en su madre.

—¡Pobre madre!— murmuró. —No se supondrá la situación en que se halla su hijo. Si ella . . .

Una formidable explosión desgarró el aire. Un furioso vómito de 25 piedras surgió del pozo, y el cuerpo del revisador, lanzado oblicuamente, cayó sobre la red de lianas vecinas, desgarrándolas, y se desplomó pesadamente en tierra.

IV

Eran las once de la noche. Una fresca brisa corría por la picada, y el bosque, lúgubre, se animaba con el maullido de los gatos, la fuga 30 de los venados, el gruñido de los jabalíes. Un gemido humano, sonando inesperadamente, apagó bruscamente el concierto. Al rato una voz quebrada llamó en voz baja:

—¡Patrón Longhi!

Nadie respondió. 35

—¡Patrón Longhi!— repitió la misma voz quebrada por el sufrimiento, lo único que quedaba de una potente voz de hombre. Lentamente, invisible casi, en la oscuridad de la noche, una sombra se fue arrastrando hasta el pozo. Se detuvo allí media hora, y luego avanzó hasta el linde del bosque. No es posible dar idea de las torturas y horribles dolores que suponía ver a un ser humano arrastrándose de ese modo. De pronto tropezó con una mano y se estremeció violentamente. La mano estaba fría, rígida, helada.

—¡Patrón, patrón Longhi!— sollozó el indio, dejando escapar de su pecho todo su amor a la única persona que lo había querido. Palpó la cara, el cuerpo noble y yerto del revisador, y abandonándose a su desesperación, lloró en la noche desolada.

Al día siguiente, de madrugada, un peón fue a decir a Alves que ni el indio ni el revisador habían muerto. Alves fue con él y los halló tendidos uno al lado del otro. A pesar de su vileza de alma, un escalofrío recorrió su cuerpo al fijar sus ojos en el indio. Aquello era una masa hinchada, sanguinolenta, deformada. La fiebre lo devoraba, y deliraba en voz baja. Alves se acercó más y observó el cuerpo lívido de Longhi.

—Ese hombre está muerto— dijo.

—No, no está muerto— repuso el peón. —Le late el corazón.

—¿Cómo se puede haber salvado?— murmuró Alves para sí. —¿Qué tiene?

—Parece que tiene las costillas rotas.

Alves meditó un momento y volvió al obraje.

—¡Vayan a traer esos dos individuos!— ordenó.

Cuando vio delante de sí los dos moribundos, dos vigorosos hombres que su crueldad de déspota había convertido en dos horas en dos miserables tasajos humanos, un rayo de triunfo, de voluntad omnímoda, encendió su mirada. Las violentas sacudidas de la carreta, exasperando el delirio del indio, había hecho volver en sí a Longhi, que miró un instante a Alves y cerró los ojos.

—¡Bueno!— dijo Alves con calma. —Ya ha tenido su lección, *seu* Longhi. Espero que le aproveche y aprenda a respetar un poquito a los hombres que no le han hecho daño alguno. Supongo que algo le habrá pasado cuando las piedras le empujaron y que tal vez se muera. Pero es el caso que no tengo deseos ningunos de vivir bajo el mismo techo con re-vi-sa-dor la-drón; así, *seu* Longhi. De modo que ahora mismo lo haré llevar al puerto y dejar en la barranca, y si antes de ocho días pasa el vapor, mejor para usted.

Un instante después, Longhi era subido de nuevo a la carreta, desmayado, y bajado no en el puerto, sino en el rancho del carrero que tuvo compasión de él, a riesgo de arrostrar las iras de Alves. Cuando le contó lo que había hecho, Alves se encogió de hombros.

—De todos modos no va a vivir dos horas.

Pero Longhi vivió, y seis meses más tarde, día por día, tocábale 5 a Alves medirse de nuevo con Longhi,[37] mas tal vez en circunstancias menos favorables para él.

¿Cómo? Lo veremos en seguida.

Salvado milagrosamente de la explosión, Longhi había salido de ella con una costilla rota y horribles contusiones en la espalda. A 10 más[38] los tres dedos tronchados por la bala del brasileño. El viejo hachador cuidó de él como un padre, y Longhi pasó veinte días entre la vida y la muerte. Pero su robusta constitución triunfó, y al fin una espléndida mañana pudo salir afuera, sentándose en un tronco. Estaba muy débil aún, mas la tibieza del ambiente y el sol que doraba 15 el monte llegaron a él como un bálsamo de nueva vida; y por primera vez después de dos meses de fiebre, delirio y letargo, pudo meditar claramente.

En sus pesadillas de esos dos meses, la figura siniestra de Alves había ocupado un lugar prominente. 20

Veíase atado sobre la mina y al brasileño riéndose y golpeándole la cabeza con el pie. Y luego el cobarde latigazo, el clamor del indio devorado vivo, toda esta tortura de un hombre que ha pasado dos meses reviviendo profundas afrentas, habían amargado profundamente su alma. En vano quería olvidar; una implacable sed de ven- 25 ganza crispaba su ser entero. ¡Ah! Hacerle sufrir un minuto, un segundo nada más, lo que había sufrido dos meses! Soñaba para Alves algo monstruoso, mucho más desesperante que el infernal hormiguero, algo que arrancara a su carne y a su alma torturadas gritos de animal...

Aquí se detuvo bruscamente en sus pensamientos. 30

—Sí— murmuró. —¿Por qué no? Gritos... ¡Ah, ya nos veremos! ¡Juan!— llamó al hachero que esa mañana tenía chucho y tiritaba junto al fuego.

—¡Patrón!

—Dígame: ¿usted ha visto alguna vez un tigre manso? 35

—Nunca; no se puede. El león, sí.[39]

---

[37] **día por día . . . Longhi**: inevitably Alves was going to have to face Longhi again.
[38] **A más**: Besides.
[39] **Nunca . . . sí**: Never. You can't tame one. But you can [tame] a lion.

—Sí, ya sé. ¿Pero usted ha visto un león amansado?

—He visto. No uno, muchos. ¿Para qué quiere saber?

—Por nada: curiosidad.

El obrajero lo miró atentamente.

5 —Mi compadre Cipriano tiene uno— agregó.

Longhi hizo un brusco movimiento, y aquella terrible palidez de antes, cuando era el hombre que hizo bajar los ojos a Alves, invadió su semblante.

Pero esta vez la palidez de Longhi era por debilidad física. Bajó 10 la cabeza y al rato preguntó indiferente:

—¿Es grande?

—No; cachorro todavía.

—¡Ah!

Nueva pausa. De pronto, el ex revisador de madera se levantó, 15 y caminando con esfuerzo hacia el obrajero, le puso la mano en el hombro.

—Oiga, Juan. Necesito que su compadre me venda el león.— Su voz estaba quebrada aún, pero su mirada firme y tranquila era la de antes. —No tengo nada para darle ahora; usted bien sabe. Pero le doy 20 mi palabra de que se lo pagaré.

—Ya sé, patrón— murmuró con profundo respeto Juan. —No necesita decirme eso.

—No importa. Mejor decirlo. ¿Quiere verlo a su compadre y decirle que me lo venda?

25 El hachero levantó a él los ojos de severo cariño y de confianza en Longhi.

—Ni mi compadre ni yo le vendemos nada a usted. Usted ha sido con nosotros distinto de los demás. El león es suyo.

—Gracias— repuso Longhi gravemente. —¿Cuándo lo puedo tener?

30 —La semana que viene. Tiene que hacerlo él mismo.

El lunes siguiente llegó el león. Era una leona, pero de poderosa alzada ya. Longhi había preparado una sólida jaula; instaló en ella al animal que rugía al verse separada de su amo.

Esto pasaba en febrero. En junio, la hermosa fiera, ya completa- 35 mente desarrollada, no se separaba ni un instante de su nuevo dueño.

Son increíbles los prodigios de paciencia, de voluntad y de serenidad que Longhi tuvo que emplear para llegar a aquella domesticidad. La leona se había transformado bajo su cariño e incontrastable carácter en un gran perro lleno de docilidad y ternura para con su amo. 40 Había conseguido Longi lo que casi todos los domadores obtienen:

imponer su silencio a la fiera. Un severo chistido hacíala enmudecer, pero preciso es decir que en esta terrible prueba de dominio contra el cual se rebela fatalmente el felino, Longhi estuvo dos veces a punto de dejar su vida. En el hombro tenía cinco profundas huellas de las garras de aquél. Empero, al fin, había logrado dominarla. 5

¿Qué fin se proponía Longhi, empleando su terrible voluntad en enseñar a la leona una cosa que no es de ningún modo indispensable, y sí peligrosísima?

Una noche de agosto, vale decir, seis meses después del día que Alves hizo pagar a Longhi del modo que sabemos su real justicia 10 con los peones, Longhi estaba parado en la picada central, esperando visiblemente a alguien. Al rato, a lo lejos, sonó un lastimero grito de agonía, a que respondió en seguida un rugido ahogado a su izquierda. Longhi se volvió rápidamente al monte y chistó. El rumor se apagó.

Un momento después Guaycurú aparecía en la picada. El indio, 15 salvado por el pánico que en las hormigas había puesto el estampido de la explosión, había tardado mucho más tiempo que Longhi en reponerse. Habían sido cuatro meses de dolores inacabables, llagas que se reabrían sin cesar, pústulas que lo devoraban vivo, una convalecencia atroz, para volver, apenas restablecido, a su mudo trabajo 20 de siempre, y con la amenaza de Alves de recomenzar el asunto de las hormigas a la menor falta.

Longhi no había querido ir a verlo por prudencia. Pero ahora que tenía un plan maduro, érale indispensable verlo. Lo había mandado llamar por el obrajero. 25

Apenas se vieron juntos, ellos que habían sufrido la más abominable de las torturas, un turbión de emociones levantó el pecho de ambos. Se miraron bien, y un momento después Longhi sentía de nuevo en sus manos los labios del indio. Ahora había entre ellos un fondo común, indesarraigable: el haber sufrido juntos y arder en la misma sombría 30 ansia de represalias.

Apenas habían comenzado a hablar, un espantoso rugido a dos pasos de ellos hizo saltar a Guaycurú.

—¡Maldita seas!— gritó Longhi con rabia, volviéndose al monte. —¿Qué te pasa? 35

—¿Qué es, patrón?

—Nada, una leona que tengo. Esta estúpida . . .

Y se internó en los árboles. Guaycurú oyó en seguida la voz colérica de Longhi que reprendía. Un instante después salió con la leona.

Y ahora volveremos a la primera parte de esta historia, a la noche 40 tempestuosa en que Longhi, Guaycurú y la leona marchaban hacia el rancho del obrajero.

El ex revisador había encargado a Guaycurú que le enviase noticias, por el obrajero, del primer viaje al puerto que Alves hubiere de em-
5 prender.[40] En la tarde, el hachador le comunicó a Longhi, y la reunión nocturna tenía por objeto concluir el plan de éste.

Llegados a su rancho, hablaron largo rato, y ya de madrugada Guaycurú regresó al obraje. A la noche siguiente volvió a la picada, donde ya le esperaba Longhi. Alves debía pasar por allí, en dirección
10 al puerto.

El tiempo, frío y claro, favorecía los proyectos de Longhi. La luna brillaba sobre la picada, marcando una franja blanca y silenciosa entre el sombrío bosque.

—¿Estás bien seguro de que dijo a la una de la mañana?— preguntó
15 Longhi.

—Sí, a la una. El vapor subió anteayer de tarde, y pasará hoy de madrugada. Dijo también que no quería perder por nada el vapor.

—¿Con qué peones vendrá?

—Con Raimundo, nada más. El le lleva la valija . . .

20 —¡Silencio!— le cortó Longhi en voz baja. —Siento ruido.

Ambos contuvieron la respiración para oir mejor.

—No es nada— murmuró al rato. —A más, falta media hora para las tres. No pasará por aquí antes de las tres.

La leona, entumecida por el frío, pugnaba por las disparadas locas[41]
25 que su amo contenía.

—Ya entrarás en calor— murmuró.

Lentos, unos tras otros, pasaron los minutos, y llegó el fin del drama.

A lo lejos, muy a lo lejos, habían sonado sobre las piedras los pasos de un caballo.

30 —¡Pronto!— gritó Longhi prestando oído atento —y escóndete en el monte. Si el caballo no lo tira, sal en seguida. Yo me quedo aquí.

El indio, como una sombra fantástica, corrió por la picada y desapareció en la selva. Longhi, después de hablarle un rato a la leona,
35 cogióle el hocico entre las manos, como siempre que quería hacerle comprender algo, y se hundió a su vez con ella en el bosque.

---

[40] **que Alves hubiere de emprender**: which Alves might take (*hubiere*: futuro del subjuntivo).

[41] **pugnaba . . . locas**: struggled to make the wild lunges.

Por la picada, al paso del caballo, marchaba Alves, oculto hasta las orejas en su grueso poncho. Detrás de él seguía un peón, llevando en la cabezada del recado una gruesa valija.

—¡Maldito frío!— murmuró Alves, sintiendo en las orejas las agujas del aire helado. —Con tal que el vapor pase pronto[42] . . . ¡Vamos! ¡Apuremos el paso!— gritó al peón. Y la pareja avanzó al trote.

De repente, un rugido formidable, espantoso, tronó en la selva, al lado de ellos. Alves y el peón dieron un grito. Los caballos, enloquecidos de terror, se levantaron de manos, agitándolas desesperadamente en el aire.[43]

—¡Raimundo!— gritó Alves con la voz ronca de miedo y tratando de dominar a su caballo.

—¡No puedo, patrón! El. . .

Otro espantoso bramido hizo estremecer la selva, poniendo en el alma humana todas las angustias que le comunica la carne a punto de ser devorada.

—¡Patrón! ¡Está ahí! ¡Está ahí! ¡Va a saltar!— gritó el peón.

Y Alves sintió en seguida la carrera desenfrenada del caballo de aquél, que enloquecido por el inminente ataque de la fiera, volvía bridas, precipitándose por la picada. Alves lanzó un juramento y trató desesperadamente de desprender su revólver. Pero en ese instante otro bramido sacudió la tierra, en seguida otro, luego otro, y el caballo de Alves, los ojos fuera de las órbitas y empapado en sudor de miedo, dio una formidable espantada, lanzándose a la carrera. El brasileño, desazonado por su ademán, cayó.

—¡Cobarde!— rugió Alves, levantándose.

—No es cobarde, ha hecho bien— oyó una voz tranquila que le respondía.

Alves sintió que sus cabellos se erizaban:

—¡Esa voz!

—Es la mía, nada más— oyó de nuevo.

Y el brasileño vio de pronto delante de él, con las manos en los bolsillos del pantalón, la silueta inmóvil de su ex revisador.

La frente de Alves se empapó de sudor.

—¡Ah, los muertos no hablan!— murmuró, buscando furtivamente el revólver. Pero oyó otra vez la voz tranquila:

---

[42] **Con tal . . . pronto**: If the steamboat passes soon [I'll be all right].
[43] **se levantaron . . . aire**: reared, pawing the air frantically.

—Mejor es que no lo saque.

Alves miró y vio brillar al lado de Longhi dos luces verdosas, la lúgubre luz verde de la selva. Un grito se escapó del pecho del brasileño, y quedó paralizado de terror.

5 —Tire el revólver, señor Alves— oyó de nuevo.

Alves inconscientemente lo tomó para arrojarlo. Pero al tenerlo libre, una mueca horrible torció su boca y su brazo se extendió.

—Tírelo, señor Alves; es mejor.

Por el tono impasible de la voz, Alves comprendió que todo estaba 10 perdido. Tuvo la seguridad plena de que su hora había llegado irremisible e implacablemente, y una explosión de injurias explotó en su boca.

—¡Bandido! ¡Ladrón! ¡Yo tengo la culpa por no haberte hecho desollar vivo! ¡Ladrón! ¡Ladrón!

15 —¡Guaycurú!— llamó Longhi, como si no hubiera oído.

El indio acudió corriendo por en medio de la picada y se colocó detrás de Longhi.

—Señor Alves— se dirigió aquél al brasileño, en una voz tranquila en la que el paraje, la luna y la situación daban sombría solemnidad. 20 —Señor Alves, óigame. Hace cinco años llegó a su obraje un hombre fuerte, sano, que no pedía sino trabajar en paz y vivir lo más tranquilamente posible. Usted, señor Alves, le impidió hacer el poco bien que un hombre honrado puede hacer en su obraje. Usted lo ofendió, lo persiguió, lo torturó, y si este hombre vive aún, es porque seguramente 25 tiene otra misión que la de robarlo, como usted dice. Ese hombre era incapaz de vengarse. Pero hay cosas que amargan demasiado; y si después de una horrible agonía de media hora, hecha con toda cobardía, y dos meses de sufrimientos, ese hombre desea evitar para siempre la tortura diaria de doscientos peones, ese hombre no hace sino su deber. 30 Le queda un minuto de vida, señor Alves.

El brasileño, despavorido, cayó de rodillas.

—¡Perdón, perdón!— gritó.

—Lo mismo le pidió Guaycurú.

—¡No lo voy a hacer más!

35 Longhi sonrió imperceptiblemente.

—Guaycurú— dijo al indio. —Acércate que te vea[44] bien la cara.

Pero Alves se levantó de un salto.

---

[44] **que te vea**: para que él te vea.

—¡Bandidos!— gritó. —¡No estoy muerto aún! ¡No me importa nada del indio! ¡Esto es para el ladrón de mi madera!

Y echando rápido la mano al revólver, que había guardado inconscientemente, lo descargó sobre Longhi. La puntería, desviada por la precipitación de Alves, falló. 5

—Señor Alves— dijo Longhi con la voz temblorosa, —vaya al medio de la picada.

Había tal indignación y voluntad incontrastable del otro mundo en la voz de Longhi, que Alves obedeció como un autómata.

Y en un segundo estuvo derribado. La leona, a una señal de Longhi, 10 había caído en un salto sobre él y lo sujetaba bajo sus potentes garras. Longhi, con las manos en los bolsillos, se detuvo a su lado.

—¡Me mata, me mata!— clamó Alves.

—Todavía no— repuso Longhi tranquilo. —Dentro de un cuarto de hora. 15

Alves, bajo las garras de la fiera inmóvil, cuyos ojos lúgubres, fijos en los suyos a diez centímetros, le enloquecían, vivió un millón de siglos de terror en ese cuarto de hora.

—Falta un minuto— dijo Longhi.

Alves, ronco, no podía gritar más. 20

—Faltan diez segundos— repitió la misma voz inexorable.

En cada segundo final, Alves purgó hasta las heces sus treinta años de pillaje. De pronto Longhi dio una imperceptible palmada en el lomo de la leona y en el silencio se propagó por la picada, fría y blanca de luna, el crujido de la cabeza de Alves que acababa de partirse entre los dientes 25 de la leona.

A una nueva palmada, el animal abandonó la presa, gruñendo. Longhi, inmóvil, miró un rato el cadáver de Alves, y luego con un suspiro se alejó. Guaycurú y la leona iban con él.

En la barranca del río, Longhi y Guaycurú esperaban que llegara el 30 vapor. Cuando se divisó a lo lejos el humo de una chimenea, Longhi se internó en el monte y ató a su leona. ¿Qué le dijo? ¿Qué removidas ternuras no había sentido al dejar a su animal, a cuya vida íntimamente ligada a la de él cinco meses, acababa de sellar la suya con sangre?[45]

Salió del monte con la cara contraída. El vapor llegaba ya, y Longhi 35 le hizo seña de que parara. Desprendióse la chalana y Longhi se aprestó a subir.

---

[45] **a cuya . . . sangre**: to whose life—intimately bound to his for five months—he had just sealed his own with [Alves'] blood.

—Adiós, patrón . . .— dijo Guaycurú con la voz ronca y bajando los ojos.

Pero Longhi, profundamente conmovido, lo abrazó estrechamente. Ya nunca más se verían. Subió. Un momento después llegaba al vapor y 5 éste partió.

Longhi tuvo los ojos fijos en la costa, donde el indio continuaba mudo, desesperado, hasta que la distancia lo borró. Entonces, recostado en la baranda, mientras el vapor descendía el río, revivió, mirando la lúgubre selva, todas las angustias de esos últimos meses en que había dejado 10 muchas esperanzas que ya no recuperaría, un oscuro y fiel amigo, y una leona que, ronca ya, rugía desesperada a su amo que la abandonaba.

CUESTIONARIO

1. *¿Qué significa el título "Las fieras cómplices"?*
2. *¿Qué es la cronología de este relato? ¿Cuál es la relación temporal entre las dos primeras secciones y el resto del cuento?*
3. *¿Cómo caracteriza Quiroga a los patrones, según las descripciones que nos da en este cuento?*
4. *¿Está bien trazada la psicología de Alves, Longhi y Guaycurú? ¿Cuáles son los cambios que se notan en estos personajes durante el curso de la acción?*
5. *¿Por qué tira Longhi el revólver a los pies de Alves? ¿Es una acción verosímil y justificable psicológicamente? ¿Qué es el resultado de esta acción? ¿Cómo justifica Longhi su homicidio? ¿En qué sentido es esta acción moralmente justa?*
6. *Según Quiroga, ¿qué es la actitud tradicional del indio ante las atrocidades del patrón o revisador de madera?*
7. *¿Cuáles son los motivos sociales que pudiera tener el autor al escribir una historia de la vida de los obrajeros? ¿Qué función artística tienen las descripciones de la vida de los obrajeros?*
8. *Según las descripciones, ¿cómo son las selvas del Mato Grosso? ¿Cuál es la importancia del ambiente selvático para la creación de una realidad verosímil?*
9. *¿Cuáles son las varias manifestaciones del tema de la venganza en las acciones de Alves, Longhi y Guaycurú? ¿Cuáles son los otros temas que aparecen en esta obra?*
10. *Al terminar la acción de este cuento, ¿por qué se va Longhi? ¿Por qué no se queda con sus cómplices en la selva?*

11. *¿Qué es el feísmo? ¿Cuáles son las escenas que contribuyen al tono feo y bárbaro de esta obra?*
12. *¿Cuáles son algunos de los rasgos estilísticos de este cuento que muestran una despreocupación estilística de parte del autor? ¿Cómo muestran estos rasgos que este cuento forma parte de una etapa temprana en el desarrollo artístico de Quiroga?*
13. *¿Cuáles son los aspectos de este cuento propicios para representarse como película o programa de televisión? ¿Sería demasiado melodramático? ¿Por qué?*
14. *¿Qué es el criollismo literario? ¿Por qué se puede decir que éste es cuento criollista?*

Agustín Yáñez

México (1904-   )

El renombre de Agustín Yáñez no depende del todo de su producción literaria, sino de su distinguida carrera profesional de educador y político. Después de obtener el grado de doctor en leyes de la Escuela de Jurisprudencia de Guadalajara en 1929, fue nombrado Director de Educación Pública de Nayarit y Rector del Instituto del Estado. También en Jalisco pasó unos meses como profesor en la Escuela Preparatoria. Con el cargo de representante de la Universidad de Guadalajara, se trasladó a la Ciudad de México donde dirigió la Oficina de Radio para la Secretaría de Educación. A la vez estudiaba filosofía en la Universidad Nacional de México, de la cual se doctoró *magna cum laude* en 1935. Desde aquella época la contribución pedagógica y cultural que Yáñez nos ofrece ha sido de gran valor. En la misma universidad donde se doctoró, Yáñez se recibió de catedrático de estética y literatura, y llegó a ser miembro del Consejo Universitario y Presidente de la Comisión Editorial.

Yáñez ha desempeñado importantes cargos político-administrativos en su país como Jefe de Departamento de Bibliotecas y Archivos Económicos de la Secretaría de Hacienda, y ha participado también en altos organismos internacionales como la UNESCO. En reconocimiento a su intensa labor le han sido otorgados merecidos honores académicos, siendo en la actualidad miembro de la Academia Mexicana de la Lengua. En marzo de 1953 Agustín Yáñez fue elegido gobernador del Estado de Jalisco, el estado donde había nacido el 4 de mayo de 1904 en la ciudad de Guadalajara. Sirvió con distinción en aquel cargo hasta 1959 cuando reanudó su carrera de profesor en la Capital. El año 1964 Yáñez fue escogido por el Presidente de la República para ocupar el puesto de Ministro de Educación del gobierno nacional de México.

Aunque Agustín Yáñez había empezado a escribir alrededor

de 1927, no fue hasta la década de los cuarenta que comenzaron a publicarse sus obras. Su primer tomo importante fue *Archipiélago de mujeres* (1943), una colección de tres novelitas surrealistas. En estas obras, el novelista hace un trasplante de heroínas amorosas de la historia y la leyenda al ambiente regional mexicano. Cuatro años más tarde en 1947 salió *Al filo del agua*, la novela más ambiciosa del autor, la cual le ha ganado la fama de ser el mejor novelista de la escena contemporánea mexicana. Yáñez fija la acción en un ambiente pueblerino poco antes de estallar la Revolución de 1910. La mayor innovación en esta obra es la técnica que consiste en una mezcla de diversas historias de personajes, un paralelismo de relatos que recuerda a Aldous Huxley[1] en su *Point Counter Point* (1928) y John Dos Passos[2] en *Manhattan Transfer* (1925).

Después de *Al filo del agua* hubo un largo silencio en la vida literaria de Yáñez, correspondiendo a la época en que el novelista desempeñaba importantes cargos en el gobierno. Apareció su próxima novela, *La creación*, en 1959, el mismo año que terminó sus seis años de gobernador. Se publica en 1960 *La tierra pródiga* que relata el conflicto entre el Gobierno Federal y un grupo de caciques que quieren construir un centro turístico a la orilla del mar. *Las tierras flacas* (1962) es la historia de la rivalidad entre las familias Trujillo y Garabito en las tierras estériles como el título indica. En 1964 apareció un tomito de cuentos, titulado sencillamente *Tres cuentos*. "Las avispas" narra la historia de un hombre que en un solo día destruye todo su pasado de virtuosa severidad. En "Gota serena" un niño, el protagonista del cuento, refiere su descubrimiento del mal, el dolor y la injusticia.

"La niña Esperanza", que presentamos aquí, es un cuento de tipo psicológico en el cual un niño nos refiere sus impresiones cuando siente por primera vez la presencia y humillación de la muerte. La narración en primera persona da al cuento un tono íntimo de confesión. A veces las divagaciones mentales del protagonista aparentan ser trozos de un diario personal. Por lo complicado de la sintaxis y la longitud de algunas de las frases, la narración tiene categoría de monólogo interior.

La obra presenta el proceso mental del protagonista ante la muerte de Esperanza. Para el adolescente Esperanza, más que

---

[1] **Aldous Huxley:** novelista inglés (1894–1964).
[2] **John Dos Passos:** novelista norteamericano (1896–   ).

una mujer, es un ser idealizado, resumen de perfecciones, que él define en su monólogo interior con la repetida expresión: "¡es un monumento! ¡un monumentazo!" Tras la muerte de Esperanza, la fe del niño se derrumba al comprobar que sus oraciones fueron inútiles para resucitarla. Además del magnífico estudio psicológico del protagonista, otros rasgos notables de la obra son las escenas costumbristas de la gente que rodea a la niña moribunda.

La niña Esperanza

o

El monumento derrumbado

El último del año comenzó a estar mala, según parece, o mejor dicho: el día de año nuevo amaneció con la enfermedad, aunque todavía se levantó y se vistió con intención de salir a misa; pero no pudo, ardiendo en calentura como se hallaba, y con muchos escalofríos.

Nosotros hasta hoy nos dimos cuenta.[1] Es que no hemos de haber estado presentes o no nos fijamos en las conversaciones, los primeros días, y por estar en la escuela no nos ha tocado ver la llegada del médico, ni su coche parado frente a la puerta, ni el movimiento apurado de las casas en que hay enfermo grave. Anoche mismo, cuando nos juntamos a jugar en la calle, ni cuando nos despedimos, pasadas las ocho de la noche, ninguno dijo nada: señal de que no lo sabían; pero ahora desayuné con la noticia,[2] y salí disparado a ver a quién hallaba para contarla.

—¿Cómo amanecería?— oí que mi padre preguntaba con preocupación, y mi madre, con ese tono de voz velado cuando algo la mortifica, respondió:

—Parece que peor, según dijeron en la lechería y en la panadería.

[1] **Nosotros . . . cuenta:** We didn't find out until today.
[2] **pero . . . noticia:** but today I heard the news at breakfast.

¡Sea por Dios![3]— haciéndosele nudo la garganta,[4] añadió—: dicen que se le ha declarado pulmonía doble.

El anuncio hizo que mi padre abriera los ojos espantados y soltara una exclamación de sorpresa irremediable.

5 —¿Pulmonía doble y en enero?

—Dios no lo quiera.[5] Dentro de un rato iré a preguntar cómo sigue.

La plática fue llenándose de miedo ansioso; la interrumpí con frenéticas preguntas. Al saber de quién se trataba, y desde cuándo, cómo había empezado a estar mala, sentí una revoltura de sosiego, de tristeza 10 muy grande y de alegría vengativa. No sé si por esto, si por la cara de aflicción que tenían mis padres o por la voz temblorosa de mi madre, se me atragantó el desayuno. Tarde se me hacía para echarme a la calle con tamaña noticia.[6]

No encontré a ninguno de los muchachos. La curiosidad me llevó a 15 pasar por la casa de la enferma, desviándome del camino de la escuela, pues al fin era temprano y habría tiempo para toparme con alguno de los amigos en cuya compañía, cuántas veces, hemos pasado por la misma casa, con el deseo casi siempre callado, sobreentendido — secreto a voces de la palomilla[7]—, con la tentación de ver a la que ahora — 20 todavía se me hace imposible, no lo creo — está enferma: ella, tan lozana y garbosa, que nos deja encandilados cuando la miramos. Hallé cerradas las ventanas y entornada la puerta del zaguán, que por lo regular he visto siempre abiertas; me acogí a la esperanza de que sería por lo temprano de la hora, tanto más que adentro no se notaba movi-25 miento, ni vi entrar o salir personas mientras estuve espiando, y fue mucho rato, hasta que recordé la escuela y que alguien podría preguntarme qué buscaba, qué hacía parado allí, o que mi madre llegara. Volví a pasar junto a la puerta. Volví a ver de reojo. Nada descubrí. Emprendí carrera, olvidado el deseo de ser yo el primero en dar a los 30 muchachos la noticia.

Al irlos encontrando, unos en la escuela, otros a la salida, o en la tarde, ya todos la sabían. Los más no daban señales de que les hiciera fuerza,[8] y esto no dejó de dolerme. Yo, por mi parte, no tuve calma ni

[3] **¡Sea por Dios!**: May God's will be done!
[4] **haciéndosele nudo la garganta**: with a lump in her throat.
[5] **Dios no lo quiera**: God forbid.
[6] **Tarde . . . noticia**: I could hardly wait to get out in the street with such a piece of news.
[7] **secreto a voces de la palomilla**: a secret among the members of my gang.
[8] **que les hiciera fuerza**: that it made any difference to them.

atención en la escuela, no más pensando en[9] la enferma, representándomela en las distintas formas en que muchas veces la he visto y, sobre todo, la he imaginado en secreto, muy seguido,[10] y hasta creo que — sí, tengo que confesarlo: es muy cierto — la he soñado con bastante frecuencia, y son de los más bonitos sueños que recuerdo, sin saber bien a bien el motivo. Distraído por completo en las clases, la mañana entera, se juntaban a esas figuraciones otros pensamientos y mil ocurrencias, que tampoco sabía de dónde, inesperadamente iban saliendo, y hasta sorprendí en los labios palabras extrañas, que no recordaba conocer y, de momento, se han vuelto a olvidar. También cavilé sobre lo que sentí al tener la noticia; escarbé dentro de mí buscando la causa del sosiego que me produjo de pronto, y principalmente de la alegría vengativa: eso fue, aunque rápidamente pasó, y sólo quedó la tristeza, cada vez más grande, al grado de no explicármela, pues no se trata de persona de mi familia; ni siquiera es amiga de los de mi casa; ellos, como yo, como los muchachos de mi palomilla y la mayor parte de los vecinos en el barrio, la conocemos, la vemos de lejos; de retirado la admiramos, más bien por su fama, que por su trato, pues pocos pueden decir que de veras la han tratado, y ninguno[11] que se alabe de tener amistad con ella; digo: ninguno del barrio; porque amistades, tiene a montones, que la visitan; pero son de otros rumbos, principalmente del centro y de las colonias elegantes; a nosotros como que nos ve con lástima o con cierto desprecio,[12] si es que se digna vernos; ya no digamos a los de la palomilla, que acaso somos los que mayor admiración le tenemos.[13] Eso ha de ser lo que ando buscando, lo que dentro de mí vengo escarbando desde que comenzó la primera clase, y en el recreo, y hasta este momento: primero, que no se trataba de alguien de la casa, como las caras largas de mis padres y la voz afligida de mi madre me hicieron pensar en un principio; esto fue seguramente lo que me produjo alivio momentáneo, como peso que se quitaba, o nubarrón que se iba; mientras el impulso de alegría rencorosa — que no puedo negar, que no pude dominar, que ahora me causa vergüenza — brotó de resentir esa soberbia de su persona, que tomamos por desprecio a nuestra insignifi-

---

[9] **no más pensando en**: just thinking about.
[10] **muy seguido**: quite frequently.
[11] **y ninguno**: y no hay ninguno.
[12] **a nosotros . . . desprecio**: [since] she looks at us with pity or with a certain scorn.
[13] **ya no . . . tenemos**: the members of the gang who possibly admire her the most [are even less acquainted with her].

cancia. En mis orejas no han dejado de resonar unas palabras de mi madre: *a nadie hay que desear males;* aunque no hacen falta para el arrepentimiento de haber sentido involuntario gusto[14] porque la orgullosa sufriera enfermedad como cualquier hijo de vecino; no, no fue mi propósito desearle males; ni siquiera que la enfermedad le quitara lo bonito, lo garboso: ¿qué haríamos entonces? ¿qué haría el barrio entero si le faltara la contemplación del único encanto que lo alegra? ¿qué haría la palomilla? ¿de qué podríamos hablar con el mismo entusiasmo? ¿a dónde iríamos dominados por secretas intenciones cuando nos llega el aburrimiento y nos arrastran oscuras ganas de adivinar misterios? ¡Misterios de mujer! Sin quererlo, se me ha ocurrido este pensamiento, que por igual me infunde harta vergüenza y me hace gozar desconocidamente: ¡misterios de una — *ésa* — entre todas las mujeres!

A todo esto, se alzó la impaciencia de salir y correr en busca de noticias frescas. ¡Qué insoportablemente larga, horrible, la prisión de la escuela, y cuán imposibles las escapatorias que discurrí!

Al fin pude salir, correr. Lo seguro sería marchar directamente a casa y preguntar a mi madre. Una fuerza irresistible nos hizo desencaminarnos, rodear, dirigirnos, pasar, detenernos, contemplar la casa consabida. Sin decírnoslo, nos habíamos juntado varios muchachos. Esperábamos — yo, al menos — ver el coche negro del médico, que siempre nos hace gran impresión cuando lo vemos parado en alguna casa del barrio; he oído que le dicen *cupé*: ya viejo, aunque relujado; tan viejo como el caballo que lo jala — negro también — y como el cochero: tieso, vestido de negro, el chicote listo en una mano, y la rienda en la otra. (— *Más bien parece cochero de funeraria* — dijo una vez no recuerdo cuál de los muchachos.) Pero ahora no estaba, no lo vimos. Ha de haber venido antes. Pero seguían cerradas las ventanas y entornada la puerta. Ni siquiera los pájaros cantaban dentro: no los oímos. Los muchachos decían palabras extrañas, feas y hasta horrorosas; algunas yo las conocía; otras, no; eran, si las recuerdo bien: tisis, bronquinemonía, derrame cerebral, angina del pecho, tifo, tifoidea, viruela, cáncer, no tiene remedio, estirar el pellejo, se acabó el cuero y la tentación.[15] Esto último sí lo entendí bien y por pelado me prendió la sangre;[16] me hizo avanzar

---

[14] **aunque . . . gusto:** although it's not necessary to have done so in order to feel repentance at having felt an involuntary pleasure.

[15] **estirar . . . tentación:** kick the bucket, the sexy woman and temptation are gone now.

[16] **por pelado . . . sangre:** it made my blood boil, like some ruffian's.

contra el lépero a trompadas: le pegué dos, bien dadas; ni las manos metió;[17] nos apartaron los otros; y lo peor es recordar que yo también así la he llamado, con esa palabra de plebes: *cuero*, y que se me hacía sabrosa otras veces,[18] y muy propia para decir lo que sentíamos al ver a la vecina, o simplemente al pensar en ella o al imaginarla, sin encontrar otra palabra que cuadrara con la mera significación que a ésta le damos. (Hoy descubrí otra: *monumento*, que por muchos motivos me gustó, aunque no se me hace tan sabrosa, quién sabe si porque le falta el picante o lo agrio de la primera. Hoy en la tarde, casi ya en la noche, se la oí a un muchacho mayor que nosotros, que por estar en sexto y jugar fútbol en un club formal nos ve como si fuéramos microbios; refiriéndose a la enferma — ya no hay a estas horas otro tema de conversación en el barrio, dentro y fuera de las casas —, aseguró, poniendo los ojos en blanco — él es muy faceto y le gusta hacerse más, delante de nosotros, por apantallarnos —, le oí decir: —*¡Ah! ¡es un monumento!* y lo repitió:— *¡un monumentazo!* A ver si puedo después explicar por qué la dicha palabra me agradó tanto, a pesar del chocante que me la descubrió; a ver si tengo tiempo.)

Volviendo a mi casa, lo primero que hice fue preguntar a mi madre si había ido a informarse cómo seguía de males la vecina; no me gustó el gesto que hizo al contestar, ni menos oirle responder no más con una palabra: — *¡Grave!* Muchas veces oída, en ese momento sonó a nueva, y tremenda; se agolparon mil figuraciones; nubláronse los ojos; no quise, no pude preguntar más; con el corazón apachurrado, me metí a la última recámara; cerré el postigo; tuvieron que gritarme varias veces a fin de que fuera a comer; no tenía apetito; apenas probé bocado; el alma en un hilo,[19] esperando que volvieran a tocar el asunto; seguramente lo habían hecho cuando llegó mi padre; no tardaron en recaer.

—Tan activa. Tan atenta con los pobres. Tan compadecida. Un modelo (*monumento ¡monumentazo!* — no, a esa hora no había descubierto la palabra). Tantas caridades que hace. Tan infatigable. Se desbarataba, se hacía pedazos por cumplir las obligaciones que se había echado en tantas buenas obras. Era natural que le sucediera esto . . .

—Le sucedió al salir de dar gracias por el fin del año; un enfriamiento al salir del templo, tras ayudar a bien morir al año[20] en sus agonías;

[17] **le pegué . . . metió**: I hit him two good ones; and he didn't raise a finger.
[18] **se me hacía sabrosa otras veces**: I liked [to say] it on other occasions.
[19] **el alma en un hilo**: my heart in my throat.
[20] **tras . . . año**: after helping the old year die a Christian death.

volvió tosiendo y con escalofríos, tan piadosa siempre, con mucha calentura . . .

— no entiendo cómo hay gentes que no la quieran y hablen de ella por purita envidia; hoy mismo andan diciendo que cogió la pulmonía en una fiesta pagana, ¡un baile! de esos que hacen para recibir al año entre desórdenes impropios de cristianos . . .

—sí, eso decían ahora en la tienda de la esquina, y añadían que por ir muy escotada . . .

—¡cómo es posible que puedas oir semejantes calumnias y las repitas aquí, delante . . .

Con ojos indignados mi madre me indicó que saliera de la cocina. Obedecí, porque habría sido peor seguir oyéndolos y no poder preguntar el enjambre de dudas que me picaban la lengua.

Escapé a la calle con la esperanza—¡la esperanza!—de hallar muchachos que no lo supieran. Estaban vacías nuestra calle y las calles vecinas por donde vagué. Sin resultado estuve chiflando frente a las casas de amigos. Nadie salió. En una carrera fui, pasé por la casa de la doliente. No había novedad. Continuaban cerradas las ventanas; entornada la puerta. Por hacer tiempo, volví, me encerré, me tiré sobre la cama. Era sábado. No había clases en la tarde. ¡Ah! si durmiendo la soñara.[21] Vestida de seda chillante. Soñara la fiesta pagana. El baile. Y el escote. Nunca la hemos visto con escote. Ahora la imagino. Recuerdo haber oído hablar de trajes indecentes. A ella siempre la mayoría la califica de muy decente. Aunque no faltan risitas de burla. No pudiendo conciliar el sueño, torné a la calle. Mi madre me regaña por callejero. Ni remedio.[22] No tengo más diversión. Recuerdo haber oído hablar, entre risitas, de las mujeres de la calle, sin entender bien por qué se ríen así cuando los muchachos mientan eso, que no entiendo, si a ellos como a mí nos gusta la calle y no tenemos otra diversión y andamos como leones enjaulados—eso dice mi mamá—cuando no nos dejan, cuando no podemos salir de las cuatro paredes de la casa.

Como león enjaulado anduve de acera en acera; llegaba a la esquina y me devolvía. Fueron al fin saliendo los muchachos. Nos fuimos juntando. — *¡Vagos! qué ¿nacieron en la calle, que de la calle no quieren salir? de la calle no los podemos meter* — dicen al regañarnos por callejeros. (Yo no andaba con ellos ese día; pero uno de los agravios de la palomilla contra la orgullosa vecina es que una vez los llamó vagos porque andaban alborotando cerca de su casa.) Sabían ya todos lo de la

[21] **si . . . soñara:** if I could only go to sleep and dream about her.
[22] **Ni remedio:** So what!

enfermedad. Algunos quisieron jugar. Se los estorbé, distrayéndolos con pláticas de mucha sensación, en que hubo competencia para echárnosla de lado[23] sobre quién sabía más detalles tocantes a la vida y milagros de la encumbrada, sus intimidades y gustos: ¡puros inventos! pero aparentábamos creerlos para enanchar la plática y desahogarnos; yo buscaba también alguna esperanza — una esperanza —, por insignificante que fuera, del pronto alivio, de lo pasajero del mal, de la promesa de verla y gozarla otra vez, pronto, aunque desde lejos, como siempre.

Corriendo, desaforado, llegó un muchacho que vive a la vuelta, y nos dijo que había gran movimiento en la casa de la enferma, con la llegada de varios coches. Movidos por un resorte, corrimos a la oscuridad. El corazón se me movía como badajo de campana mayor.

Era cierto. No sé cuántos coches llenaban la calle. Sentí el corazón en la garganta. Jamás había visto una concentración igual. Me infundió respeto y miedo. Entraban y salían personas muy catrinas; hombres de levita, con barbas y cara de apuro; mujeres cubiertas con chal, como asustadas, como llorosas, bien vestidas. Abierto el zaguán de par en par; pero bien cerradas las ventanas. —*Hay junta de médicos* — oí decir a uno de los curiosos. A indicación de uno de los catrines, vino el gendarme y mandó que nos retiráramos. —*La calle es muy libre* — alegó un grandullón; el gendarme se le abalanzó, amenazándolo con la macana. Como de rayo nos dispersamos; yo y otros no paramos hasta meternos en la tienda, cerca de mi casa. El tema del dueño y los clientes era el mismo; en una palabra: que había pocas esperanzas.

Lo mismo que si me hubieran sofocado de una pedrada en la boca del estómago. Necesidad, ansias de hallar a mi madre para preguntarle qué podemos hacer; y decirle que no podemos quedarnos con los brazos cruzados; y recordarle lo que me ha enseñado, lo que tantas veces me ha contado de milagros patentes hechos por santos y santas, aunque nos comprometamos con mandas trabajosas de cumplir. Eso de los paganos; del baile, del escote, qué, caso de resultar cierto,[24] ¿será muy grave?

—Sí, vamos a rezar por lo que más le convenga, según los justos juicios de Dios. A nosotros no nos toca lo de las mandas —. Ahora fue como un baldazo de agua fría; ni me animé a tratar lo del escote y los paganos.

---

[23] **echárnosla de lado:** to boast.
[24] **qué . . . cierto:** so what, even if it should turn out to be true.

Era hora de ir por la leche y el pan; me ofrecí al mandado con interés de saber novedades, o cuando menos oir hablar de la que se había convertido en el tema de todas las conversaciones. Y así fue. Como reguero de pólvora se hablaba de la junta de médicos,[25] ya en voz baja o a gritos.

—Que todavía no acaba ni tiene para cuándo acabar . . .

—Se conoce lo rica que es . . .

—Tanto presumir: al fin ¿para qué?

—Que la van a operar . . .

—No: que está en las últimas . . .[26]

A gritos, de ventana en ventana, de puerta en puerta, calle de por medio.[27] Me detenía para oir mejor. Me acercaba a los grupos que hablaban con misterio, para entender lo que decían. Aventadas de un lado a otro como pedradas, las palabras me descalabraban, o eran como toques eléctricos. Mientras algunos compadecidos la ponían por las nubes, llamándola con términos bonitos: princesa, esbelta, graciosa, sin comparación, virtuosa (lástima que no pueda retener en la memoria lo que más me gustó, por ser palabras nunca oídas antes), las voces de la envidia, sin compasión alguna, la trataban de tipa, mustia, faceta, apretada, coqueta, presumida; me quemaban la sangre, tenía que refrenarme y apresurar el paso para no discutirles ni meterme en dificultades como en la mañana. Precisamente alegaban sobre lo mismo, en la panadería, gentes de los dos bandos, y en la lechería también; aquí precisamente fue donde le oí al futbolista eso de *¡Ah! ¡es un monumento! ¡un monumentazo!* El alegato era tan acalorado, que tardaron en despacharme; aunque la verdad es que tampoco hice nada por darles prisa, pues contaban historias que picaron mi curiosidad, aunque no las entendiera bien a bien: pilas de pretendientes, buenos partidos, montón de amistades, tan fina y afable, de carácter tan bonito y alegre; sí pero por esto y por sus modos de vestir y de andar y de ver, da lugar a que la confundan y hablen de ella; no, porque sabe darse su lugar; eso acá,[28] con los pobres: pero allá en sus círculos, con los empingorotados, la muy engreída, he sabido . . . ; es lo contrario, allá es donde ha despreciado esos partidos, mientras acá es compadecida; lo que sea de cada quien[29] . . .

---

[25] **Como . . . medicos:** Talk of the doctors' consultation had spread like wildfire.
[26] **las últimas . . . :** las últimas agonías.
[27] **calle de por medio:** from one side of the street to the other.
[28] **eso acá:** that's the way she was around here.
[29] **lo . . . quien:** she treats each person as he deserves.

—¡Ah! ¡es un monumento! ¡un monumentazo!

Quedé deslumbrado. Tanto, que de pronto se me olvidó lo que dijo uno de los que allí estaban:

—Sí, es una espléndida mujer.

—¡Vas a tirar la leche, muchacho! ¡Vete! ¿Qué esperas? 5

Otro de los presentes comenzó a contar los muchos viajes hechos por la bella.

—Conoce medio mundo. Hasta Tierra Santa y China. Quién sabe cuántos idiomas habla. Del Japón . . .

Volvieron a correrme y no hubo más remedio que dejar de oir. Por 10 el camino vine repitiendo: *es un monumento, un monumento.* Estuve a punto de tirar muchas veces la leche. Había oscurecido por completo. Y es que anochece muy temprano en estos días.

—¿Por qué te tardaste tanto? Ya estaba con pendiente.[30]

—Oye, madre, ¿acabaría ya la junta de médicos? 15

—Yo qué sé; una cosa es compadecer el mal ajeno y otra andar de entrelucido; sobre todo no me gusta que seas nervioso.

Merendé, y ante la negativa de permitirme salir, hice buen berrinche.

—¿Ni a la iglesia vamos a rezar porque se alivie?

Nada valió. La fatiga del día me rindió. Ni los clarines de las ocho 20 de la noche oí. Me llevaron dormido a la cama y allí me desvistieron. Entre sueños escuché a mi madre:

—Lo impresionó mucho lo de la Niña Esperanza.

Y a mi padre:

—Que los médicos todavía tienen esperanzas. 25

Hice un gran esfuerzo por abrir los ojos y despertar completamente. *La Niña, la Niña Esperanza, Esperanza, esperanzas.* Caí en el sueño echando maromas[31] que no acababan, que no me dejaban parar: volando sin encontrar piso firme: volando de cabeza sobre plazas con monumentos, entre monumentos de cementerios, frente a monumentos 30 de Jueves Santo,[32] las estatuas escotadas, las hileras de coches negros, las ventanas cerradas, las calles llenas de mujeres, las esperanzas bailando, las rachas de frío persiguiéndonos, yo queriéndola tapar, yo no pudiendo, yo queriendo agarrarme al monumento de Año Nuevo, el aire levantándome, alejándome del catre, tumbando las estatuas de la 35 esperanza, estrellándose la Niña, la Niña, la Niña del Japón escotada.

---

30 **Ya estaba con pendiente**: I was already beginning to worry.
31 **echando maromas**: performing acrobatics.
32 **monumentos de Jueves Santo**: Maundy Thursday altars (Maundy Thursday: the Thursday in Holy Week).

Lo primero que dijo mi madre al día siguiente, atajándome la pregunta que leyó en mis ojos:

—Estamos hoy a cinco de enero, víspera de los Santos Reyes, que ahora en la noche pasan por las casas de los muchachos que se han portado juiciosos.

Era visto que trataba de desviar mi atención.

—¿Cómo amanecería la . . . Niña Esperanza?

—Mejor — y dio media vuelta. Si había leído la angustia en mi frente, también yo la leí en la suya; pero comprendí que no le sacaría la verdad. Su semblante me hizo imaginar lo peor. Guardé silencio.

Volvió con la bandeja de pan; me miró a los ojos:

—Lo que has de hacer es escribirles a los Santos Reyes a ver . . .

—Ni cuándo han pasado por aquí.[33]

—Quién quita y ahora se acuerden.[34]

—Quiero . . . que traigan el alivio de la Niña Esperanza.

Se le agolparon en la boca las palabras; entre contrariada y compasiva, meneó la cabeza, y llamó a mi padre para que desayunara.

Por no complicar la situación, desayuné a fuerzas, pasando los bocados con trabajo y sintiendo que caían como piedras en el estómago. Sorprendí un gesto de mi madre, indicando a mi padre que se fijara en mí; para nada trataron el asunto de la enferma.

—Ya le dije que les escriba a los Reyes Magos. Quién quita y se acuerden de dejarle algo.

—Peor lucha es la que no se hace[35] — dijo mi padre distraídamente, no más por decir algo; terminó de desayunar; tomó el sombrero y salió, amonestándome:

—No me gustan los hombres nerviosos que de todo se impresionan.

Aunque me hubiera dado tiempo, no habría sabido qué replicarle de momento; tardaron en venírseme cosas a la cabeza; pero me las callo por respeto.

Nuestro barrio es humilde; familias de jornaleros y artesanos lo componemos; en las casas no se oye hablar más que de apuros; pero en general vivimos contentos; a las pocas calles — tres apenas, dando vuelta en la esquina, sobre la derecha —, comienza el movimiento de la ciudad, propiamente; y precisamente la casa de la Niña Esperanza

---

[33] **Ni cuándo . . . aquí:** When have they ever come here?
[34] **Quién . . . acuerden:** It's possible that they may remember this time.
[35] **Peor . . . hace:** You never know until you try.

— cómo me gusta que mi madre la nombre así — es la primera bonita que hay, rumbo al centro: bien pintada; las ventanas altas, con rejas y vidrieras; la puerta del zaguán ancha y con cancel de fierro; los pisos de ladrillo rojo, como espejos; el patio lleno de macetas, flores y pájaros; todo muy lujoso y limpio. —*Las cosas se parecen a sus dueños* — acostumbra decir mi madre. Cuando paso, me gusta, si puedo, detenerme a contemplar lo que hay dentro, aunque no sepa dar bien a bien razón, pues me ataranto siempre a la vista de los muebles finos, las cortinas, los espejos y, con frecuencia, la figura de la dueña con esos vestidos, esos peinados, esos zapatos que hacen música cuando caminan, esa natural arrogancia: es el colmo de mi atarantamiento; sin fijarme a mis anchas,[36] la he divisado frente a un gran espejo, alzando los brazos, componiendo flores de un jarrón con sus manos de virgen,[37] alisando las colchas de la cama o las cortinas; la he oído hablar, sí; en ocasiones me ha tocado escucharla de cerca; pero jamás he podido sostenerle la mirada, si es que se queda viéndome alguna vez.

Para ir a la iglesia hay que pasar por esa casa. Hoy, domingo, estuvo retardando mi madre la hora de ir a misa. Lo noté bien, a fuerza de proponerle que fuéramos. Como no daba traza,[38] pretextando quehaceres distintos, escapé. Sorprendí a los muchachos cariacontecidos, formando bolita en la esquina. — *Malo* — me dije. Hasta los que ayer no daban muestra de que les importara lo de la vecina, se veían preocupados.

—Ya lo sabes ¿no?, ¡desahuciada!

—Eso . . . ¿qué significa?

Se atropellaron las contestaciones, rivalizando en demostrar conocimientos:

—Que no hay ninguna esperanza.

—Que no se aliviará.

—Que le quedan pocas horas de vida.

—Que los médicos nada tienen ya que hacer.

—Los médicos la desahuciaron.

—Que sólo un milagro.

—Quién quite, hoy que llegan los Reyes Magos — en la confusión había podido yo intervenir; había soportado el garrotazo súbito; y,

[36] **sin fijarme a mis anchas**: without being able to watch her as long as I wanted.
[37] **con sus manos de virgen**: with her hands [like those of some image] of the Virgin.
[38] **Como no daba traza**: Since she didn't show any signs [of going].

por una parte, dudaba que fuera cierto; por otra, me aferraba a la esperanza: ¿cómo un *monumento* así de glorioso[39] podía ser abatido de la noche a la mañana, y arrasado como torre de arena?

Peores anuncios esperaban en el rodar del domingo, que ahora no sé
5 si transcurrió con lentitud o en vértigo; las dos cosas a un tiempo, a cual más aborrecibles.[40]

—Entró en agonía — dijeron cuando pasamos a misa, cerca de las once de la mañana; y al volver, informaron:

—Que no saldrá el día.[41]

10 Delante de mi madre me hice fuerte, considerando que la mortificaba mi pesadumbre, o que mis nervios le disgustaban. Conseguí que se despreocupara de mí.

—Volveré luego a ver si puedo ayudar en algo — dijo.

—¡Sí! ¡sí! ojalá pudiera yo también . . .

15 —Tú te vas a estar en la casa, sosegado. Hay que resignarse con la voluntad de Dios.

Adivinó que le iba a replicar, y se me adelantó.

—Para la muerte no hay diferencias de edades o dinero, ni nadie tiene comprada la vida: un resbalón, un aire acaban con ella en chico
20 rato, cuando menos se espera, y hay que hacerse el ánimo:[42] ¿no ves? una mujer tan frondosa, tan llena de vida . . .

—Eso es lo que me aflige, madre, y no entiendo por más vueltas que le doy en la cabeza:[43] una mujer tan bonita según te oigo decir.

—Alma bella, más que todo. Será que Dios la necesita. Desde anoche
25 le dieron la Extremaunción.

—¿La Extremaunción? Entonces . . . ¿ni la esperanza de los Santos Reyes? ¿no hay ninguna esperanza? Oye, madre, ¿verdad que no es altanera como algunos dicen?

—Sosiégate. No tienes que impresionarte por una cosa natural: a
30 cada momento mueren más gentes en el mundo que hojas caen de los árboles: haz la cuenta.

Ya no pude replicar: — *Sí, pero no ésta: una mujer tan frondosa, tan llena de gracias, tan sin comparación: ¡un monumento! No, no me hago el ánimo.*

---

[39] **cómo . . . glorioso**: how could such a glorious monument.
[40] **a cual más aborrecibles**: one more abhorrent than the other.
[41] **Que no saldrá el día**: She won't last the day.
[42] **hay . . . ánimo**: you have to face up to it.
[43] **por más vueltas . . . cabeza**: no matter how much I think about it.

Cuando me quedé solo, no sentí ningunas ganas de salir a la calle y buscar a mis amigos; por lo contrario, hasta la idea me repugnaba, y se me hacían odiosos los muchachos, imaginándolos hablar de la enferma sin respeto, con ociosa curiosidad. Además, necesitaba emplear bien el rato, antes de que volviera mi madre. 5

Arranqué una hoja de mi cuaderno, y a lápiz, dominado por una fe que rápidamente me llegó sin saber de dónde, y que antes nunca sentí en víspera de Reyes, escribí una carta para pedir a los queridos Santos Reyes el alivio de la Niña Esperanza, y que luego se hiciera amiga de los de mi casa y yo pudiera entrar a la suya, y me hiciera de confianza,[44] 10 y me enseñara, me dejara tocar y oler tantas cosas bonitas, tantos adornos que tiene, y perfumes. No resultó fácil. Primero, me turbó eso de *queridos,* pues fácilmente descubrirían la mentira, ya que jamás me había ocupado de ellos, por considerarlo inútil; el propósito firme de quererlos mucho si me concedían aunque no más fuera el alivio de 15 la Niña, me hizo dejar tranquilamente la palabra; peor fue la turbación que me asaltó cuando recordé la plática de uno de los muchachos al referirnos el otro día, con gran misterio, que había escrito una carta para pedirle a una niña que fuera su novia, y que no hallaba cómo entregársela; no sé por qué se me vino eso a la cabeza y me hizo tem- 20 blar de vergüenza el pensar y escribir eso de la *confianza, entrar a la casa, tocar y oler . . .* ¡Si llegara mi madre y sorprendiera mis renglones! El más ligero ruido me hacía esconderlos. Acabé muy de prisa y guardé la carta donde nadie la pudiera encontrar. Metí la cara en un lebrillo con agua para quitarme cualquier huella de la frente, y chiflé tratando 25 de no hacerme de delito[45] cuando mi madre regresara y me preguntara lo que había hecho en su ausencia.

La espera se me hizo eterna. Siempre han sido para mí eternos los días que siguen a las Posadas[46] y a la Nochebuena. Eternos y tristes. No más en espera del Viernes de Dolores[47] y los Días Santos.[48] En el 30 año son las dos únicas épocas que me ofrecen motivos de gusto: la Nochebuena y la Semana Santa; en ésta son los *monumentos.* ¡Ah! el *monumento* amenazado. El nombre prohibido: *Esperanza.* ¿Por qué le

---

[44] **me hiciera de confianza:** she would make me a close friend.
[45] **tratando . . . delito:** trying not to look guilty.
[46] **las Posadas:** fiesta típica de carácter popular, que se celebra desde nueve días antes de Navidad.
[47] **Viernes de Dolores:** Good Friday.
[48] **los Días Santos:** Holy Week.

dirán la *Niña* si es una mujer, una *espléndida* mujer, que podría estar ya casada? No deja de ser bonito decirle *Niña*,[49] con cariño. ¡Cariño! Qué palabras tan fuera de uso acuden a la boca desde ayer, agravando mi demencia de hablar solo. *Cariño* ¿qué significa?

5 Rechina la puerta. Entra mi madre. Le pregunto con los ojos. Me contesta:

—Todavía está viva. De milagro, según los médicos.

—¿Milagro?

—Su fuerte naturaleza, que es lo que la hacía tan buenmoza y 10 llamativa, es la que resiste; pero se consume a cada momento que pasa—se detuvo, me vio con fijeza, calculando el efecto que su desahogo me produciría; le conocí el impulso de callar; pero sea que me viera sereno, sea que no pudo contenerse, siguió hablando —: da compasión ver esa lucha inútil . . . pude pasar y verla un momento con el estertor 15 de la agonía, la gran fatiga de la respiración; su gran vitalidad la sostiene; uno piensa si no sería mejor que acabara la lucha y dejara de sufrir inútilmente, aunque desde anoche no se da cuenta de nada. Vete a dar una vuelta mientras hago de comer; pero no te acerques allí: está lleno de curiosos y hay que evitar ruidos.

20 He oído platicar de los que caminan dormidos. Ha de ser como anduve a esa hora. No soportaba la luz del sol en los ojos; ni los ruidos de la calle metidos en las orejas; ni el miedoso asombro en los rostros de los vecinos. Y sin embargo no resistí la tentación de presumir, mostrándome bien enterado:

25 —No será raro un milagro, apoyado en su gran vitalidad, que es la que la hacía tan llamativa . . .

—Dirás: tan cuero.

La rabia me cegó; cubrí de puñetazos al hablador; los demás se me vinieron encima; me sacaron la sangre de las narices; a duras 30 penas me les escabullí.

Callejero, sí; pero no peleonero. Yo mismo me desconozco, no sabiendo de dónde, de pronto, desde ayer, me ha salido esa propensión a enojarme y reñir. No es otra cosa que sentimiento de ver que una vida tan lozana se troncha de repente, y no poder hacer nada para 35 defenderla. Es un desquite defenderla de babosos habladores.

Si son siempre tan enfadosos los domingos, interminables, y principalmente las tardes de los domingos, ninguna como ésa. Para que

---

[49] **No . . . Niña:** It's rather nice to call her "Niña".

no faltara contrariedad, un cilindro se puso a tocar cerca de la casa, traspasándome la cabeza, taladrándomela. Con gran trabajo resistí el impulso de salir y apedrear al cilindrero impertinente, junto con los necios que le pagaban. Acabé con jaqueca, viendo chispas, estallándome las sienes, el cuerpo quebrantado, el estómago revuelto, una sed insaciable, unas ganas inmensas de estirarme, de bostezar, de dormir, de no pensar. La tarde se había nublado. La fatiga me derrumbó en la cama.

Desperté. Por la mirada de mi madre supe que la Niña vivía.

—Llévame a verla.

—Estás loco.

—Llévame, no seas mala, llévame — seguí con la terquedad mucho rato. Había oscurecido completamente y caía una lluvia sorda. El frío llenaba la casa.

—La tristeza me apachurra el corazón, madre.

—Yo también estoy triste; pero hay que hacerse el ánimo a todo en la vida.

—La vida ¿de qué sirve, si se acaba sin motivo?

—Acuérdate que hoy vienen los Santos Reyes.

—¡Bah! Si ni el Niño Dios vino.[50]

—Quién quite. Por las dudas, escríbeles, pidiéndoles, por ejemplo, unos pantalones, que te hacen falta.

—¿Quién puede pensar en eso? Más valdría que trajeran el alivio de la Niña Esperanza.

—Eso es tentar la paciencia de Dios.

—Siquiera llévame, no seas mala.

—Mañana, si Dios quiere, mañana la verás. Voy a darte una taza de hojas de naranjo con azahar.

—¿Mañana?

Llegó mi padre con la noticia de que mantenían a la agonizante con vida artificial.

—¿Qué es eso, padre? — pregunté con vivo asombro. No entendí o no supo darme la explicación.

—Vete a acostar en seguida, por si llegan los Reyes Magos. ¿Escribiste la carta?

—Sí. No. La escribiré.

—Unos pantalones, por ejemplo.

---

[50] **Si . . . vino:** But the Christ Child didn't even come.

¿Qué hacer con la otra carta? Ya: son Magos y adivinarán dónde está, qué les pido de cierto, qué les ofrezco en cambio: quererlos en adelante.

Para contentar a mis padres, escribí dos renglones con el pedido que me aconsejaban.

—¿Mañana, madre? ¿Seguro?

—¡Mañana!

Simulé dormir; pero me mantuve atento a la conversación, que no tardó:

—Sí, los traje. Vamos esperando.

—Eché dos vueltas. Oí decir que van a repartir su ropa entre los pobres. Parte el alma ver tanta vitalidad que lucha de balde.

—Aseguran que no saldrá la noche.

—El barrio entero parecerá vacío sin la Niña.

—¡La Niña! Y puede que sea de tu edad.[51]

—Qué diferencia. Los sufrimientos chupan a los pobres en un santiamén, mientras los ricos se conservan; además, ella siempre andaba muy arreglada, y eso disimula los años. Tampoco era vieja.

—Tampoco tú lo eres; pero eso de Niña la achicaba.

—No eso, sino su alma, que parecía no haber probado sufrimientos. Y sin embargo, dicen que sufrió mucho en la vida.

—Ese misterio en que vivía me inquietó siempre.

—Sí, ya lo sé: a ti también ella te inquietaba. Eso es lo que la hacía sufrir más, siendo una mujer tan pura.

—No sé a qué te refieres.

—Una mujer de veras buena, que por una maldición estaba expuesta a que se pensara siempre mal de su carácter franco, caritativo. Es el peligro de las bonitas que no se casan.

—Y ¿por qué no se casó? Nunca me lo he explicado, con tantas relaciones que la visitaban diariamente, y con tantas historias que le achacaban.

—Dios no la llamaba por ese camino.

—Monja, entonces.

—En el mundo tenía su campo para obrar el bien.

—Pero el mundo se la comía.

—Ella estaba sobre el mundo de murmuraciones y habladurías, que es distinto del mundo en que hay tantas necesidades por aliviar. Socorrerlas era su encargo.

---

[51] **Y . . . edad:** And it's possible that she's your age.

—Y despertar tentaciones.

—En hombres corrompidos. Mejor cállate. No vaya a despertar el niño, que sigue muy nervioso.

—Es la primera vez que siente cerca la muerte.

—Sí, tal vez eso sea. No quiero pensar otra cosa. Cambiando de tema, ¿conseguiste mejor trabajo? Mañana volverá el de la renta y vence el plazo para el corte de la luz.

—No me resolvieron todavía; pero conseguí dinero prestado.

—¿Más deudas?

La misma conversación de todos los días me arrastra al sueño, a pesar de las muchas dolencias que la plática me causó, al grado de querer contestar, sublevarme. Desde luego, ¿por qué hablan de la Niña como si ya estuviera muerta?

Queridos Santos Reyes: ¡ahora! Y en la hora . . . [52]

Quedé paralizado al despertarme las esperadas, temidas, tremendas palabras:

—En punto de las doce acabó. La hora exacta en que hace cinco días, al entrar el Año, sintió la primera punzada.

—Qué rápido se fue, y parecía tan llena de vida.

Intenté abrir los ojos, brincar. No pude. Quise gritar. También la lengua se había hecho piedra. En el fondo me consoló el pensamiento, ¡ay! la esperanza, de que hubiera vuelto a agarrarme el sueño de quedar tieso cuando más necesito correr, o porque me siguen, o porque algo quiero alcanzar, soñando. Pero escuché que de la calle me silbaban con empeño. Hice mayor esfuerzo: tronaron los huesos del cuello, y luego, como esquitera, las coyunturas de brazos, piernas y espalda. La boca era como si toda la noche hubiera estado retacada de cobres. La lengua seca, rasposa. Seguían chiflándome los amigos. Sentí necesidad imperiosa de juntarme con ellos y hacer las paces con los que había peleado. Rehusé la intención de llamar a mi madre. Pude abrir los ojos y saber que la mañana estaba nublada. El cuerpo era de hilacho ahora, desguazado.[53] Lloviznaba. —*El cielo llora; luego, es verdad* — pensé.

—Desde anoche no ha dejado de lloviznar. Son las cabañuelas — dijo en la cocina mi madre.

Ya no se oían los chiflidos de la palomilla. La luz era ceniza.

---

[52] **Y en la hora . . .** : alusión al Avemaría: "ahora y en la hora de la muerte".

[53] **El cuerpo . . . desguazado**: My body felt like limp rags, in shreds.

—Están doblando las campanas para la misa por la difunta.

Un sacudimiento — *¡la difunta!* — me aventó de la cama — *¡la difunta!* —, me puso en pie, me hizo vestir aprisa. En la silla encontré unos pantalones nuevos, al tiempo que mi madre se acercó:

—¿Ves cómo sí se acordaron? — pero mis ojos le cortaron la palabra, y también mis voces:

—La resurrección de los muertos ¿no es el mayor milagro? Es . . . el que quiero — abrió mucho los ojos; pero se quedó callada y salió de la pieza. Desde la cocina, pasado buen rato, me llamó a desayunar.

—Ten café negro, no más, y un taco de sal para que no te haga daño la impresión — habíamos quedado como distanciados; ella ni yo hallábamos qué decirnos.[54] Yo, al fin, tras pesado silencio, hablé:

—¿Vamos a ir? ¿Me vas a llevar?

—No tengo vestido negro apropiado. Pero anda, asómate; necesitas acostumbrarte a ver con naturalidad estas cosas — tocaban a muerto las campanas: — es la segunda llamada de su misa — después de reflexionar un momento, agregó: — dicen que quedó como dormida, semejante a la Purísima que tienden el trece de agosto en la iglesia del Tránsito[55] — la noté otra vez indecisa: — oye . . . mira: parece que deja de llover, y no será raro que salga el sol — noté que luchaba en su interior; la pausa fue más larga; hizo un gesto de decisión: — oye, no hagas caso si oyes decir cosas feas contra doña Esperanza; abundan gentes malintencionadas, perversas . . .

No puse atención en esto último, aunque no dejó de rasguñarme que la llamara *doña* en vez de Niña, como si se tratara de una señora vieja. Lo del milagro tenía por completo entretenido a mi pensamiento, y resulté con una distancia:[56]

— Siendo más fácil curar, ¿qué necesidad hubo de tener que resucitarla?

— Me dan miedo tus terquedades.

Miedo, al mismo tiempo que grandes ganas me dominaban al salir. Ya más que llovizna, era brisa en la calle. Como si nada hubiera sucedido, nada en la calle ni el barrio encontré cambiado: las mismas casas, las mismas caras, las mismas costumbres y los ruidos de diario; hasta los mismos vestidos (*—no tengo ropa de luto*, como dijo mi madre

---

[54] **ella ni yo . . . decirnos**: we had nothing to say to each other.
[55] **Tránsito**: muerte de la Virgen; la fiesta de la Asunción de la Virgen es el 15 de agosto.
[56] **resulté con una distancia**: I came up with an idea.

queriendo decir: — *acuérdate que somos pobres*); no más el día cenizo. Pero la gloria de la Resurrección llenaba mi esperanza. Involuntariamente repetí en voz alta:

—¡Mi Esperanza! — para en seguida ver la cola de alacrán escondido abajo de las palabras, y avergonzarme. 5

—¡Una sonsacadora de hombres! Los hechizaba enyerbándolos para luego hacerlos padecer. Era su gracia: divertirse con los que picaban el anzuelo ¡la muy gurbia! — vociferaba en la puerta de la vecindad una mujer desgreñada, con cara de bruja, madre de dos grandullones pendencieros; le hacían rueda varios curiosos; y seguía vomitando 10 improperios: — ¡qué bueno vernos libres de su peligro! ¡se acabó su tentación! ¡provocativa hipócrita! (*—No hagas caso — abundan gentes perversas.*)

La boca maldita me hizo llegar de una carrera, huyendo de sus abominaciones. El apeñuscamiento de gente fue lo primero que vi al 15 dar vuelta y descubrir la casa de la Niña. Los muchachos trepados, agarrados a las rejas de las ventanas, arrempujándose, peleando por ver más y mejor. Es la costumbre del barrio, a la curiosidad cuando hay cuerpo tendido;[57] nunca como ahora; desde lejos ha venido concurrencia desconocida. Igual que al entrar al mercado, el vocerío no 20 deja oir; o encandilados, no distinguimos los objetos hasta que acostumbramos los oídos a la boruca y los ojos a la claridad o a la oscuridad, así no puse cuidado a los murmullos de los que se arremolinaban cerca de la casa; me reduje a ver ansiosamente; paredes, puerta, ventanas, rejas, nada había cambiado, ni hallé siquiera moños 25 negros, como en otras casas en situación parecida (*¿será que, como yo, rezando el Credo, esperan la Resurrección de la Carne?*)[58] Principalmente me entristeció el comportamiento y las caras de mis amigos, que antier, ayer, parecían inconsolables, y se resistían a admitir que fuera grave, menos todavía que fuera irremediable la enfermedad; se les veía 30 contentos, alborotados, como en convite o función de títeres, corriendo, dando empujones, hablando en voz alta, sin respeto; a veces gritaban y hasta chiflaban y decían inconveniencias; desplomáronse mis propósitos de reconciliación; los odié rencorosamente por inconstantes, por groseros y faltos de sentimientos. Uno me dijo: 35

---

[57] **Es . . . tendido:** It is the custom of the neighborhood for everybody to satisfy his curiosity when there is a body laid out.

[58] **esperan . . . Carne:** Yáñez evoca aquí las palabras del Credo: "esperando la Resurrección de la Carne".

—Están dejando entrar. Vamos entrando.

Con la mirada le di cortante negativa. Sin embargo, sus palabras prendieron fuego en la sangre: no tener que andar a empellones para llegar a la ventana; librarme de verla, perturbado por el ajetreo, la falta de respeto, la fisgonería de la chusma; poder contemplarla de cerca, sin prisas, y acaso tentar su catre, su vestido con que la tendieron (*semejante a la Purísima del Tránsito*), y admirar por dentro su casa, sus espejos, y roperos, y alfombras, y cortinas, y macetas floreadas; y caminar sobre sus pisos relucientes; y oir a sus pájaros casi al oído;[59] y cumplir, en fin, la vieja ilusión, la necesidad, la tentación de penetrar sus misterios (*la tentación acabó* — martillaba la boca vil, con mayor fuerza —; *le gustaba provocarlos por hacerlos sufrir; los hechizaba, los traía como enyerbados*); pero no daría mi brazo a torcer: la vería de lejos; no entraría en la casa. Espiaba, con deseo y miedo enormes, la ocasión de acercarme — aferrarme, no: trepar no — a las rejas de la ventana (*como los novios* — tan rápidamente como la pensé, rechacé tan sofocante ocurrencia); la cabeza me daba vueltas; después de todo, lo dicho por la vieja desgreñada no era tan malo; repasándolo, comenzó a gustarme, o desde un principio me había gustado, porque reconocía el poder, los encantos de la Niña Esperanza; ¿qué culpa tenía ella si los hombres malinterpretaban sus gracias, y sufrían por querer lo que falsamente inventaban? Tampoco, no, nunca vimos ni supimos que platicara con hombres tras las rejas, ni siquiera que se sentara en la ventana, como acostumbran las muchachas en todos los rumbos de la ciudad.

—Arrímate, aquí te hago campo — gritó un amigo, —por esta ventana se ve mejor.

Como dicen que avientan los alambres de la electricidad al que se les acerca, me sentí arrastrado por irresistible corriente; alcancé la reja; pero resultó alta la ventana para mi estatura; sin pensarlo, dominado por las ansias de ver, trepé los barrotes; la sala se abrió a mis anchas.

Allí estaba. La reconocí. Sepultada en flores. Como la Virgen del Tránsito. Afilada la cara. Como de cera. Sin aquellos colores que nos encandilaban. Hermosa de distinto modo. Se me hizo mejor. Muy jovencita. No, nunca la había visto bien, tanto rato. Como dormida.

---

[59] **casi al oído**: [singing] almost in my ear.

Sonriente. Tranquila. Sí, seguro, sí, despertará, se levantará, me mirará, entenderá las angustias que por ella he pasado, seguirá sonriendo ya no más para mí, me llamará, entraré, le contaré cuánto me ha hecho sufrir, cuánto he sufrido por su causa todos estos días, y hasta peleado por ella, sí, resucitará hoy mismo, sin esperar tres días,[60] ¡hoy mismo! Pero seguía inmóvil. Toda vestida de blanco. La cabeza cubierta con un manto, como la Virgen, que agraciaba las líneas del rostro. Repasé su frente, sus pestañas, su nariz, el óvalo de su cara, sus labios finísimos.

Entonces comencé a oir lo que decían dentro de la sala y en la calle: —qué chula — qué primorosa — qué perfecta — elegante hasta en la muerte — sobre todo: una santa: se desvivía por hacer beneficios — muy estricta — da cáncer permaneciendo mucho rato junto a un muerto, con el olor que se desprende del cuerpo — muy caprichosa . . .

Me jalaban para que dejara el campo a otros.

—Ya estuvo suave, tú bájate[61] — con mayor fuerza me agarraba a los barrotes, contemplándola con la esperanza de que me tocara ver el milagro de su resurrección.

—Sí, muy caprichosa; dejó plantados a varios novios, ya pedida, con las donas hechas y hasta corridas las amonestaciones;[62] diz[63] que uno se mató de la desesperación o por el ridículo en que lo puso — era muy castigadora: le encantaba — muy pretenciosa — apretada — Dios la haya perdonado . . .

El olor de las flores comenzó a marearme. Resistí con fuerzas. No hacía caso ni de los jalones, ni de lo que oía y me disgustaba. Por seguir viéndola entre flores. Y más que, por sorpresa, la descubrí reflejada en la luna del gran espejo, vista de frente.

—Que se bajen, vagos ociosos — eran unos catrines enojados que me arrancaron de la reja, entre las risas de mis amigos y demás concurrentes. El ridículo, la vergüenza, el mareo, el coraje ciego — pero lo más seguro es que fue respeto por la Niña — sosegaron mis ímpetus de patearlos por parejo. Despechado regresé a casa (*—los dejó con las*

---

[60] **sin esperar tres días:** i.e. como Jesucristo

[61] **Ya . . . bájate:** You've had your fun, now get down.

[62] **dejó . . . amonestaciones:** she jilted several sweethearts after they had already spoken to her father and given engagement presents and even after the banns had been read.

[63] **diz:** dicen.

donas compradas y corridas las amonestaciones — le encantaba coquetear — nunca se le quitó lo coqueta — ¡qué mentiras! ¡puras mentiras!) En el camino escuché:

—Hoy mismo en la tarde será el sepelio, antes de que se descom-
5 ponga, que comience a corromperse.

Mi madre me contempló con gran atención: pasó la mano por mis cachetes y la detuvo en la frente, como cuando quiere saber si tengo calentura.

—Estuve platicando con ella en la ventana, agarrado a la reja —
10 me contuve de agregar: como los novios.

—Propasas la raya de tus locuras.[64]

—Madre, ¿qué significa sepelio?

—El entierro.

—¿Cómo? ¿Sin esperar que resucite? No hay que dejarlos.

15 —Todos hemos de resucitar en el valle de Josafat, el día del juicio.

—Ya entonces ¿a qué?[65]

—Cállate mejor: estás loco de remate.

—Lo mismo dicen: que era loca y le encantaba . . .

Levantó las manos en ademán de pegarme; pero se tapó con ellas
20 la cara y salió aprisa del cuarto. Afligido, busqué la carta para los Reyes; pero la esperanza, ¡última esperanza! me detuvo.

Llegó mi padre. Oí que decía:

—Acaban de ponerla en la caja; una caja blanca, muy lujosa; por cierto que no faltan críticas: que por las dudas le hubieran puesto
25 rayas negras o fuera grisecita, entre azul y buenas noches[66] — oí que mi madre lo interrumpía con voz alterada:

—¡Cállate, por Dios! Tú y el muchacho van a acabar con mis nervios.

No se habló en la comida. Tampoco me regañaron por mi falta de
30 apetito. Acabando de comer, suspiró mi madre:

—Se fue derechito al cielo. Era un alma blanca.

Esperé a que saliera mi padre para preguntar con tiento a mi madre si asistiríamos al entierro.

—Lo veremos a la vuelta de la esquina.

---

64 **Propasas . . . locuras**: This silliness has gone far enough.

65 **Ya entonces ¿a qué?**: Well, what for *then*?

66 **que por las dudas . . . noches**: that because of the doubts [of her purity] they should have put black stripes on it or it should have been light grey, between blue and black. (La caja blanca se usa para enterrar a niños y a vírgenes.)

Mientras llegaba la hora, saqué de la memoria y fui rejuntando detalles: el catre de latón con reflejos de oro, donde dormía; el cojín de raso; las coronas a montones; la luna del espejo donde la vi de frente; *antes que se corrompa;* ¿ella? *si, dicen que se engusanan, que apestan, y más un cuerpo como el de ella, tan llena de vida: una verdadera desgracia;* está en el paraíso; ¿dónde es? ¡el monumento destrozado! las donas compradas; *no sé qué atracción ejercía en los hombres;* yo soy hombre: luego . . . ¿qué irán a hacer con sus cosas? ¿a dónde irán a parar, caso que no resucite? ha de ser hoy mismo, antes del entierro, y no hasta el valle de Josafat; ¿por dónde se va? Los catrines que me arrancaron de la ventana, las gentes viles que se rieron; ya nunca tendré amigos; los dedos de las manos entrelazados, como Virgen de los Dolores; *¡tan linda!* y el sufrimiento de los hombres. Aquí apareció un recuerdo de la escuela, cuando hablan de los que sacaban corazones para ofrecérselos a sus dioses; ¿sonsacadora de corazones? ¡qué bueno! el mío está listo para cuando resucite; ¿por qué ahora precisamente tanta tristeza, siendo día de Reyes? ¡ah! con razón jamás les he tenido demasiada fe; pero vamos a ver: ha de ser antes de las cuatro de la tarde . . .

Desde las tres y media conseguí que saliéramos. Encontramos gran animación en el barrio. Libres de aburrimiento con la novedad, las caras de los vecinos reflejaban alegría, como si fueran a una fiesta. Mayor era la desconsideración de los muchachos, al extremo de darme vergüenza ser su amigo, y recordando sus risas de la mañana, o adivinando lo que pensarán, lo que me dirán: *—éste andaba pegado a las pretinas de su mamá por miedo a la pelona,* los miré con aversión, resuelto a no juntarme ya nunca con ellos.

Por entre las nubes podía verse la rueda del sol, amarilla, que alcanzaba débilmente a iluminar paredes y semblantes, con transparencias mortecinas. Dispuesto a ver, ávido de ver, esperanzado en ver, hubiera querido no oir. Las palabras me hacían el efecto de gaznuchazos en las orejas, y tuve que aguantarlas desde que salimos hasta que regresamos. *—Qué bueno que se quitó el agua y quiere salir el sol,*[67] *para ver a gusto cuando saquen el cuerpo.* Apreté la mano de mi madre. *—Se adelantó la corrupción; hinchándose, desfigurándose, horrorosa, ella que asombraba de tan linda y arrogante; no se puede*

[67] ***Qué bueno . . . sol***: I'm glad that the rain has stopped and the sun is going to come out.

soportar la hediondez. La mano de mi madre tembló. Con las palabras oídas enredáronse a golpes mis pensamientos. (*—Así será el milagro más patente.*) Cuando dimos vuelta, llegaban coches y más coches, formando interminable hilera. *—El carro fúnebre no llega todavía.* (*—Que ni lo traigan, pues no lo van a necesitar.*) Terriblemente fría, la mano de mi madre sudaba. Vimos llegar a mucha gente catrina, hombres y mujeres. Muchas mujeres bonitas, elegantes como ella, con unos zapatos vistosos, que se oían taconear hasta donde nos encontrábamos; cubiertas con mantillas finas. Estiré la mano de mi madre y poco a poco la hice acercarnos más acá de la esquina. *—Hace frío, y este sol descolorido entristece más: enero y febrero, desviejadero*[68] (*—¡Bueno fuera! tanta vieja chismosa y no la Niña en la flor de la edad.*) Seguían llegando coches, catrines, hombres, mujeres bellamente enlutadas, misteriosas, parecidas a la Niña Esperanza. Mi esperanza de resurrección en vilo. (*—¡Ahora o nunca, Santos Reyes, queridos Santos Reyes!*) *—La señorita Esperanza tenía chorro de relaciones, por eso nos veía con lástima.* (*—A ti sería, por mendigo. ¡La señorita! bonita palabra: se me había olvidado, ¡señorita!*) Noté movimientos de sorpresa en los curiosos; corrían apresurados.

—¡El milagro! ¿Los Santos Reyes? — grité. Mi madre me dio un tirón de manos.

¡Espanto! Era el carro fúnebre que apareció tres calles adelante; a galope, piafando, los caballos llegaron, se colocaron a la cabeza de los coches, frente a la puerta; los veía con cara de comerse al que se les pusiera cerca,[69] de querer meterse furiosamente a la casa y patear cuanto encontraran. (*—¡Mi monumento destrozado! ¡mis esperanzas!*) *—Con lo que un entierro así de lujoso cuesta, saldríamos de pobres, o sencillamente con el valor de las coronas.* El carro, los caballos eran blancos, majestuosos; encima, un ángel hincado, con las alas plegadas, llorando. (*—Si llora es porque sabe que no hay esperanzas . . .*) *—Si no negros, por lo menos debían ser pintitos, por las dudas*[70] . . . Hubo risas maliciosas, malvadas. De un tirón me solté de la mano de mi madre; pero ella volvió a cogerme aprisa, con fuerza. Comenzaron a sacar coronas y más coronas los empleados de la funeraria.

---

[68] ***desviejadero***: when old ladies die (palabra inventada de un refrán de niños).
[69] **los veía . . . cerca**: they looked as if they would eat anyone who came near.
[70] ***Si no negros . . . dudas***: If not black [horses], they should be spotted because of the doubts.

—Luego . . . ¿siempre? — mi madre hizo gesto de que me callara; sus labios temblaban como rezando; tenía los ojos rojos, a punto de llorar, conteniéndose. Frente a la puerta hubo nuevo movimiento. Comenzó a salir la gente. Los muchachos arremolinábanse trepados en las ventanas, luchando por ver mejor. Vi, sí, no pude cerrar los ojos, vi que sacaban despacio la caja blanca, bonita, y que poco a poco la metían en el carro; que los caballos daban pezuñazos y movían las cabezas con impaciencia, queriendo arrancar, soltarse. *—Son caballos muy finos ¡qué lujo!* (*—Como ella.*) *—Venido a ver, para qué, ¿para que al fin y al cabo se la coman los gusanos?*

Estiré la mano de mi madre violentamente para que nos retiráramos en dirección a la casa. Oí, pero no vi, ya no quise ver cuando el entierro se puso en marcha. Como hacha de carnicería caían sobre mi cabeza las palabras: *los gusanos, los gusanos se la comerán.* Llegando a la casa, hice añicos la carta; pisoteé los pedazos; los junté y los eché al común para que nadie los viera. Me puse a esperar la hora de ver las estrellas en el cielo. Mañana el mundo será menos bonito. La jaqueca otra vez me derrumbó en la cama. Desde allí, cuando se hizo noche y llegó mi padre, oí a mi madre:

—Me avisaron que estoy en la lista del reparto; Dios quiera que me toque algo de su ropa interior; para burlas y mortificaciones no tendría[71] si me tocara una blusa o una falda; ¿de qué me servirían si ni cuándo ponerme esas catrinuras?[72]

Sí, sí, su ropa interior. Salí al patio, alcé los ojos al cielo en busca de las estrellas, dominado por la inquietud de no saber cuál de ellas sería. ¡El cielo estaba nublado!

En la calle jugaban los muchachos como todas las noches. Como todas las noches, las campanas dieron el toque de ánimas y los clarines el de queda.[73] No pude contener más el llanto. Sin esperanza. Sin Esperanza.

Mañana . . .

Mañana comienzan los reconocimientos en la escuela.

---

[71] **para . . . tendría:** I couldn't face the snide remarks and embarrassments.

[72] **¿de qué . . . catrinuras?:** what good would they be to me if I never have an occasion to put on that kind of finery?

[73] **las campanas . . . queda:** the bells sounded the call to prayer for [departed] souls and the trumpets [sounded] curfew.

CUESTIONARIO

1. *¿Qué técnica utiliza el autor en su narración de este cuento? ¿Qué contribuye esta técnica para el desarrollo psicológico del narrador?*
2. *Según las indicaciones en el cuento, ¿cuándo toma lugar la acción? ¿En qué parte del año?*
3. *¿Quién es Esperanza? ¿Cómo emplea Yáñez el simbolismo de su nombre? ¿Qué importancia tiene su papel en la obra?*
4. *¿Por qué hay tantas opiniones sobre el carácter de Esperanza? ¿Qué es la actitud de la madre hacia Esperanza? ¿Del padre? ¿De los amigos del narrador? ¿Qué representa Esperanza para la palomilla del protagonista?*
5. *Según los varios comentarios ¿por qué se enfermó Esperanza? ¿Qué enfermedad tenía ella?*
6. *¿Cuántos años tiene, más o menos, el narrador? ¿Cuáles son los elementos en el cuento que nos dan alguna indicación de su edad?*
7. *¿Qué tipo de persona es el narrador? ¿Cómo se manifiestan las facetas de su personalidad en su reacción a todo lo que ocurre?*
8. *¿Qué es la actitud del protagonista hacia Esperanza y su enfermedad? ¿Qué contacto ha habido entre los dos? ¿Por qué está tan preocupado el niño cuando Esperanza se enferma? ¿Cómo indica el autor la mezcla mal entendida de actitudes infantiles y adolescentes del narrador hacia la enferma?*
9. *¿Por qué cree el narrador que los demás personajes ven la muerte de Esperanza con una actitud de indiferencia? ¿Cuáles son las indicaciones en el cuento de que la actitud del narrador se cambiará también dentro de poco? ¿Por qué da la última frase del cuento una nota final de ironía al tono de la obra?*
10. *¿Qué es la importancia del tema de la muerte en este cuento? ¿Cómo se ve el tema de la muerte según las perspectivas de los personajes?*
11. *¿Cuál es la reacción de los de la vecindad al morir Esperanza? ¿Cómo se manifiesta esta actitud? ¿Qué contraste vemos entre la actitud de los vecinos y la del narrador? ¿Por qué dicen algunos que la muerta debe enterrarse en una caja grisecita o de rayas negras?*
12. *¿Cuáles son los rasgos de tesis social en este cuento? ¿Cómo sabemos de la categoría social de la familia del narrador? ¿En qué sentido es Esperanza un símbolo social para los del barrio?*
13. *¿Qué es un motivo literario (leitmotif)? ¿Cuáles son los motivos de este cuento? ¿Qué efecto tiene en la obra la repetición de la frase "Es un monumento ... un monumentazo"? ¿Qué simbolismo religioso tiene este motivo?*

Alejo Carpentier

Cuba (1904—)

Alejo Carpentier nació en la Habana el 26 de diciembre de 1904. Su padre era un arquitecto francés y su madre una profesora rusa. De niño viajó por gran parte de Europa, inclusive Rusia. En París inició sus estudios escolares que continuaría más tarde en la Habana. Sus primeros años universitarios como estudiante de arquitectura fueron un fracaso total, y nunca llegó a graduarse. En 1921 abandonó Cuba para viajar por Europa otra vez. Al regresar comenzó a colaborar en los periódicos de la Habana como crítico musical y teatral. Fue jefe de redacción de *Social* y *Carteles*, colaborador en otras revistas, y redactor de *Revista de Avance* por tres años.

En 1927 Carpentier organizó los primeros conciertos de música nueva en Cuba. Además, escribió varias obras que sirvieron de textos de piezas musicales. Su ballet colonial cubano en dos actos, *La Rebambaramba*, y algunos poemas coreográficos han contribuido a su fama de musicólogo. En 1946 publicó en México la primera historia de la música cubana bajo el título de *La música en Cuba*.

Durante los últimos años de la dictadura de Gerardo Machado (1925–1933), Carpentier residió en París e hizo viajes de estudios a España, Italia, Alemania e Inglaterra. Cuando volvió de Europa pasó por las Antillas, pero tuvo que establecer su residencia en Caracas a causa de la nueva dictadura de Fulgencio Batista. En Caracas escribió artículos para *El Nacional* y comenzó a dedicarse a labores literarias. Carpentier no logró volver a Cuba hasta la caída del régimen de Batista en 1959.

La primera novela de Alejo Carpentier, una historia afrocubana entitulada *Ecue-Yamba-O*, fue escrita mientras el autor estaba encarcelado en la Habana por sus actividades políticas en contra del dictador Machado. La novela se publicó unos años más tarde (1933) en Madrid cuando Carpentier radicaba en España. *El reino de este mundo* (1949) fue escrita después de un viaje que hizo el novelista por Haití y la República Dominicana. Es un relato surrealista que tiene lugar en la época de la lucha de los negros contra la esclavitud. La novela que muchos críticos señalan como la obra maestra de Carpentier es *Los pasos perdidos* (1953). El protagonista, un músico, hace un viaje a las fuentes del Orinoco, penetrando regiones nunca vistas por hombres civilizados. Allí, en un lugar muy remoto, descubre un grupo de gente primitiva que vive todavía en la Edad de Piedra. Para el protagonista el lugar es un paraíso donde tiene la oportunidad de presenciar el nacimiento de la cultura. Deja su edén para llevar algunos de los primitivos instrumentos musicales a un museo de los Estados Unidos, pero, cuando trata de volver a su paraíso, no encuentra el camino por la repentina subida de las aguas del río.

La novela corta, *El acoso*, se publicó por primera vez en Buenos Aires en 1956 y fue reeditada en México en 1958 como parte de *Guerra del tiempo* que contiene, además de *El acoso*, tres breves relatos. *El acoso* es una novelita magistralmente concebida y escrita, que en su primera lectura parece un laberinto de acciones, comentarios y pensamientos sin sentido; pero este deliberado y aparente caos está hábilmente dispuesto por el autor, de tal manera que el conjunto no pierde ni en unidad ni en claridad. En esta novela es necesario detenerse en casi cada palabra para no dejar escapar ningún significado que ayude al entendimiento y la apreciación del arte de su creación.

La acción de *El acoso* ocurre en la Habana durante los años de la dictadura de Gerardo Machado. El novelista presenta dos personajes principales, el Acosado y el Taquillero. Con la excepción de la prostituta Estrella, todos los personajes tienen nombres de tipo genérico. Aunque existe semejanza de origen entre las dos figuras principales, hay pocos puntos de contacto entre ellas y nunca llegan a conocerse.

La estructura exterior de la novela se divide en tres partes con dieciocho secciones, cada una de las cuales es un párrafo. La primera y tercera sección de la Primera Parte presentan al Taquillero en la contaduría de una Sala de Conciertos donde va a presentarse la *Heroica* (la sinfonía número tres) de Beethoven. Aparece el Acosado en la segunda sección de la Primera Parte y penetramos inmediatamente en la mente del protagonista para escuchar su monólogo interior mientras está sentado en la Sala de Conciertos donde se ha refugiado para escapar de unos terroristas a quienes él había traicionado. Toda la Segunda

Parte de la novela está relacionada con los últimos seis días de la vida del fugitivo. Después de haber descubierto a las autoridades el complot terrorista, se esconde en el mirador de la casa de su antigua nodriza, una vieja negra moribunda. Por los recuerdos y comentarios del protagonista conocemos algo de los incidentes anteriores, desde su viaje de las provincias a la Habana hasta el momento en que entra corriendo en el teatro. En la primera sección de la Tercera Parte sigue otra vez el monólogo interior del Acosado mientras escucha las últimas notas de la *Heroica*. La segunda sección nos vuelve al Taquillero y rápidamente llega a su conclusión la acción de la obra.

El uso del factor tiempo es uno de los aspectos técnicos más importantes e interesantes de esta narración. Se entretejen las acciones del pasado y el presente, exigiendo una lectura cuidadosa para poder seguir la trama de la obra. La acción de la Primera y Tercera Partes ocurre en menos de una hora. El Acosado entra en el teatro poco antes de empezar la función, la sinfonía dura exactamente cuarenta y seis minutos, y los últimos incidentes ocurren unos minutos después de salir el público de la Sala.

En su técnica narrativa el autor utiliza dos distintos puntos de vista. Las acciones y pensamientos del Taquillero se narran en tercera persona, mientras que las del Acosado se narran a veces en primera persona singular con un tipo de monólogo interior de frases entrecortadas que parecen brotar de su angustiada subconsciencia. La *Heroica* de Beethoven sirve de marco que encierra la acción temporal de la obra. Dentro de los cuarenta y seis minutos de su duración nos es narrada la novela. Con la incorporación de los temas de la traición, la persecución y el miedo, los cuales sirven de lazos que unen los acontecimientos y personajes, el autor ha logrado una verdadera obra maestra, ejemplo sobresaliente de su género.

El acoso

I

Sinfonia Eroica, composta per festeggiare il souvvenire di un grand' Uomo, e dedicata a Sua Alteza Serenissima il Principe di Lobkowitz, da Luigi van Beethoven, op. 53, No. III delle Sinfonie . . . [1] Y fue el portazo que le quebró, en un sobresalto, el pueril orgullo de haber entendido aquel texto. Luego de barrerle la cabeza, los flecos de la cortina roja volvieron a su lugar, doblando varias páginas al libro. Sacado de su lectura, asoció ideas de sordera —el Sordo,[2] las inútiles cornetas acústicas . . .— a la sensación de percibir nuevamente el alboroto que lo rodeaba. Sorprendidos por el turbión, los espectadores dispersos en la gran escalinata regresaban al vestíbulo, riendo y empujando a los hacinados que se llamaban a voces por entre los hombros desnudos, rodeados de una lluvia que demoraba en el acunado de los toldos para volcarse, como a baldazos, sobre peldaños de granito. A pesar de que estuviese sonando la segunda llamada, permanecían todos allí, enracimados, por respirar el olor a mojado, a verde de álamos, a gramas regadas, que refrescaba los rostros sudorosos, mezclándose con alientos de tierra y de cortezas cuyas resquebrajaduras se cerraban al cabo de larga sequía. Después del sofocante anochecer, los cuerpos estaban como relajados, compartiendo el alivio de las plantas abiertas entre las pérgolas del parque. Las platabandas, orladas de bojes, despedían vahos de campo recién arado. "El tiempo está bueno para lo que yo sé" —murmuró alguno, mirando a la mujer que se adosaba a la reja de la contaduría, de perfil oculto por el pelaje

---

[1] **Sinfonia . . . Sinfonie . . .** (*italiano*): Sinfonía Heroica, compuesta para honrar la memoria de un gran hombre, y dedicada a Su Alteza Serenísima el Príncipe de Lobkowitz, por Luis van Beethoven, op. 53, No. III de las sinfonías . . .

[2] **el Sordo**: i.e. Beethoven.

de un zorro, y que no parecía considerar como hombre a quien estaba detrás,[3] ya que acababa de desceñirse de la molestia de una prenda muy íntima —no le importaba, evidentemente, que él lo viera— con gesto preciso y desenfadado. "Detrás de una reja como los monos" 5 —decían los acomodadores en burla de aquel taquillero distinto a todos los demás taquilleros, que permanecía hasta el final de los conciertos, cuando le estaba permitido marcharse después del arqueo de las diez —aunque el Reglamento especificara: "Media hora antes de la terminación del espectáculo". Quiso humillar a la del zorro, 10 haciéndole comprender que la había visto, y, con mañas de contador, hizo correr un puñado de monedas sobre el angosto mármol del despacho. La otra, asomando el perfil, le miró las manos suspendidas sobre dineros —nunca le miraban sino las manos— y volvió a hacer el gesto. Tal impudor era prueba de su inexistencia para las mujeres 15 que llenaban aquel vestíbulo tratando de permanecer donde un espejo les devolviera la imagen de sus peinados y atuendos. Las pieles, llevadas por tal calor,[4] ponían alguna humedad en los cuellos y los escotes, y, para aliviarse de su peso, las dejaban resbalar, colgándoselas de codo a codo[5] como espesos festones de venatería.[6] La mirada 20 huyó de lo cercano inalcanzable. Más allá de las carnes, era el parque de columnas abandonadas al chaparrón, y, más allá del parque, detrás de los portales en sombras, la casona del Mirador —antaño casaquinta rodeada de pinos y cipreses, ahora flanqueada por el feo edificio moderno donde él vivía, debajo de las últimas chimeneas, en el cuarto 25 de criadas cuyo tragaluz se pintaba, como una geometría más, entre los rombos, círculos y triángulos de una decoración abstracta. En la mansión, cuya materia vieja, desconchada sobre vasos y balaustres, conservaba al menos el prestigio de un estilo, debía estarse velando[7] a un muerto, pues la azotea, siempre desierta por demasiado sol o 30 demasiada noche, se había visto abejeada de sombras hasta el retumbo del primer trueno. Contemplaba con ternura, desde abajo, aquel piso destartalado, caído en descuido de pobres, tan semejante a las mal

---

[3] **como . . . detrás:** the one who was behind her as a man.

[4] **llevadas por tal calor:** worn in such heat.

[5] **las dejaban . . . codo:** they let them slip [off their shoulders], draping them from elbow to elbow.

[6] **venatería:** posible alusión a los motivos ornamentales de la arquitectura clásica que imitaban los festones de frutas, verduras y animales cazados ofrecidos a las deidades rústicas.

[7] **debía estarse velando:** they must have been holding a wake.

alumbradas viviendas de su pueblo, donde el encenderse de las velas por una muerte, entre paredes descascaradas y jaulas envueltas en manteles, equivalía a una suntuaria iluminación de tabernáculo, en medio de muebles cuya pobreza se acrecía, junto al relumbrante enchapado de los candelabros. Por una velada se tenían pompas, bajo el tejado de los goterones, con presencias de la plata y del bronce, solemnidad de dignatarios enlutados, y altas luces que demasiado mostraban, a veces, las telarañas tejidas entre las vigas o las pardas arenas de la carcoma. (Luego, los que, como él, estaban estudiando algún instrumento, tenían que explicar al vecindario que el repaso de los ejercicios no significaba una transgresión del luto, y que el aprendizaje de la "música clásica" era compatible con el dolor sentido por la muerte de un pariente) . . . *En aquellos días oculta a los hombres su enfermedad; vive a solas con sus demonios: el amor herido, la esperanza y el dolor.* Si estaba ahí, trepado en el taburete, adosado a la cortina de damasco raído, en aquella contaduría del ancho de una gaveta, era por alcanzar el entendimiento de lo grande, por admirar lo que otros cercaban con puertas negadas a su pobreza. Esa conciencia le devolvía su orgullo frente a las espaldas muelles, como presionadas por pulgares en los omóplatos, que la mujer apoyaba, bajado el zorro, en los delgados barrotes, tan al alcance de su mano. "*El valor que me poseía a menudo, en los días del estío, ha desaparecido*" —*escribe en el Testamento. Y es el frío de la fosa y el olor de la Nada. En la casa perdida de Heiligenstadt,*[8] *en esos días sin luz, Beethoven aúlla a muerte*[9] . . . Había vuelto a la lectura del libro, sin pensar más en los que rebrillaban por sus joyas y almidones, yendo de los espejos a las columnas, de la escalinata a las liras y sistros del grupo escultórico, en aquel intermedio demasiado prolongado por el Maestro, que todavía hacía repasar a los cornos el Trío del *Scherzo*, levantando sonatas de montería en los trasfondos del escenario. "Detrás de una reja como los monos." Pero él, al menos, sabía cómo el Sordo, un día, luego de romper el busto de un Poderoso, le había clamado a la cara: "*¡Príncipe: lo que sois, lo sois por la casualidad del nacimiento; pero lo que soy, lo soy por mí!*" Si hacía tal oficio, en las noches, era por llegar a donde jamás llegarían los alhajados, los adornados, que nunca le miraban sino las manos movidas sobre el mármol del despacho. La mujer se apartó

---

[8] ***Heiligenstadt:*** aldea en los alrededores de Viena donde se retiraba el músico durante varios veranos para componer gran parte de sus sinfonías V y VI.

[9] **aúlla a muerte:** howls [like a dog] in the presence of death.

de la reja, de pronto, volviendo a subirse la piel. Alzando el vocerío de los últimos diálogos, todos se apresuraban, ahora, en volver a la sala cuyas luces se iban apagando desde arriba. Los músicos entraban en la escena, levantando sus instrumentos dejados en las sillas; iban a sus altos sitiales los trombones, erguíanse los fagotes en el centro de las afinaciones dominadas por un trino agudo; los óboes, probadas sus lengüetas con mohines golosos, demoraban en pastoriles calderones. Se cerraban las puertas, menos la que quedaría entornada hasta el primer gesto del director, para que los morosos pudieran entrar de puntillas. En aquel instante, una ambulancia que llegaba a todo rodar pasó frente al edificio, ladeándose en un frenazo brutal. "Una localidad" —dijo una voz presurosa. "Cualquiera" —añadió impaciente, mientras los dedos deslizaban un billete por entre los barrotes de la taquilla. Viendo que los talonarios estaban guardados y que se buscaban llaves para sacarlos, el hombre se hundió en la obscuridad del teatro, sin esperar más. Pero ahora llegaban otros dos, que ni siquiera se acercaron a la contaduría. Y como se cerraba la última puerta, corrieron adentro, perdiéndose entre los espectadores que buscaban sus asientos en la platea. "¡Eh!" —gritó el de las rejas. "¡Eh!" Pero su voz fue ahogada por un ruido de aplausos. Frente a él quedaba un billete nuevo, arrojado por el impaciente. Debía tratarse de un gran aficionado, aunque no tuviera cara de extranjero, ya que la audición de una Sinfonía, ejecutada en fin de concierto, le había merecido un precio que era cinco veces el de la butaca más cara. De ropas muy arrugadas, sin embargo: como de gente que piensa; un intelectual, un compositor, tal vez. *Pero el hombre que agoniza oye, de repente, una respuesta a su imploración. Desde el fondo de los bosques que lo rodean, donde duerme, bajo la lluvia de octubre, la futura Pastoral,*[10] *responde a la llamada del Testamento, el sonido de las trompas de la Heroica* . . . Aquel dinero, con su consistencia de papel secante, apretado y tibio, parecía hincharse en la mano que le latía. Un puente apartaba las rejas, atravesaba las paredes, se alargaba hacia la que esperaba —no podía pensarla sino *esperando*— en la penumbra de su comedor adornado de platos, con aquel perezoso gesto, muy suyo, que le llevaba de las sienes a los pechos, de las corvas a la nuca —y lo dejaba descansar luego en el regazo— el abanico que tenía alientos de sándalo en la armadura de los calados. La mujer del entreacto, con su gesto;

[10] ***la futura Pastoral***: i.e. la Sinfonía No. VI.

el pelaje fosco sobre la piel sudorosa; los hombros que se repartían, a tanteos, el frescor de los barrotes de metal,[11] lo habían enervado. Pero aun podía volver el espectador presuroso a reclamar su parte de lo arrojado al mármol con largueza de gran señor —la Biografía, de páginas abiertas, le había enseñado, por lo demás, a desconfiar de Príncipes y Grandes Señores. Un gesto resignado, muy distinto del que debió ser gesto de júbilo al cabo de la larga preparación, de la ansiosa espera, apartó la cortina de damasco que lo separaba de la sala, donde el silencio había inmovilizado a los músicos en posición de ataque. *Sinfonia Eroica composta per festeggiare il souvvenire di un grand'Uomo.* Sonaron dos acordes secos y cantaron los violoncellos un tema de trompa, bajo el estremecimiento de los trémolos. *Hay tres estados de este principio en los apuntes coleccionados por Nottebohm*[12] —decía el libro. Pero el libro quedó cerrado de un manotazo. El lector husmeaba el olor a tierra, a hojas, a humus, que entraba en el desierto vestíbulo, recordándole los traspatios de su pueblo, después de la lluvia, cuando las bateas apretaban las duelas bajo el regodeo de los patos que se holgaban en el agua turbia. Así también olía —luego de los chubascos del verano— el cobertizo de los trastos, donde, subido en una incubadora inservible, mirando por el hoyo de un ladrillo caído, había contemplado tantas veces el baño de la Viuda, endurecida en lutos de nunca acabar, cuyo cuerpo era tan liso aún, bajo la enjabonadura que le demoraba en el vientre y se le escurría lentamente, en espumas, a lo largo de los muslos, hacia piernas que se le tornaban de vieja, repentinamente, al bajar de las rodillas.[13] El había conocido el secreto de ese pecho terso, de ese talle arqueado, como hecho todavía para brazos de hombre, entre una voz regañona y ácida, cansada de dar clases a los niños del vecindario, y unos tobillos[14] descarnados por el siempre andar en lo mismo. Ahora, el recuerdo de quien le hubiera enseñado el solfeo no hacía tanto tiempo, mientras él, midiendo el compás, le detallaba lo oculto bajo telas vueltas a ser teñidas de negro, se añadía a las incitaciones de la noche, acabando de vencer sus escrú-

---

[11] **los hombros . . . metal**: her shoulders which, touching [from time to time as she leaned back], shared the coolness of the metal bars.

[12] ***Hay . . . Nottebohm*:** There are three versions of the beginning [of this movement] in the notes [left by Beethoven and] collected by Nottebohm.

[13] **hacia . . . rodillas**: toward legs which suddenly became the legs of an old woman from the knees down.

[14] **ese talle . . . entre una voz . . . y unos tobillos descarnados**: that figure arched . . .between a sharp nagging voice. . .and skinny ankles.

pulos. Nadie, aquí, podría jactarse de haberse acercado a la Sinfonía con mayor devoción que él, al cabo de semanas de estudio, partitura en mano, ante los discos viejos que todavía sonaban bien. Aquel director de reciente celebridad no podía dirigirla mejor que el insigne especialista de sus placas —el mismo que había conocido, entonces estudiante, ella nonagenaria, a una corista del estreno de la "Novena".[15] Podía arrogarse la facultad de no escuchar lo que sonaba en aquel concierto, sin faltar a la memoria del Genio.[16] "Letra E"[17] —dijo, al advertir que se alzaba una tenue frase de flautas y primeros violines. Y bajó la escalinata a todo correr, salpicado por una lluvia que rebotaba en el pesado herraje de los faroles. Hasta el lanudo hedor de su ropa mojada se le hacía deleitoso, íntimo, cómplice, de pronto, por sentirse poseedor de aquel billete que lo haría dueño de la casa sin relojes —de puertas cerradas, aunque tocaran y llamaran—por una noche entera. Y luego del despertar juntos, oyendo el alboroto de los canarios, sería el último retozo en la cocina; la lumbre prendida bajo los jarros del desayuno con el abanico oloroso a sándalo, y el sabor de las galletas que deslizaban al alba por la boca del buzón —donde las guardaba calientes el sol que daba a la casa de enfrente, por sobre la India[18] empenachada de la panadería.

(. . . ese latido que me abre a codazos; ese vientre en borbollones; ese corazón que se me suspende, arriba, traspasándome con una aguja fría; golpes sordos que me suben del centro y descargan en las sienes, en los brazos, en los muslos; aspiro a espasmos; no basta la boca, no basta la nariz; el aire me viene a sorbos cortos, me llena, se queda, me ahoga, para irse luego a bocanadas secas, dejándome apretado, plegado, vacío; y es luego el subir de los huesos, el rechinar,[19] el tranco; quedar encima de mí, como colgado de mí mismo, hasta que el corazón, de un vuelco helado, me suelte los costillares para pegarme de frente, abajo del pecho; dominar este sollozo en seco; respirar luego, pen-

---

[15] **el mismo . . . "Novena"**: a man who had met, while he was a student, a woman in her nineties who had been a singer in a chorus of the first performance of the Ninth Symphony [of Beethoven].

[16] **(el) Genio**: i.e. Beethoven.

[17] **"Letra E"**: sección "E" del primer movimiento de la sinfonía.

[18] **la India**: letrero con la figura de una india.

[19] **y es . . . rechinar**: and then comes the heaving up of my bones, the creaking [of the door].

sándolo; apretar sobre el aire quedado;[20] abrir a lo alto,[21] apretar ahora; más lento: uno, dos, uno, dos, uno, dos . . . Vuelve el martilleo; lato hacia los costados; hacia abajo, por todas las venas; golpeo lo que me sostiene;[22] late conmigo el suelo; late el espaldar, late el asiento, dando un empellón sordo con cada latido; el latido debe sentirse en la fila entera; pronto me mirará la mujer de al lado, recogiendo su zorro; me mirará el hombre de más allá; me mirarán todos; de nuevo el pecho en suspenso; arrojar esta bocanada que me hincha las mejillas, que está detenida. Alcanzado en la nuca, se vuelve el que tengo delante;[23] me mira; mira el sudor que me cae del pelo; he llamado la atención; me mirarán todos; hay un estruendo en el escenario, y todos atienden al estruendo. No mirar ese cuello: tiene marcas de acné; había de estar ahí, precisamente —único en toda la platea—, para poner tan cerca lo que no debe mirarse, lo que puede ser un Signo; lo que los ojos tratarán de esquivar, pasando más arriba, más abajo, para acabar de marearse; apretar los dientes, apretar los puños, aquietar el vientre —aquietar el vientre—, para detener ese correrse de las entrañas, ese quebrarse de los riñones, que me pasa el sudor al pecho;[24] una hincada y otra; un embate y otro, apretarme sobre mí mismo, sobre los desprendimientos de dentro, sobre lo que me rebosa, bulle, me horada; contraerme sobre lo que taladra y quema, en esta inmovilidad a que estoy condenado, aquí, donde mi cabeza debe permanecer al nivel de las demás cabezas; creo en Dios Padre Todopoderoso, Creador del Cielo y de la Tierra, y en Jesucristo su único hijo, Nuestro Señor, que fue concebido por obra del Espíritu Santo y nació de Santa María Virgen, padeció bajo el poder de Poncio Pilatos, fue crucificado, muerto y sepultado; descendió a los infiernos, y al tercer día resucitó de entre los muertos[25] . . . No podré luchar mucho más; tiemblo de calor y de frío; agarrado de mis muñecas, las siento palpitar como las aves desnucadas que arrojan al suelo de las cocinas; cruzar las piernas, peor; es como si el muslo alto se derramara en mi vientre; todo se desploma, se revuelve, hierve en espumarajos

---

[20] **apretar . . . quedado:** to tighten up on the remaining air [to keep from gasping].
[21] **abrir a lo alto:** to open up.
[22] **golpeo lo que me sostiene:** what is holding me up is [one big] pounding [sensation].
[23] **Alcanzado . . . delante:** The man [sitting] in front of me, feeling [my breath] on the back of his neck, turns around.
[24] **que me pasa . . . pecho:** that makes sweat break out on my chest.
[25] **creo en Dios . . . muertos:** el hombre recita el Credo.

que me recorren, me caen por los flancos, se me atraviesan, de cadera a cadera; borborigmos que oirán los otros, volviéndose, cuando la orquesta toque más quedo; creo en Dios Padre Todopoderoso, Creador del Cielo y de la Tierra; creo, creo, creo. Algo se aplaca, de pronto. 5 "Estoy mejor; estoy mejor; estoy mejor"; dicen que repitiéndolo mucho, hasta convencerse . . . Lo que bullía parece aquietarse, remontarse, detenerse en alguna parte; debe ser efecto de esta posición; conservarla, no moverse, cruzar los brazos; la mujer hace un gesto de impaciencia, poniendo el zorro en barrera; su cartera resbala y cae; 10 todos se vuelven; ella no se inclina a recogerla; creen que soy yo el del ruido; me miran los de delante; me miran los de detrás; me ven amarillo, sin duda, de pómulos hundidos; la barba me ha crecido en estas últimas horas; me hinca las palmas de las manos; les parezco extraño, con estos hombros mojados por el sudor que vuelve a caerme 15 del pelo, despacio, rodando por mis mejillas, por mi nariz; mi ropa, además, no es de andar entre tantos lujos:[26] "Salga de aquí" —me dirán— "está enfermo, huele mal"; hay otro gran estrépito en el escenario; todos vuelven a atender al estrépito . . . Debo vigilar mi inmovilidad; poner toda mi fuerza en no moverme; no llamar la 20 atención; no llamar la atención, por Dios; estoy rodeado de gente, protegido por los cuerpos, oculto entre los cuerpos; de cuerpo confundido con muchos cuerpos; hay que permanecer en medio de los cuerpos; después, salir con ellos, lentamente, por la puerta de más gente; el programa sobre la cara, como un miope que lo estuviera 25 leyendo; mejor si hay muchas mujeres; ser rodeado, circundado, envuelto . . . ¡Oh! esos instrumentos que me golpean las entrañas, ahora que estoy mejor; aquel que pega sobre sus calderos, pegándome, cada vez, en medio del pecho; esos de arriba, que tanto suenan hacia mí, con esas voces que les salen de hoyos negros; esos violines que 30 parecen aserrar las cuerdas, desgarrando, rechinando en mis nervios; esto crece, crece, haciéndome daño; suenan dos mazazos; otro más y gritaría; pero todo terminó; ahora hay que aplaudir . . . Todos se vuelven, me miran, sisean, llevándose el índice a los labios; sólo yo he aplaudido; sólo yo; de todas partes me miran; de los balcones, de 35 los palcos; el teatro entero parece volcarse sobre mí. "¡Estúpido!" La mujer del zorro también dice "estúpido" al hombre de más allá;

[26] **mi ropa . . . lujos:** furthermore my clothes aren't what you wear in such fancy places.

todos repiten: "estúpido, estúpido, estúpido"; todos hablan de mí; todos me señalan con el dedo; siento esos dedos clavados en mi nuca, en mis espaldas; yo no sabía que aplaudir aquí estaba prohibido; llamarán al acomodador: "Sáquenlo de aquí; está enfermo, huele mal; mire cómo suda" . . . La orquesta vuelve a tocar; algo grave, triste, lento. Y es la extraña, sorprendente, inexplicable sensación de conocer *eso* que están tocando. No comprendo como puedo conocerlo; nunca he escuchado una orquesta de éstas, ni entiendo de músicas que se escuchan así —como aquel, de los ojos cerrados; como aquellos, de las manos cogidas— como si se estuviera en algo sagrado; pero casi podría tararear esa melodía que ahora se levanta, y marcar el compás de ese detenerse y adelantar un pie y otro pie, lentamente, como si se fuera caminando, y entrar en algo donde domina aquel canto de sonido ácido, y luego la flauta, y después esos golpes tan fuertes, como si todo hubiera acabado para volver a empezar. "¡Qué bella es esta marcha fúnebre!" —dice la mujer del zorro al hombre de más allá. Nada sé de marchas fúnebres; ni puede ser bella ni agradable una marcha fúnebre; tal vez haya oído alguna, allá, cerca de la sastrería, cuando enterraron al negro veterano y la banda escoltaba el armón de artillería, con el tambor mayor andando de espaldas: ¿y se visten, se adornan, sacan sus joyas, para venir a escuchar marchas fúnebres? . . . Pero ahora recuerdo; sí, recuerdo; recuerdo. Durante días he escuchado esta marcha fúnebre, sin saber que era una marcha fúnebre; durante días y días la he tenido al lado, envolviéndome, sonando en mi sueño, poblando mis vigilias, contemplando mis terrores; durante días y días ha volado sobre mí, como sombra de mala sombra, actuando en el aire que respiraba, pesando sobre mi cuerpo cuando me desplomaba al pie del muro, vomitando el agua bebida. No pudo ser una casualidad; estaba *eso* en la casa de al lado, porque Dios quiso que así fuera; no eran manos de hombre, las que ponían ahí, tan cerca, esa música de cortejo al paso, de tambores sordos, de figuras veladas; era Dios en lo *después*, como en la leña sin prender está el fuego antes de ser el fuego; Dios, que no perdonaba, que no quería mis plegarias, que me volvía las espaldas cuando en mi boca sonaban las palabras aprendidas en el libro de la Cruz de Calatrava;[27] Dios, que me arrojó

---

[27] **el libro . . . Calatrava:** libro de instrucción cristiana adornado con una cruz de la Orden de Calatrava (la más antigua de las órdenes militares y religiosas españolas, fundada en 1158).

a la calle y puso a ladrar un perro entre los escombros; Dios, que puso aquí, tan cerca de mi rostro, el cuello con las horribles marcas; el cuello que no debe mirarse. Y ahora se encarna en los instrumentos que me obligó a escuchar, esta noche, conducido por los truenos de su Ira. Comparezco ante el Señor manifiesto en un canto, como pudo estarlo en la zarza ardiente:[28] como lo vislumbré, alumbrado, deslumbrado, en aquella brasa que la vieja elevaba a su cara. Sé ahora que nunca ofensor alguno pudo ser más observado, mejor puesto en el fiel de la Divina Mira,[29] que quien cayó en el encierro, en la suprema trampa —traído por la inexorable Voluntad a donde un lenguaje sin palabras acaba de revelarle el sentido expiatorio de los últimos tiempos. Repartidos están los papeles en este Teatro, y el desenlace está ya establecido en el *después* —HOC ERAT IN VOTIS[30]—, como está la ceniza en la leña por prender . . . No mirar ese cuello; no mirarlo; fijar la vista en un punto del piso; en una mancha de la alfombra; en el pandero que adorna, arriba, el marco del escenario; Dios Padre, Creador de los Cielos, ten misericordia de mí; no te he invocado en vano; sabes como yo te pensaba en mis clamores; aún confío en tu Misericordia, aún confío en tu infinita Misericordia; he estado demasiado lejos de ti, pero sé que a menudo ha bastado un segundo de arrepentimiento —el segundo de nombrarte— para merecer un gesto de tu mano, aplacamiento de tormentas, confusión de jaurías . . . Ha concluido la marcha fúnebre, repentinamente, como quien, luego de recibir un ruego, una imploración, responde con un simple "¡Sí!", que hace inútiles otras palabras. Y esto fue cuando decía que confiaba en su Misericordia. Silencio. Tiempo de aplacamiento, de reposo. Silencio que el director alarga, con la cabeza gacha, caídos los brazos, para que algo perdure de lo transcurrido. Ya no laten tanto mis venas, ni mi respiración es dolor. Esta vez no se me ocurrió aplaudir . . . "A ver cómo suena el . . . (¿qué?) —dice la mujer del zorro, sin mirar siquiera el programa. Una palabra que no oí bien. Comprendo ahora por qué los de la fila no miran sus programas; comprendo por qué no aplauden entre los trozos: se tienen que tocar en su orden, como en la misa se coloca el Evangelio antes del Credo, y el Credo antes del Ofertorio;

---

[28] **como pudo . . . ardiente**: as he must have been in the burning bush.

[29] **mejor . . . Mira**: more carefully placed on the pointer of the Divine Scales.

[30] **HOC ERAT IN VOTIS** (*latín*): ¡Esto deseaba! (lema que se encuentra en la pared de la Universidad de la Habana. Son palabras de Horacio (*Sátiras*, II, 6, 1) que se recuerdan al hablar de una cosa cuya realización colmó nuestros deseos.

ahora habrá algo como una danza; luego, la música a saltos, alegre, con un final de largas trompetas como las que embocaban los ángeles del órgano de la catedral de mi primera comunión; serán quince, acaso veinte minutos; luego aplaudirán todos y se encenderán las luces. Todas las luces.)

La casa estaba tibia aún de una presencia muy reciente que demoraba en el desorden de la cama rodeada de colillas de papel de maíz. "Espera" —dijo ella, yéndose a cambiar la sábana y manotear las almohadas. (Los canarios, dormidos en la jaula: olor a plumas, alpiste y migajones. El perro, que asoma el hocico, soñoliento, acostumbrado a no ladrar. La mancha de humedad, en la pared, que tenía algo de mapa borroso. Las vigas, en rojo obscuro, arriba, remedando las imitaciones de caoba de los salones pueblerinos. El cubo de agua dejado en el patio, cuando llovía, para lavarse el pelo mañana. Y la presencia del jabón rosado, al ácido fénico.) Y fue el perfume que siempre volvía a hallar con deleite, luego de haberlo olvidado, porque su olfato lo asociaba, automáticamente, con una imagen de desnudez en espera. "Reflejo condicionado" —se decía, percibiendo, como siempre, que desde el instante en que hubiera llamado a la puerta, los pensamientos, sensaciones y actos, se sucederían en un orden invariable, que había sido el de la última vez y sería el de la próxima. El "hoy" se reiteraba en una apetencia sin fecha —podía ser el "hoy" de ayer o el de mañana— que renacía con idénticas palabras, ante los platos del comedor, o luego de decir que era muy lindo el gato dormido en su cesta, con un cascabel al cuello. La conversación se iniciaba siempre de la misma manera: él no había venido últimamente porque estaba muy ocupado en sus estudios; ella no salía ni estaba enamorada. Había visto una lámpara cerca que él prometía traerle cuando volviera. (Podía tratarse de una caja de turrones o de un cojín bordado . . .) Ella reía, desconfiada del ofrecimiento, y, luego de sentarse en sus rodillas unos minutos, moría el coloquio cuando se levantaba para encender la luz del velador, después de cubrir con un paño la imagen de la Virgen de la Caridad.[31] Pero, esta vez, había ocurrido algo: "Por poco no me encuentras aquí. Hace días, me vinieron con amenazas; que si me iban a sacar del barrio, que si me iban

---

[31] **la Virgen de la Caridad**: virgen venerada por prostitutas. La orden religiosa de la Virgen de la Caridad trabaja por la redención de las rameras.

a llevar a la cárcel de mujeres. Yo que soy una persona de orden."[32] El la tentaba con manos ansiosas, acariciando la tibieza de sus corvas. "Me quedo toda la noche" —le dijo al oído, para que la casa fuese cerrada.[33] Pero la encontraba extrañamente inerte, desmadejada, metida en su idea. "Yo no voy a la cárcel de mujeres; no me quiero ir del barrio; aquí saben que soy una persona de orden." Parecía conceder una enojosa gravedad al suceso. Impaciente, para sacarla de su monólogo, él trataba de despojar lo ocurrido de toda importancia, mediante una mímica de encogimientos de hombros destinada a quienes la hubieran amenazado.[34] "Es una inquisición; una inquisición, lo que se traen ahora." Giraba en redondo,[35] regresaba a la cárcel de mujeres, la mudanza, la inquisición, como si fuese incapaz de pensar en otra cosa. A cada repetición la amenaza se acrecía en sus palabras haciéndose algo como las moradas de un tránsito infernal. Se erigía en única amenazada, víctima de persecuciones, mártir de una causa obscura, y había, en esa magnificación de los padecimientos, como un afán de compadecerse a sí misma por la humillación sufrida. "Ahora quieren saber con quién una busca vida."[36] La singularidad de la expresión le recordó, de pronto, los tejados y portales de su pueblo rodeado de rocas. Allá, arriba, donde los dragos crujían en el viento, donde las hojas membranosas, las orquídeas malas, las plantas de filos y dardos, se entretejían en húmedas marañas que guardaban el rocío de sol a sol —allá, en el almenaje de los farallones, solían asomar el hocico, de noche, las perras lobas, nacidas de las que, siglos atrás, hubieran desertado las jaurías cimarroneras. Y el hocico, aullando sobre las carnes ansiosas, clamoroso del celo, daba tales llamadas que los perros de abajo alzaban las cabezas y gemían, sin atreverse a salir del lindero de los traspatios. Entonces las hembras, exasperadas por la espera, bajaban a las inmediaciones de los pueblos, y arrojaban el olor de su deseo en la brisa, para que vinieran a quebrarlas, a penetrarlas —arrastradas, mordidas, apedreadas—, hasta la huida del alba, a

---

[32] **Por poco . . . orden**: You almost missed seeing me here. A few days ago, they came around and threatened me; [they said] that they were going to kick me out of the neighborhood; that they were going to take me to the women's prison. Me, a law-abiding citizen!

[33] **para que . . . cerrada**: so that she would lock the house [in order to discourage other clients].

[34] **mediante . . . amenazado**: by means of a pantomine of shoulder shrugging [as a gesture of defiance] meant for those who had threatened her.

[35] **Giraba en redondo**: She kept coming back around [to the same subject].

[36] **con quién una busca vida**: whom I'm living with (*buscar vida* tiene dos significados: "buscar a un amante" y "ganarse la vida").

las altas cavernas de los partos. "Vienen a buscar vida" —decían los mozos del pueblo, al oir el ladrido de las sedientas, que jadeaban en los senderos próximos, al pie de las primeras luces, de tetas hincadas en el polvo: "Vienen a buscar vida." "Y ahora —decía ella— quieren saber hasta con quién una busca vida." La besó, impaciente, sin encontrar aquella blandura, aquel amoldarse de la carne a las durezas del hombre,[37] que le era instintivo. "Ahora —proseguía—, quieren saber a dónde fue el que salió de aquí; que si va al café del mercado a tomar su vino con yemas." El le apretaba el talle, mirando hacia el lecho recién arreglado. "Es una Inquisición" —dijo ella, con creciente énfasis, insistiendo en la palabra, que debía saberle a interrogatorios,[38] calabozos, cadenas y torturas de justos, al confundir el Santo Oficio[39] con alguna persecución pagana. Lo había visto, acaso, en los muestrarios de oraciones[40] que los vendedores de rosarios y exvotos disponían en los alféizares de conventos y casas deshabitadas. Allí, colgados de rejas que les daban un marco carcelario, estaban las Vírgenes de los Dolores, traspasadas de puñales, con Santa Olalla[41] sin senos, Santa Lucía[42] ofreciendo sus ojos en copa, Santa Rosa[43] amenazada por el Perro con aliento de azufre, y el Anima Sola,[44] de muñecas encordadas, ardida por la llama de sus celos en infernal mazmorra. En litografías y grabados de mucha tinta se narraban flagelaciones y estrapadas, descuartizamientos y devoraciones por las fieras, junto a la parrilla de San Lorenzo[45] y la cruz de San Andrés.[46] La palabra "inquisición" debía tener, para quien tanto la pronunciaba, un sentido tremebundo

---

[37] **aquel amoldarse . . . hombre**: that molding of her flesh to the harsh contours of the man.

[38] **que . . . interrogatorios**: which must have savored of [police] interrogations.

[39] **el Santo Oficio**: i.e. la Inquisición o los tribunales establecidos por la Iglesia Católica en la Edad Media y en los tiempos modernos, en ciertos países, para descubrir y castigar a los herejes.

[40] **muestrarios de oraciones**: sample-books of prayers (oraciones en pliegos sueltos, muchas veces con dibujos).

[41] **Santa Olalla** (o Eulalia): nombre de dos santas españolas, una de Barcelona, la otra de Mérida; las dos fueron martirizadas durante las persecuciones de Diocleciano (303 d. de J.C.).

[42] **Santa Lucía**: santa de Siracusa, muerta en las persecuciones de Diocleciano (304 d. de J.C.). Según la tradición, sus perseguidores la cegaron y Dios le restituyó milagrosamente los ojos.

[43] **Santa Rosa**: santa patrona de Lima (Perú), su ciudad natal (1586–1617).

[44] **el Anima Sola**: representación del alma en pena.

[45] **San Lorenzo**: muerto 258 d. de J.C. por Valeriano, quien lo hizo colocar en una parilla calentada por carbones ardientes.

[46] **San Andrés**: uno de los Doce Apóstoles; fue suspendido en una cruz en forma de X.

y misterioso, que daba mayores prestigios al padecimiento causado por los que hubieran venido a amenazarla —de seguro policías en busca de informes acerca de alguien que la visitaba a menudo. Por haberse pensado[47] sin casa donde alojar a su perro, su gato blanco rosado, sus canarios; por haberse imaginado a sí misma en el camino de la cárcel de mujeres, señalada con el dedo en la calzada que seguía los últimos contornos del puerto, entre quillas varadas, herrumbres de mar y cresterías de carbón,[48] debía sentirse más limpia, más clara, más una con la que,[49] cada año, en Semana Santa, cerrando la casa a toda solicitud, recorría las estaciones,[50] haciendo buenas limosnas y prendiendo velas en los altares. "Una Inquisición" —repitió, pasándole una mano ausente sobre los cabellos. "Compra algo de beber" dijo él, cansado del plañido, dándole el dinero que le calentaba los dedos. "Y pide galletas para el desayuno" —añadió, viéndola regresar con un impermeable puesto sobre el refajo. "Es malo" —dijo ella, devolviéndole el billete. "Es malo. Los billetes en que está el General con los ojos dormidos, son malos . . ." "¿Malos?" —repetía el hombre, desamparado, examinando aquel papel cuyas cifras verdinegras habían perdido, de pronto, todo poder. "¿Malos?" . . . Se acurrucó en la butaca, como en espera de clemencia, tentando las escasas monedas que le pesaban en el bolsillo. Por algo[51] el espectador presuroso había arrojado aquel dinero entre los barrotes de la contaduría, con gesto de largueza que lo era de engaño.[52] "No tengo más" —dijo, con toda la voz puesta en espera.[53] "Otro día podría ser" —murmuró ella, haciendo un leve ademán hacia la puerta— "pero esta noche estoy muy cansada." Agarrándose de quien lo devolvía a la soledad y al despecho, besó la nuca, los brazos, los hombros, de un ser inerte, que ahora le ofrecía la boca cuanto quisiera, para acercarlo más dócilmente a la calle. "No te mojes" —dijo aún, porque la lluvia arreciaba. El hombre, en rabiosa carrera, alcanzó el alero del mercado, donde los pavos asomaban cabezas andrajosas por sobre la cochambre de sus

---

[47] **Por haberse pensado**: Because she had imagined herself.

[48] **entre quillas . . . carbón**: among the beached keels, iron rusted by the sea and stacks of charred wood [resembling filagree].

[49] **más una con la que**: more at one with herself, who.

[50] **recorría las estaciones**: visitaba una serie de iglesias para ganar las indulgencias otorgadas durante Semana Santa.

[51] **Por algo**: No wonder.

[52] **que lo era de engaño**: which was [really] one of deception.

[53] **con . . . espera**: with a tone of expectancy in his voice.

jaulas. El olor a corral, a gallinas, entre respiros de huerta y de aradura, lo llevó, en un incontenible cerrar de ojos, al mapa de la Gran Cañada, cuyo cauce, erizado de junqueras, era el camino que tanto le había permitido jugar, allá, al Hombre Invisible. Del fondo de la casa se iba, así, sorteando charcos y lodazales —invisible de verdad—, a través de toda la comarca; se sabía de las cocinas desiertas en el crepúsculo, con los primeros murciélagos volando sobre las ollas dejadas a hervir; se sorprendían coloquios prohibidos, a la sombra de las cercas; se oía el crujir de las mecedoras de Viena, en la sacristía, con las murmuraciones de las viejas reunidas para el rosario, en tanto que el Trepador de Palmeras[54] encendía luminarias a santos que no eran de iglesia, poniendo billetes de lotería bajo el hierro de un cuchillo cuya empuñadura figuraba una cabeza de gallo con cresta de corales. Más allá del galpón del herrero, cuyas canciones hacían rimar palabras malas, se alzaba el tronco que era buzón secreto de un amorío de niños: madera donde las hormigas rojas caminaban por debajo de los sobres, cargando con una larva o una paja de avena. Por aquella oquedad habían pasado las poesías copiadas a lápiz, los juramentos escritos, el mechón de pelo, y el caramelo largo, con listas de colores como enseña de barbería, comprado con la vista baja a quien podía adivinar la verdad y burlarse de lo sincero.[55] Pero de pronto la niña se había puesto a crecer; de tal modo que parecía estirarse entre cita y cita, cada vez más ojerosa y canilluda, agigantada en medio de los pequeños. Un día, se negó a esconderse como antes en un socavón del cauce, para hacer, con las habichuelas rosadas de un piñón,[56] unos caramillos que se pasaban de boca en boca, buscándose un mejor tañido. El se había achicado ante la que abandonaba su mundo, encorvándose[57] para no sacar la cabeza al nivel de los campos cuando andaban a la orilla del agua estancada. Se le redondeaban las caderas, le quedaban estrechas las blusas, y ya no se dejaba husmear las axilas, como antes, para hacerse tratar de cochina,[58] y comprobar, con la

---

[54] **el Trepador de Palmeras:** hombre que sube la palmera para cosechar la fruta del árbol; la acción se refiere a las prácticas supersticiosas de los ignorantes para conseguir la buena fortuna.

[55] **comprado . . . sincero:** bought with downcast eyes from one who could guess the truth and make fun of the sincerity [of the gesture].

[56] **piñón:** pine tree (cuyas flores en forma de espada emplean los muchachos para hacer pitillos).

[57] **encorvándose:** encorvándose ella.

[58] **para . . . cochina:** so the other kids would call her a pig.

nariz estirada, que le olían a sudor. Una tarde, la carreta que iba a la estación del ferrocarril trajo un piano reconstruido, en cuyo teclado le enseñó la Viuda de los eternos lutos a tocar el vals "Alejandra" por oído. Comenzaron las meriendas y recitaciones, y los paseos de mujeres, 5 asidas por el talle, estrechadas en confidencias, a lo largo de la Calle Mayor. Fue entonces cuando él, despechado, quiso aprender a tocar algún instrumento de lucimiento para ingresar en la Banda de la Cabecera del Término,[59] en cuyas retretas se hacían aplaudir los solistas de cornetín o de clarinete, de nombre puesto en un atril, para mayor 10 notoriedad . . . Esta evocación de la pureza perdida acabó de colmar su irritación contra quien acababa de arrojarlo de la casa. Creía uno que tales mujeres podían ser amigas, cuando eran lo que eran: rameras por nombre, basura por apellido. El libro le hería el brazo ahora —filosa la pasta como un reproche— en el hedor de los pavos mojados, de 15 las gallinas de Guinea, que pasaban cabezas de buitres por entre los alambres de sus rejillas. Un banano verde, roto de un taconazo, despedía su alumbre en la noche. *Sinfonia Eroica, composta per festeggiare il souvvenire di un grand' Uomo.* Al despecho sucedía la vergüenza. Nunca alcanzaría nada, ni se libraría del cuarto de criadas, del pañuelo 20 puesto a secar en el espejo, de la media rota, cerrada sobre el dedo gordo con una ligadura de cordel, mientras la imagen de una prostituta bastara para apartarlo de lo Verdadero y lo Sublime. Abrió el tomo, cuyas hojas se azularon a la claridad de un neón: *Luego de ese prodigioso Scherzo, con su torbellino y sus armas, es el Final, canto de júbilo y de* 25 *libertad, con sus fiestas y sus danzas, sus marchas exaltantes y sus risas y las ricas volutas de sus variaciones. Y he aquí que, en medio, reaparece la Muerte* . . . Todavía era tiempo de escuchar algo. Detuvo un auto de alquiler y llegó al teatro cuando, detrás de la cortina roja, sonaban los compases iniciales del Final. El portero, sin espectadores que 30 atender, dormitaba sobre la gaveta de la taquilla, trepado en el alto taburete. "¿Falta mucho?" —preguntó, sorprendido de verlo regresar. "Unos nueve minutos" —respondió, añadiendo luego, para alardear de saber: "Bien dirigida la obra no debe pasar de cuarenta y seis." Alzando la vista vio dibujarse nuevamente, á través de la lluvia, el 35 viejo palacio, decaído y aneblado, del Mirador, donde la gente del

---

[59] **Banda . . . Término:** banda municipal de la principal ciudad de una antigua división judicial.

velorio había tenido que hacinarse otra vez en la habitación de los cirios. Recordó a la anciana que allí vivía: la había observado desde el tragaluz de su cuarto, subido en una cama, divirtiéndose en ver como mojaba sus matas con una regadera verde, de niños,[60] hacía dos semanas —dos semanas exactas, puesto que era el día de su cumpleaños, cuando, con el pequeño giro recibido del padre, se había regalado a sí mismo la *Sinfonía Heroica* en discos de mucho uso, pero que todavía sonaban bien. La visión de la vieja, tocada de blanco, doblada sobre sus tiestos y cazuelas de romero y hierbabuena, lo había enternecido. Así eran las negras de su pueblo de farallones, cuando dejaban sus begonias por la oración, a la hora de las sombras largas, mientras en los montes, se encendía el aullido de las perras lobas que clamaban por "buscar vida" con los guarderos jadeantes y timoratos de abajo. De pronto se le ocurrió que era la anciana quien podía haber muerto. Pero, no; esas negras llegaban a cien años. Algunas habían viajado todavía, con argolla en el tobillo, en los sollados de la trata. Cuando le pagaran iría a visitarla —aunque no la conociera— para llevarle algunos dulces desusados, de esos que vendía, junto a la Iglesia del Angel, un repostero guitarrista, cuyas bandejas con papel de encajes ofrecían alcorzas, huesos de santos, polvorones, merengues y capuchinos, adornados por aventadas de confites verdes, rojos, opalescentes, llenos de almíbares con sabor a menta, granada y absintio.[61] Necesitaba saberla viva,[62] en la noche, por rito de purificación. Dos semanas antes, había comprado los discos de la Heroica para prepararse a la audición directa, en gesto que le pareciera digno del Bach que fue a pie hasta Lübeck,[63] para escuchar al maestro Buxtehude.[64] Pero, al llegar la gran noche, había dejado la Sublime Concepción por el calor de una ramera. Necesitaba saber viva a la vieja en la noche. Tanto lo necesitaba que correría a la casa del Mirador, en cuanto terminara el Final, para cerciorarse de que no era ella la persona de cuerpo presente.[65]

---

[60] **una regadera verde, de niños**: a green watering pot, a child's toy.
[61] **alcorzas . . . absintio**: petits fours, filled rolls of almond paste, crumbly cookies, kisses and Capuchin candies sprinkled with bits of green, red, and opalescent comfits, filled with mint, pomegranate, and absinthe [flavored syrups].
[62] **Necesitaba saberla viva**: He needed to know if the old woman were still alive.
[63] **Lübeck**: ciudad alemana a orillas del Báltico.
[64] **Buxtehude**: Dietrich Buxtehude (1637–1707), famoso organista alemán.
[65] **no era ella . . . presente**: she was not the person whose body was lying in state.

II

Aunque encubras estas cosas en tu corazón, yo sé que de todas te has acordado.

JOB–10–13

La vieja se había recogido, encogida, en su estrecha cama de hierro, ornada de palmas de Domingo de Ramos, volviéndose hacia la pared con gesto humilde, resignado, de animal que sufre. Y al cabo de la larga noche en que la velara el amparado,[66] sin poder avisar al doctor —y menos al Doctor muerto hacía mucho tiempo que ella pedía en la obscuridad cuando el respiro lloroso se hacía palabra — había empezado el verdadero encierro. Hasta entonces, en lo que corría el día y entraba la noche, bastaba con estarse en el segundo cuarto, atento al aviso de la escalera de caracol, donde los pasos crecían lentamente, haciendo retumbar la madera espesa. Se tenían periódicos que la vieja pedía prestados a la modista de abajo; se aprovechaba la fruta en trance de pasarse,[67] que el pregón pregonaba más barata. Hasta se satisfacían antojos de café y de licor mandado a comprar en vaso, con un parsimonioso empleo de las últimas monedas —porque el billete doblado en el hebilla del cinto no debía cambiarse sino cuando se supiera de la Gestión. Pero ahora, luego de que un médico joven, llamado por la sobrina, hubiera garabateado una presurosa receta —eran muchos peldaños para tan mal pago—, casi no traían comida a la enferma. Entiéndase por comida: la que cruje bajo el diente, sostiene una cuchara hincada en su materia, se escuadra y talla, se masca en firme, con las consistencias y texturas que una hambre creciente, casi intolerable ya, pone en la mente hecha boca, del hambriento. La sobrina aparecía a cualquier hora, con una botella de leche, o una pequeña cazuela de caldo envuelta en papeles de periódicos. Por ello, había tenido que refugiarse en el Mirador, cerrando, de afuera, la puerta que conducía a la azotea. Desde que la gente subía a visitar a la enferma,

---

[66] **la velara el amparado:** the man she was sheltering watched over her.
[67] **en trance de pasarse:** which was becoming overripe.

muchos trataban de abrir esa puerta, para librarse del olor a enfermedad, en aquel rectángulo de losas caldeadas por el sol. "Ni ella misma sabe donde ha metido la llave" —decía, cada vez, la misma voz de hombre, dando empellones a la hoja que él tenía apuntalada, desde atrás, con estacas y palos afincados en el piso. Y así eran ya dos días los que llevaba sin comer, oculto entre aquellas cuatro paredes despintadas y tibias, yendo del Westminster sin péndulo ni saetas, al baúl de cerraduras enmohecidas en cuya tapa se ostentaba todavía el papel donde su mano hubiera escrito, cierto día, en espesos caracteres dibujados a punta de brocha de afeitar mojada en tinta china: POR EXPRESO. Temiendo siempre que alguien oyera crujir el bastidor del camastro, puesta la pistola al alcance de la mano, pasaba las horas echado en el piso de aquel destartalado belvedere de casa hidalga venida a menos, cuyo mármol grisáceo y desgastado como lápida de cementerio conservaba un remoto frescor, entre tanto ladrillo calenturiento, cerrado por los muritos de piedra —demasiado bajos para hacer alguna sombra — que delimitaban la azotea. Al menos las noches de ahora no eran tan terribles como las primeras: aquellas lentas, inacabables, emprendidas de bruces bajo la ventana abierta, velándose el propio sueño, despertándose a sí mismo cuando los ojos se le cerraban, porque el sueño y la muerte se hacían uno en su miedo. Los ojos abiertos comprobaban la realidad de una estrella, de un girar de la luz del faro, nuevamente desasosegados, de repente, porque un insecto se pusiera a rascar detrás de la puerta. Un alambre del bastidor que cediera y le restallara en la oreja por su mucha agitación; los grillos que se daban a cantar dentro del baúl; el terral que revolvía los hollines caídos en los ángulos de la azotea; todo lo que sonara quedo, raro, sorpresivo, era, en esas noches, una perenne expiación por el tormento. Poco antes del alba, sin embargo, cuando la luz del faro parecía cansada de parpadear en redondo, algo como un Perdón descendía de lo alto. Dejaba de custodiarse a sí mismo y rendía los párpados en el primer empalidecimiento del mar, entregado a una posibilidad que no perdía su horrible vigencia, pero se le hacía extrañamente ajena y hasta deseable, con tal de que todo se resolviera en el no despertar, pasado el temor de sufrir en su carne. Porque el dolor físico le era inadmisible. Tan inadmisible que por no tolerar el dolor —ni siquiera la punzada de un dolor real, sino la intuición de la punzada—, se hallaba en el abominable presente, esperando el resultado de la Gestión. De esas noches primeras le quedaba el hábito de dormirse al amanecer, ya que durante el día tenía que permanecer dentro del Mirador, para evitar el riesgo de que lo vieran desde la alta azotea, tertulia de lavanderas, desahogo de niños —los niños eran los más temibles— del edificio moderno que flanqueaba la casa colonial transformada en cuartería, con una ancha pared sin ventanas, cubierta por pinturas sin sentido, en rojo, verde y negro, que le recordaban los discos y señales de una vía ferroviaria —aunque allá, en la Universidad, algunos estudiosos, despreciados por los de su bando, hubiesen sostenido que tales jeroglíficos en talla heroica respondían a un novedoso concepto de la decoración. Al caer la noche, luego de que la vieja hubiera rezado el rosario con la modista de los bajos, despidiéndose con aparatosos bostezos para que todos supieran que iba a acostarse, él se escurría hacia la puerta, quitaba los puntales, y hallaba, en el segundo cuarto, lo que la anciana podía ofrecerle a modo de guiso o cocido bien espeso y firme, con el periódico de la mañana, donde buscaba ávidamente alguna nueva relacionada con su destino. A menudo, la hoja más interesante quedaba en mero marco de hombreras, de mangas, recortadas en el papel impreso para servir de patrones a las alumnas de la Academia de Corte y Costura —como llamaba la modista el cuarto de los maniquíes y motas de terciopelo rojo hincadas de alfileres, donde enseñaba a confeccionar blusas y faldas de poca complicación. Pero lo que aún quedaba y narraba hechos de quienes afuera vivían le interesaba todavía lo bastante para tenerlo absorto, releyendo noticias al parecer nimias —como las que se referían, por ejemplo, a la gente que se iba de viaje—, hasta la hora en que, ya dormida la vieja, se apagaban los pórticos de los cines, se despejaban las calles, y el llanto persistente de un niño fuese indicio de sueño profundo en torno a su cuna. Entonces, más arriba de los focos que lo dejaban en sombras, podía andar a todo lo largo de la azotea, mirando a los patios de arecas y flores desvaídas, donde, bajo el arco de una cochera antigua, aparecía, de pronto en el prenderse de una cerilla, una mujer abanicándose el pecho, o un anciano asmático envuelto en humos de papel de Arabia. Más allá era el fondo de la talabartería, donde se guardaba la polvorienta reliquia de un faetón con faroles de vela, sobre cuyos hules estaban puestos a secar, como despojos de matadero, unos cueros a medio curtir. De más allá brotaban los tintosos olores de una pequeña imprenta de tarjetas de visita. De más acá, el hedor de las cocinas pobres, con sus cazuelas abandonadas por hoy en el agua grasienta, y, del otro lado, el tráfago perezoso de la cocina acomodada, donde dos fámulas iban dejando caer cuchillos secos sobre la mesa, al ritmo de un interminable tararear de canciones mal sabidas, que vol-

vían a empezarse para nunca acabar. Protegiéndose con el cuerpo del Mirador de la siempre temible azotea del edificio moderno, asomábase a la calle, a ratos cortos, contemplando el mundo de casas donde, revueltos con lo californiano, gótico o morisco, se erguían partenones enanos, templos griegos de lucetas y persianas, villas renacentistas 5
entre malangas y buganvilias, cuyos entablamentos eran sostenidos por columnas enfermas. Eran calzadas de columnas; avenidas, galerías, caminos de columnas, iluminadas a giorno, tan numerosas que ninguna población las tenía en tal reserva, dentro de un desorden de órdenes que mal paraba un dórico en los ejes de una fachada, junto a 10
las volutas y acantos de un corintio de solemnidad, pomposamente erguido, a media cuadra, entre los secaderos de una lavandería cuyas cariátides desnarizadas portaban arquitrabes de madera.[68] Había capiteles cubiertos de pústulas reventadas por el sol; fustes cuyas estrías se hinchaban de abscesos levantados por la pintura de aceite. 15
Motivos que eran de remate reinaban abajo —florones en barandales, dentículos al alcance de la mano— en tanto que las cornisas alzaban cuanto pudiera parecerse a un zócalo o pedestal, con añadidos de vasos romanos y urnas cinerarias[69] entre los hilos telefónicos, que se afelpaban de plantas parásitas, semejantes a nidos. Había metopas en los 20
balcones, frisos que corrían de una ojiva a un ojo de buey, repitiendo cuatro veces, lado a lado, en fundición vendida al metro, el tema de la Esfinge interrogando a Edipo.[70] Se asistía, de portal en portal, a la agonía de los últimos órdenes clásicos usados en la época. Y donde el portal había sido desechado, por afanes de modernidad, la columna se 25
iba arrimando a la pared, empotrándose en ella, inútil, sin entablamento que sostener, acabando por diluirse en el cemento que se cerraba sobre lo sorbido. Nada de eso tenía que ver con[71] lo poco que el ampa-

---

[68] **dentro de un desorden . . . madera:** in a chaotic mixture of architectural styles which wrongly put a Doric in the axes of a façade next to the volutes and acanthuses of a solemn Corinthian which pompously rose—half a block away—amid the clotheslines of a laundry whose flatnosed caryatids bore wooden architraves [i.e. carried laundry tubs on their heads].

[69] **Motivos . . . cinerarias** Crowning ornaments prevailed on the lower parts [of these buildings]—finials on balustrades, dentils within easy reach—while the cornices held up anything that might look like a foundation or pedestal, with added touches of Roman vases and funerary urns.

[70] **Había metopas . . . Edipo:** There were metopes on the balconies, friezes which ran from a Gothic arch to a round window, repeating four times, side by side, in cast iron sold by the meter, the theme of the Sphinx questioning Oedipus.

[71] **Nada de eso . . . con:** None of this had anything to do with.

rado hubiese aprendido en la Universidad —Universidad que, para él, quedaba guardada en el baúl de cerraduras enmohecidas.

POR EXPRESO. *Procedencia: Sancti-Spiritus.*[72] La mano ha dejado la inservible brocha de afeitar que sirvió para trazar vistosamente las palabras con tinta china. El amparado se contempla a sí mismo, en aquel instante decisivo de su vida. Se ve atareado en meter cosas dentro del viejo baúl, traído a la isla, hace tantísimos años, por el abuelo emigrante. Los parientes y amigos que lo rodean y pronto lo acompañarán a la estación han dejado, esta mañana, de moverse en el presente. Sus voces le llegan de lejos; de un ayer que se abandona. No escucha sus consejos, por gozarse mejor del indefinible deleite de sentirse ya en un futuro entrevisto —de desprenderse de la realidad que lo circunda. Al cabo del viaje será la capital, con la Fuente de la India Habana, toda de mármol blanco, como se la veía en el cromo de revista fijo en la pared con chinches, cuya leyenda recordaba que a su sombra había soñado otrora un poeta Heredia,[73] a quien el hecho de nacer en un pueblo tonto, semejante a éste, no hubiese impedido llegar a ser Académico Francés; al cabo del viaje conocerá la Universidad, el Estadio, los teatros; no tendrá que rendir cuenta de sus actos; hallará la libertad y acaso, muy pronto, una amante, ya que esto último, tan difícil en provincia, es moneda corriente donde no hay ventanas enrejadas, celosías, ni comadres noticiosas. La idea le hace plegar con especial cuidado el flamante traje, cortado por su padre según los últimos figurines, que piensa estrenar, con la corbata y el pañuelo entonados, cuando vaya a matricularse. Luego entrará en un café y pedirá un Martini. Sabrá, por fin, a qué sabe esa mezcla que sirven con una aceituna en la copa. Después irá a casa de una mujer que llaman Estrella, de quien el Becario le contó maravillas en una carta reciente. Y el padre que le dice, precisamente en este instante, que no se junte con el Becario, pues parece que lleva una vida disipada y despilfarra en fiestas —"que no dejan sino cenizas en el alma"— la pensión del Ayuntamiento. Las voces le llegan de lejos. Y más lejanas se le hacen todavía en la estación del ferrocarril, en medio de campesinos que se hablan a gritos, de andén a andén, luego del paso de un tren

[72] ***Sancti-Spiritus*:** ciudad de 28,000 vecinos, provincia de Las Villas, en el centro de la isla.

[73] **Heredia:** José María de Heredia (1842–1905), poeta francés nacido en Cuba.

de ganado que rodaba en un trueno de mugidos. En el último momento el padre compra unos panales de miel para mandarlos de obsequio a la vieja que se ofreció a alojarlo donde vive —parece que tiene un Mirador en la azotea, habitación independiente y cómoda para el estudiante—, y es la llegada del expreso, con su locomotora de campana, y la baraúnda de las despedidas . . . Y aquí había llegado, muy de noche, con el baúl que ahora contemplaba: a este Mirador que le hiciera visitar su anciana nodriza, venida años antes a la capital, en seguimiento de una familia rica, dueña de la añeja mansión transformada en casa de vecindad. Desde el primer momento se barruntó, por el tono decididamente maternal de la negra, que ésta pondría trabas a sus ansias de libertad, vigilando sus entradas y salidas, rezongando y fastidiando —impidiendo, por lo menos, que trajera mujeres al Mirador. Por lo mismo, se hizo el propósito de cambiar de albergue, tan pronto como estuviera encarrilado en sus estudios. Y ahora, luego de haberse olvidado de la vieja durante meses —¿es ella la que así gime desde hace un momento, o son lloriqueos del niño de la modista?—; luego de haber desertado esta habitación desde hacía tanto tiempo, hallaba aquí el supremo amparo, el único posible, junto al baúl provinciano, dejado aquí al mudarse, porque encerraba cosas que entonces habían dejado de interesarle.

Pero hoy, al levantar la tapa, encontraba nuevamente la Universidad abandonada, bien presente en el estuche de compases y bigoteras regalado por su padre; en la regla de cálculo, tiralíneas y cartabones; en el pomo de tinta china, vacío, que aún despedía su olor alcanforado. Ahí estaba el Tratado de Viñola,[74] con los cinco órdenes, y también el cuaderno escolar donde, adolescente, hubiera pegado fotografías del templo de Paestum[75] y del domo de Brunelleschi,[76] la"Casa de la Cascada"[77] y una perspectiva del templo de Uxmal.[78] Los insectos se habían cebado con la tela de sus primeros dibujos a pluma, y de los

[74] **Viñola:** Giacomo Barozzi (o Barocchio) da Vignola, arquitecto italiano del siglo XVI.

[75] **templo de Paestum:** templo de estilo dórico de la antigua ciudad italiana de Paestum, a noventa y cinco kilómetros de Nápoles.

[76] **domo de Brunelleschi:** domo de la Catedral de Santa María de las Flores en Florencia (Italia) construida por Filippo Brunelleschi (1377–1446), el más notable arquitecto del Renacimiento.

[77] **"Casa de la Cascada":** posible alusión a un edificio en el jardín del palacio de los Colonna en Roma.

[78] **templo de Uxmal:** templo que se encuentra en las ruinas mayas de Yucatán (México).

capiteles y basas, copiados en papel transparente, sólo quedaba un encaje amarillento, que se rompía en las manos. Luego, eran libros de Historia de la Arquitectura, de geometría descriptiva, y, al fondo, sobre el diploma de bachiller, la tarjeta de Afiliado al Partido. Los
5 dedos hallaban, al sopesar aquella cartulina, la última barrera que hubiera podido preservarlo de lo abominable. Pero había estado demasiado rodeado, en aquellos días, de impacientes por actuar. Le decían que no perdiese el tiempo en reuniones de célula, ni en leer opúsculos marxistas, o el elogio de remotas granjas colectivas, con fotos de trac-
10 toristas sonrientes y vacas dotadas de ubres fenomenales, cuando los mejores de su generación caían bajo el plomo de la policía represiva. Y, una mañana, se vio arrastrado por una manifestación que bajaba, vociferante, las escalinatas de la Universidad. Un poco más lejos fue el choque, la turbamulta y el pánico, con piedras y tejas que volaban sobre
15 los rostros, mujeres pisoteadas, cabezas heridas, y balas que se encajaban en las carnes. Ante la visión de los derribados, pensó que, en efecto, se vivían tiempos que reclamaban una acción inmediata, y no las cautelas y aplazamientos de una disciplina que pretendía ignorar la exasperación. Cuando se pasó al bando de los impacientes, empezó
20 el terrible juego que lo había traído nuevamente al Mirador, pocos días antes, en busca de una última protección, cargando con el peso de un cuerpo acosado, que era necesario ocultar en alguna parte. Ahora, aspirando un olor a papeles roídos, a alcanfor de tintas secas, hallaba en aquel baúl como una figuración, sólo descifrable para él, del Para-
25 íso antes de la Culpa. Y al alcanzar, por momentos, un nivel de lucidez desconocido, comprendía cuanto debía al encierro que lo sentaba a hablar consigo mismo, durante horas, buscando en el examen detallado de una trabazón de hechos, un alivio a su miseria presente. Había una fisura, ciertamente; un tránsito infernal. Pero, al considerar
30 las peripecias de lo sucedido en aquel tránsito; al admitir que casi todo en él había sido abominable; al jurar que jamás repetiría el gesto que le hiciera mirar tan fijamente un cuello marcado de acné —ese cuello que lo obsesionaba más que la cara aullante, vista en el estruendo del terrible segundo—, pensaba que aún le sería posible vivir en
35 otra parte, olvidando los tiempos del extravío. Eran gemidos las palabras con que los atormentados, los culpables, los arrepentidos, se acercaban a la Santa Mesa, para recibir el Cuerpo del Crucificado y la Sangre del Sacrificio Incruento. Bajo la Cruz de Calatrava que adornaba el pequeño libro de Instrucción Cristiana para uso de párvulos
40 que la vieja le había dado, se escuchaba ese patético gemido, en las

oraciones para la confesión, en las letanías a la Virgen, en las plegarias de los Bienaventurados. Con sollozos, con imploraciones, se dirigían los indignos, los caídos, a los divinos intercesores, por pudor de hablar directamente a Quien, por tres días, hubiera bajado a los infiernos. Toda la culpa, además, no era suya. Era obra de la época, de las contingencias, de la ilusión heroica: operación de las deslumbrantes palabras con que lo hubieran acogido, cierta tarde —a él, bachiller de provincia, avergonzado de su traje mal cortado en la sastrería paterna—, tras de las paredes del edificio en cuya fachada de majestuosas columnas se estampaban con relieves de bronce, bajo un apellido ilustre, los altos elzevirios de un HOC ERAT IN VOTIS . . . Miraba ahora la Sala de Conciertos, cuyos capiteles con volutas cuadradas le parecían una caricatura de las que se hubieran asociado a su hoy aborrecida iniciación. Allí se afirmaba la condena impuesta por aquella ciudad a los órdenes que degeneraban en el calor y se cubrían de llagas, dando sus astrágalos para sostener muestras de tintorerías, barberías, refresquerías, cuando no rechillaba la fritura a la sombra de los pilares,[79] entre mostradores de empanadas, sorbeteras y aguas de tamarindo. "Escribiré algo sobre esto" —se decía, sin haber escrito nunca, por la apremiante necesidad de fijarse nobles tareas. Salía de las inacabables borracheras de aquellos meses, de los excesos a que se creen convidados los que mucho arriesgan y desafían, hallando la primera claridad al cabo del túnel. No sabía dónde le tocaría ir ahora, puesto que el Alto Personaje iba a determinar, para su mayor conveniencia, el rumbo más expedito. Nunca terminaría sus estudios de una arquitectura abandonada a principios del primer curso. Pero aceptaba de antemano los más duros oficios, los sueldos peores, el sol en el lomo, el aceite en la cara, el camastro y la escudilla, como fases de una expiación necesaria. "Creo en Dios Padre Todopoderoso, creador del Cielo y de la Tierra, y en Jesucristo, su único hijo, Nuestro Señor, que fue concebido por obra del Espíritu Santo y nació de Santa María Virgen." No recordaba todavía sino el comienzo del Credo. Iba por el librito de la Cruz de Calatrava, dejado sobre el jergón, cuando se percató, de súbito, que su hambre había pasado. Pensaba en pescados y los imaginaba como repugnantes cosas, con ese ojo vidrioso y plano,

---

[79] **Allí se afirmaba . . . pilares:** There was confirmed the sentence imposed by that city on the [architectural] orders which were degenerating in the heat and were becoming covered with sores, giving their astragal mouldings to support dry-cleaners, barber shops and refreshment stand signs, when the frying food was not bubbling in the shade of the pillars.

que apenas era ojo, tachuela clavada en el hedor de las escamas; pensaba en carnes, y las hallaba repelentes, informes, con su sangre aflorada; pensaba en frutas, y las recordaba ácidas y frías; pensaba en panes, y se le hacían desagradables los grumos, las grietas, de sus migas. No quería comer. Ofrecía a Dios la vaciedad de su vientre, como un primer paso hacia la purificación. Se sintió ligero, recompensado, entendido. Y le pareció que una deslumbrante agudeza lo ponía en íntimo contacto con las materias, las cosas, las realidades eternas que lo circundaban. Entendía la noche, entendía los astros, entendía el mar, que acudía a él, en el reflejo de la luz del faro, mansamente atormentado, cada vez que su rotación le coincidía rectamente con la mirada. Pero no entendía en palabras ni en imágenes. Era su cuerpo todo, sus poros, el entendimiento hecho ser, quienes entendían. Su persona se había integrado, por un instante, en la Verdad. Se echó de bruces sobre las losas de barro que aún devolvían el bochorno del día transcurrido. Sollozaba, de tanta claridad,[80] al pie del Mirador en sombras.

Despertó al cuarto día, antes de la media tarde, con la boca terrosa. Un sudor lento, de gotas crecidas sobre cada poro, le brotaba de las ojeras, de la nuca, de la frente, imponiéndole la idea de que estaba amarillo, demacrado, sucio desde dentro. Era bueno no tener espejo para comprobarlo, porque hubiera sido peor. Se enderezó en el jergón, para aliviar sus sienes de un rodar de gravas. Su sexo, por más desconcierto, acababa de enterarse dolorosamente, exasperado de latidos que le venían del pecho y del vientre. Comprobó el hecho al tacto, y fue a sentarse sobre el baúl, estupefacto de que su cuerpo conservara tales energías debajo del hambre. Tras de la puerta apuntalada, más allá del comedor, la sobrina hablaba confusamente con la modista de los bajos. La vieja, de seguro, estaba mejor. Otras veces había padecido de lo mismo, reponiéndose con sus pócimas y cocimientos. Pero esta vez la enfermedad se prolongaba. Así, era necesario *reflexionar* en comer. Poner la lucidez de los últimos días —la alegría de no comer— en la voluntad de comer. Ya que no podía contar con la vieja para obtener algún alimento, pensar en alguna posibilidad. Debía haber cosas comestibles en una casa, en una habitación, que no fueran aque-

---

[80] **de tanta claridad:** from so much [spiritual] illumination.

llas que el hombre acostumbraba a llevar a sus fuegos. De niño había pensado, muchas veces, en el sabor que tendría un caldo de césped, una sopa de hojas, una ensalada de gramas. Los herbívoros se nutren de yerbas que, probablemente, podía comer el hombre. Además ¿quién no ha mordisqueado alguna vez, con deleite, el tierno tallo de una brizna de esparto? Miró a su alrededor: madera, barro, hollín. En las ciudades sitiadas de la antigüedad, la gente llegó a comer trozos de cuero macerado. Se roía el revestimiento de las monturas, se hervían bridas, cinturones, abarcas de correas blandas. También, en una mina inundada, los hombres habían descubierto al cabo de días que los troncos del apuntalado conservaban cortezas frescas . . . Fue gateando —para que su silueta no se pintara sobre los muros exteriores de la azotea— hasta donde podía mirarse el patio de la talabartería. Alguien se había llevado las pieles a medio curtir que durante tantos días se secaran sobre los hules del faetón. Ahora le sorprendía el absurdo de haber querido contemplar esos pellejos inalcanzables, como si su remoto olor a desolladero, a salazón, hubiese podido serle de algún alivio. Madera, barro, hollín. "Cuando los campesinos fueron concentrados en las ciudades por la maldad del Capitán General de España"[81] —le había contado la vieja— "se hinchaban de tanto tomar agua." Abrió el grifo y, recibiendo el agua en las manos, se dio a beberla ávidamente, para llenarse el vientre. Pero aquel agua entibiada por el sol que caldeaba los caños llegaba a sus entrañas con una frialdad pesada, ahuecadora, de serrín mojado. Fue quebrado por una contracción violenta, y, cayendo sobre los puños, vomitó lo bebido, hasta quedar en un espasmo seco, que le hundía el vientre, cada vez, con un sordo empellón en la nuca, arqueándole el espinazo, como el de un perro que espumarajea el veneno. Agotado, se echó al pie del muro, con el cuerpo sacudido de latigazos. Estaba tan invadido por la idea de comer, que esa idea, única que le fuese concebible en aquel momento, se volvía un mandato de índole casi abstracta. No pensaba ya, como el primer día de ayuno, en algún alimento preferido por su paladar, ni se pintaba ya en su mente, con añoranzas de niñez, la gran cocina familiar oliente a pescadilla recién sacada del aceite —con los verdes untuosos del chícharo, el arroz teñido de azafrán, la crujiente tiesura de los hojaldres rendidos al dentazo[82]—, que ponían inalcanzables

[81] Se refiere a las crueldades del gobernador español antes de la Emancipación.
[82] **rendidos al dentazo:** as it crunches between the teeth.

sabores en su boca estragada por tanta saliva ansiosa. Los alimentos habían dejado de diversificarse, para quien sólo pensaba en *el alimento*, cualquiera y único, aceptado de antemano, vuelto al hambre del recién nacido a quien abandonaron al pie de un campanario, y aúlla
5 su miseria buscando la madre en la piedra . . . Oyó voces. Dentro del caracol de la escalera, la modista de abajo llamaba a la sobrina para probarle un vestido. Esperó impacientemente a que sonaran los zapatos de tacón, alejándose, en la madera de los peldaños, y que las voces se situaran en el plano de la máquina de coser, sacada al patio
10 con la fresca. Quitando trancas y puntales, abrió la puerta que lo aislaba del resto de la casa desde hacía cuatro días. La vieja, dormida, gemía quedamente con el resuello, bajo sus palmas de Domingo de Ramos. A su lado, en una silla, había un plato sopero, lleno de avena hervida. Como la cuchara era de postre, una mano crispada se hundió
15 en la masa resquebrajada por azúcares derretidos. Y fue luego la lengua, ansiosa, presurosa, asustada de comer robando, la que limpió el plato, con gruñidos de cerdo en las honduras de la loza, y saltó pronto al esparto de la silla, para lamer lo derramado. Levantóse luego el cuerpo sobre sus rodillas, y fue la mano, otra vez, en el envase
20 del Cuáquero, escarbando con las uñas en la avena cruda. Después, la puerta quedó cerrada. Caía la tarde. La barcaza de arenas pasó lentamente a la altura del Mirador, sobre un sol que teñía de anaranjado la Sala de Conciertos. Bajo las pérgolas del parque, varios perros en celo acosaban un grifo barcino,[83] que gritaba ante el embate de los
25 machos. En lo alto del edificio moderno sonaba una música: la misma de otras veces. Primero agitada; luego triste, lenta, monótona. Quien yacía en el piso, de entrañas a la vez doloridas y ahitas, con sueño, atravesado de borborigmos, yendo de la felicidad a la náusea, confundía esas notas sordas, a ratos, con el sordo ruido de la imprenta de
30 tarjetas de visita. Detrás de la puerta, la anciana empezó a llamar a la sobrina con voz irritada, reveladora de mejor salud. "Usté no puede comer tanto, tía" —gritaba la parda, que regresaba con su vestido nuevo, al ver que apenas quedaba avena en el cartón del Cuáquero. "Usté no debe comer tanto." Y como el Soldado la esperaba
35 frente a la casa, se fue taconeando de prisa en el caracol de la escalera.

La portentosa novedad era Dios. Dios, que se le había revelado en el tabaco encendido por la vieja, la víspera de su enfermedad. De

---

[83] **grifo barcino**: gray wire-haired dog.

súbito, aquel gesto de tomar la brasa del fogón y elevarla hacia el rostro —gesto que tantas veces hubiera visto perfilarse en las cocinas de su infancia— se le había magnificado en implicaciones abrumadoras. La mano traía, al sacar la lumbre, un fuego venido de lo muy remoto, fuego anterior a la materia que por el fuego se consumía y modificaba —materia que sólo sería una posibilidad de fuego, sin una mano que la encendiera.[84] Pero si ese fuego presente era una finalidad en sí, necesitaba de una acción anterior para alcanzarla. Y esa acción, de otra, y de otras anteriores, que no podían derivar sino de una Voluntad Inicial.[85] Era menester que hubiera un origen, un punto de partida, una Capitular del fuego que, a través de las eras sin cuento, había iluminado las caras de los hombres. Y ese Primer Fuego no podía haberse encendido a sí mismo . . . Creyó vislumbrar, en todo, una parecida sucesión, un ineludible proceso de recibir energías de otra cosa; el mismo remontarse de los actos que, sin embargo, no podía ser infinito. Los hilos tenían que ir a parar, por fuerza, a la mano de un Propulsor Primero, causa inicial de todo, detenido en la eternidad y dotado de la Suprema Eficiencia. El ateísmo de su padre le parecía absurdo, ahora, ante una imagen que tantas cosas explicaba, extrañándose de que otros no hubiesen pensado, antes que él, en demostrar la existencia de Dios por aquella iluminadora ocurrencia que había tenido ante una brasa. Y, como los niños de la casa moderna habían cantado ayer: *Tilingo, tilingo — Mañana es Domingo — Se casa la gata — con el loro pelón*, y las iglesias llamaban a misa, abrió el libro negro y oro de la Cruz de Calatrava, que ahora dispensaba inacabables deslumbramientos a quien creciera, lejos del catecismo, en una sastrería franc-masona y darwiniana. Cada página le revelaba una insospechada belleza de la Liturgia, dándole la exaltante impresión de penetrar un arcano, de ser iniciado, de compartir los secretos de una hermandad. Nunca hubiera pensado que lo visto por él, tantas veces, como meros manteles del altar, representaba el Mantel que envolvió Su Cuerpo, ni que el alba, el cíngulo y la estola, narraran tres episodios del más trascendental Proceso presenciado por los hombres. De la vestidura

---

[84] **La mano . . . encendiera:** Her hand brought forth, when she took out the fiery coal, a fire which had come from the remotest [time], from a fire older than the matter which was being consumed and changed by the fire —matter which would only be a possibility of fire without a hand to ignite it.

[85] **Y esa acción . . . Inicial:** And this action [had need of] another and of other previous [actions] which could only derive from a First Will.

de púrpura,[86] que erguía en su mente las columnas de la casa de Pilatos, pasaba al Calvario, donde se detenía, absorto, a la orilla del Cáliz; y al contemplar —al entender— el Cáliz, se maravillaba ante el descubrimiento de ese sepulcro siempre abierto en la materia más preciosa, 5 mística transposición del mayor de los dramas: tinieblas que labraban el metal hasta honduras impensadas, sombra envuelta en el relumbre de las gemas y de los oros; alquimia revertida que de lo fulgente hacía vasta noche de espera para la humanidad emplazada. Hasta el agua, cuyo sentido litúrgico había ignorado, hablaba ahora por el flanco del 10 Redentor. Alguna vez había estado en la iglesia, llevado por la tía devota, cuando su padre estaba en la capital, comprando géneros para los que todavía pedían driles y alpacas. Se había arrodillado, sentado, puesto de pie, como los demás, frente al altar de molduras barrocas, sin sospechar que cuando el oficiante revestía los hábitos 15 de su menester, representaba nada menos que el Hijo de Dios en su Pasión. Había seguido la misa mirando al maderamen de la cúpula, donde siempre dormía algún murciélago —entretenido con todo lo que no era la misa— sin saber que allí se representaba, en una acción reducida a su simbólica esencia, el Misterio que más directamente lo 20 concernía. Y ahora que se daba por enterado, hallaba en los simples movimientos que acompañaban el Gloria, el Evangelio, el Ofertorio, esa prodigiosa sublimación de lo elemental que, en la Arquitectura, había transformado el trofeo de caza en bucráneo; la anilla de cuerdas que ciñe el haz de ramas del fuste primitivo, en astrágalo de puras 25 proporciones pitagóricas. ¡Haber llevado en sí tales poderes de entendimiento, ser capaz de percibir tales verdades, y haberlo ignorado, en despilfarros abominables, para hacer caso de discursos que tanto habían servido para justificar lo heroico como lo abyecto! ¡Ah! ¡Creo! ¡Creo! Creo que padeció bajo el poder de Pilatos, que fue crucificado 30 y sepultado; que descendió a los infiernos y que al tercer día resucitó de entre los muertos. Creo que subió a los cielos y está sentado a la derecha de Dios Padre Todopoderoso. Creo que desde allí ha de venir a juzgar a los vivos y a los muertos . . .[87] Y hay algo de trompeta llamando al Juicio Final en eso que vuelve a sonar en lo alto del edificio 35 moderno, donde alguno, admirado aún por la compra reciente de un gramófono barato, de ingrato sonido, no hace sino tocar y tocar la

---

[86] **la vestidura de púrpura**: la vestidura con la cual los soldados vistieron a Cristo.
[87] **Creo que padeció . . . muertos . . .** : una parte del Credo.

misma música, echando a veces la aguja atrás. Son como varias piezas grabadas en sucesión, puesto que se siguen —siendo distintas— en un mismo orden. Primero es algo muy confuso, donde se oyen como toques de corneta —un tema de marcha militar que no acaba de serlo. Luego viene lo triste, lo lento, lo monótono. Después, hay una danza muy alegre. Pero la interrumpe un nuevo toque militar que no acaba, sin embargo, de ser militar del todo: algo como las llamadas que se escuchaban en ese documental, tan ridículo, de los nobles franceses que, antes de cazar, oían misa con sus jaurías bendecidas, mientras los monteros enlevitados tocaban unos instrumentos que parecían grandes volutas de cobre. Y se terminaba siempre con la música a saltitos[88] —con algo de esos juguetes de niños muy chicos, que, por el movimiento contrariado de varitas paralelas, ponen dos muñecos a descargar martillos, alternativamente, sobre un mazo—, seguida de unos valses quebrados, que iban a parar a algo majestuoso y grande, con trompetas, con metales de banda, como los que sonaban en Sancti-Spiritus, cerca de la sastrería, en noches de retreta. Y luego, ese alegre alboroto final, con sus trompas de caza otra vez . . . La sobrina estaba bajando por la escalera de caracol. Era preciso abrir la puerta para ver si la anciana estaba dormida, y alcanzar el caldo que, como otras veces, se enfriaba junto a la cama. Pero ahora, al tomar el plato para llevarlo a la boca, las manos quedaron en suspenso. En la cara de la negra, sorprendentemente desarrugada, dos ojos se abrían, mirando con vidriosa fijeza —con lejana e inexpresiva intensidad— a quien dejaba el plato entre los pomos de medicina, sin atreverse a sorber sus grasas pintadas en turbias lentejuelas sobre flacas patas de aves[89]— de las que se ofrecen, colgadas de un clavo, en los puestos de volatería al menudeo. Las uñas de un gallo viejo, montadas en tres dedos de escamas grises, retorcidas, con algo humano en las arrugas de sus pieles, descansaban sobre una tajada de calabaza apenas desprendida de la cáscara. Después de un instante de vacilación, desafiando la fija mirada puesta demasiado tarde en lo incontenible, la boca se hundió en esa sopa de Domingos, resoplando y royendo, antes de arrimarse al cartón del Cuáquero. Por hacerse perdonar, el hombre de labios espolvoreados de avena cruda hizo el gesto de arrebozar a la anciana, subiéndole la manta hacia el cuello. Al tocarle la mejilla, un sobresalto

---

[88] **a saltitos:** bouncy.

[89] **pintadas . . . aves:** floating in small clouded patches above skinny chicken feet.

se le recogió en crispación y espera de todo el ser: esa mejilla estaba yerta y dura, y la mano cerrada, puesta sobre la sien, volvió a la sien con la obstinación de miembro muerto cuando él trató de hallar algún latido en la muñeca de venas frías. Un paso sonaba en el caracol de 5 la escalera. El taconeo era de la sobrina que venía seguida de gente y prorrumpió en grandes gritos cuando él, luego de cerrar presurosamente la puerta tras de sí, hubiera alcanzado el Mirador. El horror de lo ocurrido lo tenía como estupefacto, de cuclillas en el piso, adosado al baúl, con la atención puesta en los oídos: aquella coja, era la 10 modista; el tranco afelpado y asmático, era del encargado; el choque de las punteras en cada peldaño, era del Soldado —que ahora volvía a bajar, en busca de lo necesario para tender y enterrar. Las patios se llenaron de preguntas hechas de ventana a ventana. Y pronto, en un confuso pataleo, llegaron los de las Pompas, con su hielo[90] y sus velas. 15 Y se dio comienzo al velorio, con la aparición de familiares venidos de barrios remotos —Jesús del Monte, el Calvario, Santa María del Rosario—, que sólo se acordaban unos de otros cuando tenían noticias de que eran menos. A veces, alguno daba un golpe en la puerta cerrada, queriendo pasar a la azotea, donde había renacido el espanto de los 20 primeros días. El batiente estaba firmemente apuntalado y pronto renunciaban los que pretendían abrirla. Pero, ahora, la resistencia de esa madera llegaba a sus últimas horas. Cuando se llevaran el ataúd, mañana, el encargado —aquel que siempre se irritaba por el extravío de la llave— llamaría al cerrajero. De su Brazo Secular[91] 25 colgaría la Llave Maestra. Y cuando la Llave Maestra girara en lo enmohecido, y se viera que la tabla pintada de azul no despegaba de sus jambas porque la tenían sujeta desde afuera, habría que entregarse. No a esos hombres que nada podían contra él y ni siquiera llamarían a la policía al saber que pertenecía al mundo de los Temibles. 30 Habría que entregarse a la libertad —a la calle, a la multitud, a las miradas— que era como verse emplazado. Volvería al tormento de interrogar todos los rostros, al temor de comer dos platos seguidos en la misma mesa, a la intolerable obsesión de hallar frialdades de hospital en la blancura de toda sábana. Sería el abandono de la cama 35 antes del sueño cumplido, el andar a la sombra, con miedo al eco de

---

[90] El hielo se usa para retardar la descomposición del cadáver.

[91] **su Brazo Secular**: the Secular Arm [of the law] (alusión humorística a los procesos inquisitoriales; los herejes condenados fueron entregados al Brazo Secular que llevó a cabo la sentencia de la Inquisición).

sus propios pasos; la carne que se recoge y huye del calor de otra carne, porque una fruta madura ha caído en el patio —porque el viento ha cerrado las persianas del corredor. Cuando nadie quería saber de él; cuando se le rechazaba con horror de las casas, había recordado a la vieja. Ella no podía olvidar que, en un tiempo, lo había llevado colgado de los pezones, llamándolo por tan tiernos nombres que se conmovía cuando se lo contaban. La vieja, al verlo demacrado, con la camisa rota y sucia bajo el traje azul marino que se había puesto para confundirse mejor con las sombras, empezó a gritar que no quería desgracias en la casa y que quien mal andaba peor acababa. Le había alquilado el Mirador por una miseria, a su llegada de Sancti-Spiritus; lo había aconsejado como una segunda madre. Y él se había marchado, seguramente, al ver que no le dejaban traer hembras de mal vivir a una casa de fundamento y religión . . . Pero parecía tan miserable, en aquel momento, caído a horcajadas sobre un taburete, sollozando entre sus manos de uñas sucias, que volvió a ser, para ella, el mismo que, cierta vez pareciera ahogarse de tos ferina entre sus brazos. Eran las venas hinchadas, verdes, en la sien y en el cuello; el espasmódico estremecimiento de los hombros, el aliento avinagrado, la queja sorda, venida de dentro, al cabo de los sollozos. Enternecida, la vieja lo había llevado al Mirador, durante tanto tiempo desertado, para que esperara allí, oculto —junto al baúl donde quedara guardado lo que de su Universidad quedaba— el resultado de la Gestión. ¡Oh! Madre de Dios, Madre purísima, Madre castísima, Virgen poderosa, Virgen clemente, ruega por nosotros; Rosa Mística, Torre de David, Estrella de la Mañana, Salud de los pecadores, Reina de los Mártires, ruega por nosotros . . .[92] La que calmó mi hambre primera con la leche de sus pechos; la que me hizo conocer la gula con la suave carnosidad de sus pezones; la que puso en mi lengua el sabor de una carne que he vuelto a buscar, tantas veces, en torsos jóvenes de su misma sangre; la que me nutrió con la más pura savia de su cuerpo, dándome el calor de su regazo, el amparo de sus manos que me sopesaron en caricias; la que me acogió cuando todos me echaban, yace ahí, en su caja negra, entre tablas de lo peor, diminuta, como encogida la cara sobre el hielo que gotea en un cubo mellado, porque yo, que ni siquiera debí pensarlo —admitir que me fuese posible— he devorado su alimento de enferma, engullido sus mieses, roído los huesos

---

[92] **Madre de Dios . . . nosotros . . .** : Letanía de la Virgen.

de sus aves, sorbido con avidez de marrano sus caldos de Domingos. ¡Señor, ten misericordia de nosotros! ¡Cristo, ten misericordia de nosotros! . . . Y, en la casa moderna, esa música tan triste, tan monótona y triste, que parece un responso en oficio de vigilia.[93]

5 Nadie se sorprendió al verlo aparecer en el velorio, pues la vieja se había empleado alguna vez en casas ricas. "Encontraron la llave de la azotea" —alborozó la sobrina, al notar que una inesperada corriente de aire movía las llamas de los cirios. "Lo acompaño en su sentimiento" —dijeron algunos, pensando que si un blanco estaba en velorio de 10 negros, vestido de azul marino por tal calor, era porque algún parentesco ancilar lo ligaba a la finada. Se miró, por encima del ataúd, en el espejo de la consola. Su rostro estaba tan adelgazado, tan librado de las grasas que en él hubiera espesado el constante beber de los días sin faena, cuando trataba de olvidarse de la faena cumplida, 15 que se sintió envalentonado por el disfraz hallado en su propia persona. Se miraba y remiraba, sin verse semejante a sí mismo. Las noches de tormento le habían puesto un surco en las mejillas, espigándole el mentón, dando una rara fijeza a sus ojos que estaban como ensombrecidos bajo un pelo demasiado largo —peinado, por lo mismo, de 20 modo desacostumbrado. Encontraba algo tan nuevo en su expresión que alguno, al salirle al paso en lugar poco alumbrado, podía dudar —acaso— de que fuera él. Además, lo ayudarían las gafas obscuras que habían constituido para él, en los últimos tiempos, una suerte de herramienta del oficio. Dio gracias por el dolor recibido en los días 25 del encierro y también por las hambres del comienzo, elevándolos hacia Quien sentía cada vez más presente, como acodado en los barandales del Mirador, excelso en su gloria, pero compadecido de los hombres. Vio con agrado, en el espejo que le devolvía su nueva imagen, que los deudos se iban a la azotea, unos tras de otros. Allí 30 aspiraban la escasa brisa de una noche de nubes muy bajas, tintas de ocre hacia la Colina por los resplandores de una iluminación universitaria —podían ser los reflectores del Estadio o del Patio de las Columnas—, comentando el irrespeto de quien allá arriba, tan cerca de una muerte, tenía los discos sonando. No era música de bailar, 35 desde luego; pero la música siempre se toca por contento. Cuando

---

[93] **parece . . . vigilia**: seems like a prayer from the service of the dead.

hablaban de despachar al Soldado, con su carácter de autoridad, para pedir mayor fundamento ante el cuerpo presente.[94] la sirena de un barco hizo olvidar a todos lo que, tal vez, había dejado de sonar. Se habló de pilotos, boyas y marejadas, y se concertaban minuteros en porfía, porque alguien sostuviera que la luz del faro giraba con más lentitud que la reglamentaria. Regresando del viaje a través del espejo, el adelgazado se volvió hacia la puerta que ahora apuntalaban con sus estacas y maderas para tenerla abierta, pues, de tanto haber estado cerrada, tendía a cerrarse sola, empujada por la costumbre de sus espesas charnelas claveteadas. Como sólo quedaban en la habitación dos ancianas tocadas de pañuelos blancos, que rezaban sobre las cuentas de un mismo rosario, se caló la pistola en el flanco,[95] donde siempre solía llevarla, puso la mano en la barandilla y bajó lentamente la escalera de caracol cuyos crujidos habían acabado por hablarle en un claro idioma de pasos. Cruzó el patio de la Academia de Corte y Costura donde, a pesar de la muerte vecina, se afanaban las alumnas en vestir al maniquí grueso y el maniquí delgado con recortes de periódicos hincados de alfileres. La visión de la avenida a su nivel se le hizo tan nueva que vaciló en desprenderse del umbral de la casa. Arriba quedaba el Mirador, con sus pilares esquineros coronados de rosetones. Bajo una cruda iluminación los álamos pintaban anchas sombras en la acera, aislados, unos de otros, por la claridad circundante. Después de ponerse las gafas, tras de cuyos cristales obscuros —hechos para el sol, usados de noche— se sentía más escondido, comenzó a andar de sombra en sombra, apretando el paso, metiendo la cara entre las solapas, cuando cruzaba por una luz. Por todo dinero tenía[96] aquel billete nuevo, arrojado como una limosna, en la última casa de donde lo hubieran echado, la tarde en que una columna acribillada lo salvara de la muerte. La cantidad no era suficiente para viajar hasta la sastrería del padre. Además todos se enterarían, en Sancti-Spiritus, de su llegada. Lo conocía el veterano que vendía frutas junto al Obelisco de los Próceres; lo conocía el pregonero de los panes de anís; lo conocían los barberos, que veían pasar a todo el mundo en el revuelo de sus tijeras chismosas. Pensó en comer. Pero las fondas, en esa temprana hora de la noche, estaban demasiado llenas de

---

[94] **para pedir . . . presente**: to ask [the person with the record] to have greater respect for the dead.

[95] **se caló . . . flanco**: he slipped the pistol under his belt.

[96] **Por todo dinero tenía**: All the money he had [was].

gente que miraba —y nada le resultaba tan temible, ahora que se había arrojado a la ciudad, como una mirada. De sombra en sombra alcanzó el término de los árboles, pasando al mundo de las columnas. Columnas listadas de azul y de blanco, con barandales entre los fustes: doble galería de portales, en esa calzada real cuya Fuente de Neptuno se adornaba de tritones, semejantes a perros bravos, con pasquines electorales pegados en los lomos. Iba, según el embadurno de las casas, de lo ocre a lo cenizo, de lo verde a lo morado, pasando del portón de escudos rotos al portón de cornucopias sucias. De las esquinas se desprendían calles rectas, cuyo asfalto se teñía de un azul plomizo, a la luz de los faroles mecidos por la brisa en un difumino de insectos encandilados. Allá dormía la iglesia parroquial, de un gótico yesoso —tantas veces repintada que se le habían amelcochado los florones— con yerbas en el tejado y gramas en los sobradillos, frente a la tienda de los imanes, piedras del trueno y manos de azabache, para preservar a los niños de enfermedades y males de ojo. Más allá se asomaba una parra por sobre una ruinosa pared de mampostería, junto al vasto almacén de tabaco dormido en olorosas penumbras. Bajo las arcadas de un viejo palacio español yacían mendigos arropados en papeles, entre latas y enseres rotos, corriendo malos sueños sobre sus orines. Apretando el paso, andaba el acosado de sombra de columna a sombra de columna, sabiéndose cerca del Mercado, donde crecían, a esta hora, montones de calabazas, plátanos verdes y mazorcas amarillas, cerca de las jaulas por cuyas rejillas pasaban los pavos sus cabezas de tulipán polvoriento.[97] Más allá, era la acera de las casas de empeño, siempre iluminadas como para sarao, con sus sillas de mimbre colgadas de los cielorrasos, sobre un gran desorden de relojes de péndulo, consolas y aparadores, de donde emergía, extraviado, el mástil de algún contrabajo o un macetón policromado. Y, tras de los maniquíes de novias y comulgantes, tras de los bronces de la funeraria, donde el empleado de guardia dormitaba con la cabeza apoyada en algún ataúd, eran los mármoles cubiertos de escamas de peces, donde relumbraba, en fondo, la barbería de los espejos en marco dorado, entre latones de hieles, tripas y carapachos.[98] Dando un rodeo, pasó por entre los olores de polentas y tasajos, de salmueras fuertes y abadejos en penca, para evitar las luces del café

---

[97] **sus cabezas . . . polvoriento:** their heads [the color] of a dusty [red] hibiscus.

[98] **entre latones . . . carapachos:** among garbage cans of stomach-sacs, guts, and shells.

de humeantes percoladores a cuya salida lo habían arrestado la noche aquella. Por fin alcanzó la esquina de una calle obscura, cuyas ventanas llamaban por quedas voces, alzando una aldaba que era su única posibilidad en el presente. Tras de la puerta respondieron, sin prisa, los pasos de Estrella. 5

"¿Estabas perdido?" —preguntó al abrir, mirándolo con socarrona curiosidad, en tanto que el perro lo husmeaba, soñoliento, acostumbrado a no ladrar a los extraños. "Acabo de llegar de viaje" —dijo, para justificar el uso de un traje impropio de la estación y las arrugas de la camisa lavada en el grifo de la azotea, ante quien mucho alabara, 10 últimamente, sus ropas caras y ostentosas. "¿Espejuelos de sol?" —observó ella, sacándoselos con un dedo, para probarlos de cómica manera: "Se ve todo negro. ¿Esa es la moda?" — "Todavía no he comido", respondió él, mirando hacia la cocina en sombras tras del granado de ramas gachas. El perro se había echado al fondo del patio, 15 junto a un reguero de sobras tan abundantes que nada debía quedar en las ollas. Estrella trajo una botella que aún contenía algún licor. Al llegar, el hombre había estado a punto de confiarse, sin más espera, a la única persona que esta noche podía ayudarlo. Pero ahora el alcohol, bebido de prisa, le hacía considerar la situación con mayor 20 calma. Estaba oculto nuevamente. La casa que se cerraba a sus espaldas lo cubría y encubría. Faltaban muchas horas para que fuese el alba. Tenía por delante un tiempo amplio y propicio. Contaba de antemano con Estrella. Pero, antes de hablar, debía crear nuevamente el clima de intimidad que su desaparición de dos semanas había roto. 25 Ella gustaba de su manera lenta y sostenida de poseerla. La tomó de la mano, llevándola hacia la cama. "Espera" —dijo ella, apagando la luz y deslizándose a su lado, luego de quitarse la pintura de labios con un papel de seda, y cubrir, con un paño, la imagen de la Virgen. Pero él había caído en un lecho sin término. La suavidad de la almo- 30 hada, después de tanto revolverse en el jergón vencido, con tales agujeros que por ellos podía meterse un hombro; el licor, que le había dejado el cuerpo sin huesos, blando, de cera tibia; el alivio del peso de la pistola, dejado sobre la ropa; el seno ancho y cálido junto a su mejilla; los brazos de la mujer, más arrullo ahora que incitación: 35 todo lo hacía descender y descender, sin prisa, deleitosamente, sueltos los miembros, hacia el gran regazo del sueño posible . . . Cuando abrió los ojos la luz estaba encendida. Estrella, de espaldas a él, acababa de ponerse una camisa con cintas verdes en los calados. Por la luna del espejo lo miró con más indiferencia que despecho. "Ven" —dijo él. "No vas a poder" —respondió ella, pintándose la boca. Comprendido que más fácil sería conseguir que ella se desnudara de nuevo a que 5 volviera a despintarse los labios, se sentó en el borde de la cama, con gesto de cólera. No toleraba que aquella mujer, a la que había poseído tantas veces con el varonil orgullo de vencer su insensibilidad profesional, oyéndola gemir de gozo bajo su peso, lo mirara con aburrida expresión, luego de yacer a su lado, como quien abandona una tarea 10 vana. Ahora abría las puertas que mejor conducían a la calle, llamando al gato que, de un salto silencioso, se había desprendido del tejado, atisbando algo, con la cola inquieta. Ante el desgano de quien le suplicaba siempre, después del primer abrazo, que se quedara la noche entera, el hombre estalló. ¡Cómo tener la carne enardecida, en este 15 momento, si todo él no era sino un vasto clamor de hambre y de miedo! Y ahora hablaba, jadeante, necesitado de hablar, de hablar hasta enronquecer, luego de tanto tiempo sin hablar. Estrella volvió a cerrar las puertas. Se acurrucó en la otra banda de la cama, escuchando con empavorecida atención. De súbito, en un encenderse de terribles 20 luminarias, se le establecía el encadenamiento implacable de los hechos.[99] Las horribles fotografías le habían llegado por las planas de los diarios, sin que ella hubiese visto, en su estúpida cobardía de aquella vez, el comienzo de todo. Su figura se le erguía, ahora, por las palabras del otro, en los umbrales de los tiempos del miedo,[100] de la 25 soledad, del hambre, en la casa lejana donde velaban a una anciana plegada en su caja, muerta con las entrañas en espera de lo robado. Al medir el abominable alcance de lo dicho para quitarse de encima a los de la Inquisición, oía crecer la palabra que solía aplicarse a sí misma, en un desenfadado alarde de admitir la realidad, como devuelta 30 por un eco de pozos profundos.[101] No recordaba cuando se había aficionado a sentarse en las piernas de los hombres y husmearles las

---

[99] **De súbito . . . hechos:** Suddenly, in a terrible flash, the implacable chain of events became clear to her.

[100] **Su figura . . . miedo:** She could imagine herself now, through the words of the other [*el acosado*], on the threshholds of the times of fear.

[101] **Al medir . . . profundos:** As she calculated the abominable significance of what she had said in order to get rid of the Inquisition, she heard louder and louder the word which she frequently applied to herself, in a defiant show of admitting the truth, as if [it were being] returned in an echo from deep wells.

camisas olientes a sudor y a tabaco, sabiendo seguro el mañana cuando dos brazos duros se buscaban bajo su cintura para ceñirla mejor. Hablaba de su cuerpo en tercera persona, como si fuese, más abajo de sus clavículas, una presencia ajena y enérgica dotada, por sí sola, de los poderes que le valían la solicitud y la largueza de los varones. Esa presencia actuaba, de pronto, como por sortilegio, alentando prolongadas asiduidades por gentes de ámbitos distintos,[102] donde la vida tenía otros ritmos y otras finalidades. No acertaba a explicarse lo que estudiaba éste, aguardaba el otro, añoraba aquél. Ella era inmovilidad y espera, lugar sabido, entre tantos hombres de domicilios ignorados que parecían corporizarse al doblar la esquina de su calle, cuando venían, para diluirse luego en la ciudad hasta su próxima aparición. Su cabeza desempeñaba un papel secundario en la vida sorprendente de una carne que todos alababan en parecidos términos, identificados en los mismos gestos y apetencias, y que ella, subida en su propio zócalo, pregonaba como materia jamás vendida, de muy difícil posesión real, arrogándose derechos de indiferencia, de frigidez, de menosprecio —exigiendo siempre, aunque se diera en silencio cuando la apostura del visitante o la intuición de sus artes le parecían dignas de una entrega egoísta que invertía las situaciones,[103] haciendo desempeñar al hombre el papel de la hembra poseída al pasar. Su cuerpo permanecía ajeno a la noción del pecado. Se refería a El,[104] desintegrándolo de sí misma, personificándolo más aún cuando aludía al lugar que lo centraba, como hubiera podido hablar de un objeto muy valioso, guardado en otra habitación de la casa. "Se peca con la cabeza" —había oído decir en un sermón, mal escuchado después al advertir que unas gotas de agua bendita sacaban tintas negras del encaje de su mantilla, regalada como legítima. Pero su cabeza poco tenía que echarse en cara, puesto que actuaba en función del único oficio que podía desempeñar con merecimiento de sueldo, correcta en sus tratos, puntual en sus compromisos, generosa ante la necesidad

---

[102] **Esa presencia . . . distintos:** That presence [i.e. her body] acted suddenly as if by magic, inspiring prolonged attentions from people of differing circumstances.

[103] **exigiendo . . . situaciones:** always demanding, although she might give herself in silence when the good looks of the visitor or her professional intuition made it seem worth a selfish surrender which inverted the situations.

[104] **El:** i.e. su cuerpo.

ajena o el desvalimiento de una semejante. Las mismas vecinas del frente, mujeres casadas por la Iglesia, la tildaban de más señora que algunas dadas de honestas,[105] sacándola de ejemplo en sus comadreos de mal hablar. Se jactaba de su franqueza, calificándose, por lo mismo, de lo que se definía con la más justa palabra. Pero ahora, al saber de aquel miedo, de aquel hambre, de aquella soledad en agonía, la palabra se hinchaba de abyección. Ya no eran cuatro letras livianas las que le venían a la boca, luego de saber; era la Palabra innoble, cargada de purulencias y lapidaciones; el insulto rodado, desde siempre, por calabozos, letrinas, hospicios y vomitorios. Un indicio, dado para desviar una amenaza sin mayor gravedad —amenaza que, de cumplirse, más hubiera afectado su comodidad que su persona— había hecho de ella una puta. Una puta, no por los actos de su carne, sino por el desleal comportamiento que la gente respetable, las mujeres de un solo hombre, solían atribuir a las de esa condición. Esta vez había pecado con la cabeza, y tales eran los males desencadenados por su pecado, con la cabeza, que la Palabra le era gritada por voces del Infierno, sobre la inocencia del cuerpo estremecido de horror . . . Cuando el otro, sudoroso, jadeante, repitiéndolo en tono cada vez más alto para mayor afirmación de que era sincero, le contó de sus rezos e imploraciones, de la portentosa novedad de Dios en su vida, Estrella se quebró en un sollozo. Fue él, ahora, quien la tomó en brazos, acostándola a su lado. Antes de apagar la luz, le quitó la pintura de labios con un trozo de papel de seda.

Estrella, ahora, no volvía a pintarse los labios. Con un pañuelo untado de alcohol se limpiaba el rostro, de espaldas a él. Sin afeites, sus ojos se ahondaban en la piel mate, algo terrosa, de los crecidos en el humo del carbón de leña,[106] bajo un pelo espeso, hincado de peinetas. Sacó del armario su vestido negro de visitar las estaciones en Semana Santa y los zapatos teñidos de negro, que guardaba en previsión de pésames y velorios. Royendo un mendrugo mojado en la salsa fría de una olla —todas las sobras habían sido echadas al perro— el hombre sentía un inesperado sosiego, luego de haberla

---

[105] **la tildaban . . . honestas:** said she acted more like a lady than some who pretend to be virtuous.

[106] **de los crecidos . . . leña:** of those who have grown up in the charcoal smoke [of a poor household].

poseído. "Más que comida, era lo que me hacía falta" —pensaba. Y volvía a describirle la casa,[107] insistiendo en los detalles. La mujer no conocía aquel barrio distante, por el que sólo había pasado alguna vez, viniendo del Jardín Zoológico, donde se asombrara ante unos animales muy raros. Además, todo lo que estaba situado fuera de su 5 ámbito parroquial le era tan ajeno como lo que se hallaba en la otra orilla de la bahía o más allá de las fortalezas antiguas. Hablaba de barrios llamados Orfila, el Nazareno, Palatino, como si se tratara de ciudades remotas en cuyas calles pudiera un hombre andar extraviado, perdido el rumbo, durante días. Sus caminos conocidos se tendían 10 de iglesia en iglesia, cuando recorría las estaciones de la Semana Santa. La *visitaban*; ella no visitaba a casi nadie. Por lo mismo, era necesario fijarle la imagen[108] en la mente: de las cuatro esquinas[109] era la del jardín y las rejas altas. Dos pisos: los portales con toldos verdes y mecedoras de niños. Había estatuas pintadas de blanco en los canteros 15 de gladiolos y margaritas. Se veían desde la calle: una mujer, envuelta en un velo, con una manazana en la mano. ("¿Eva?" —preguntó ella); la otra, con una lanza y un casco, como un militar. (Antiguamente las mujeres peleaban como los hombres: su abuelo se lo había contado.) Y dos leones, uno a cada lado de la entrada, con una argolla negra 20 en la boca. (Como los del monumento que se alzaba a orillas del mar: el del águila sobre columnas.) No se llamaba por aldaba (como aquí), sino tirando de una cadenita que colgaba junto a la puerta, a la derecha. Tampoco se insistía demasiado[110] (como aquí), sino que se esperaba un poco cada vez. (¿Se creería él que era tan desconocedora de los 25 buenos modales?) Tenía que entregar la carta al Alto Personaje. Y exigir una respuesta sin evasivas. Darse por muy enterada de la Gestión, para comprometerlo más: tono cortés, pero firme, de mujer dispuesta a esperar toda la noche si fuese necesario En caso de impaciencia del otro adoptar el acento ambiguo, irónico, inquietante, 30 de quien mucho sabe. Si encontraba resistencia en ser recibida; si el camarero de uniforme blanco iba y venía, invitándola a regresar mañana, hablar de *una desgracia*, sin ir más allá: las malas noticias abren puertas. Si el Alto Personaje había salido, tratar de quedarse en el pequeño salón, de estilo español. (¿Habría entendido lo del arcón 35

---

[107] **la casa:** la casa del Alto Personaje.
[108] **la imagen:** i.e. de la casa que va a buscar ella.
[109] **de las cuatro esquinas:** i.e. después de pasadas cuatro esquinas.
[110] **Tampoco se insistía demasiado:** And you shouldn't ring too long.

tallado y las dos armaduras de guanteletes al descanso sobre las empuñaduras de los mandobles?)[111] Y si no la dejaban estar allí, esperar afuera, junto a la verja. Debajo del álamo había un banco muy conocido por los solicitantes. De las cuatro esquinas era la del jardín y las rejas altas . . . Cuando Estrella se volvió hacia él, de rostro limpio, enlutada, sin más adorno que una medalla religiosa pendiente de una cadenilla, tuvo ganas de reir al encontrarla, de pronto, tan parecida a cualquier alumna de la Academia de Corte y Costura. "Pareces una señora" —dijo, dándole el billete nuevo que guardaba en la hebilla del cinturón. Y, mirando entre las persianas, vio como llamaba un auto de alquiler. Eran las ocho. Aquella gente comía tarde. Al quedar solo en la casa se sintió seguro, cobijado, dueño de la noche, cuyas horas lo acercaban al término de las angustias. Se vistió lentamente, dando manotazos al traje, para tratar de devolverle alguna línea. Sobre el patio se espesaban las nubes, tintas de rojo-morado por las luces de la ciudad. Más allá, tras del granado, era el comedor de la alacena vacía, con su hule a cuadros, y, en las paredes, los platos ornados de góndolas y castillos, gatos que jugaban con ovillos de lana, bahías de Nápoles y herraduras sobre rosas. Bebió el licor que quedaba en la botella, repitiéndose el texto de la carta que, a falta de mejor papel, había escrito sobre uno de esos pliegos pautados en azul que se venden al menudeo, con dos sobres, por si se emborrona la dirección del primero. Quiso hacer algo para poner las circunstancias a su favor, rogando porque el destinatario estuviese en la casa, la emisaria fuese recibida en el acto y regresara con alguna noticia liberadora. Tomó el librito de la Cruz de Calatrava, llevado en el bolsillo como objeto de buen augurio, y se arrodilló ante el San José ornado de rosarios, tenuemente alumbrado por una luminaria, que estaba en el último cuarto, recitando a media voz la oración del Mediador entre Dios y los pecadores miserables: "Poderosísimo patrono y abogado nuestro, a quien Dios, como a Moisés, escogió no para guardar una arca material, sino para custodiar la verdadera Arca del Testamento, María, en cuyo vientre purísimo tomó carne humana el supremo legislador Jesucristo . . . " Al terminar tuvo la duda de si había contado nueve o diez plegarias, y se impuso once recitaciones más. Pero como alguien llamara a la puerta —un cliente de Estrella,

---

[111] (**¿Habría . . . mandobles?**): (Can she have understood the business about the large carved chest and the two suits of armor with their gauntlets resting on the hilts of their two-handed swords?)

sin duda— apagó todas las luces y quedó agazapado en tinieblas, atento a los ruidos de la calle, donde se iba apretando, por momentos, el tránsito de carga hacia el mercado. Durmió un poco; o tal vez no; pero aquel cartabón que buscaba su mano no podía sino venirle de un sueño muy corto, con el cuerpo mal arrimado a la pared. No había tal cartabón. Pasaron varios camiones. Y, después de larga espera, cuando la confianza se le iba enturbiando de impaciencia, las voces de una áspera discusión, frente a la casa, lo irguieron en un sobresalto. Estrella trataba de aquietar a un hombre que la interpelaba a gritos, burlonamente, para hacerse oir de los transeúntes a quienes tomaba por testigos. Sonó la cerradura, y la mujer entró de carrera blandiendo el billete nuevo que él le hubiera entregado para pagar el auto. "El chófer dice que es malo. Yo no tengo . . ." Ahora la aldaba golpeaba la puerta, hallando potentes ecos en las habitaciones del fondo. "Dice que los billetes que tienen el General con los ojos dormidos son malos. Yo no tengo. Hoy pagué la casa." El acosado tomó el billete y se dio a examinarlo, estupefacto, estirándolo a la luz, volviéndolo, mirando y remirando, mientras el de fuera seguía con sus gritos y burlas. "Yo nunca doy escándalos" —gemía Estrella. "Soy persona de orden." Un policía se acercaba sin prisa a la puerta que seguían atronando a aldabonazos. "Vete: yo voy a arreglar esto" —dijo la mujer, señalando el último cuarto donde, al lado del San José de los rosarios, una ventana daba sobre un solar yermo. Mientras él regresaba a las sombras, la puerta volvió a abrirse y se oyó un confuso coloquio. El del auto, aplacado, había aceptado el trato y daba excusas, ahora, por haber alborotado de tal manera, contando sucedidos de dineros falsos, pasados de noche para mejor engaño. Luego, fueron cuchicheos y risas. Y, de repente, la voz de Estrella, en tono exageradamente fuerte, para ser oída hasta más allá del patio: "Te digo, mi amor, que estamos solos en la casa; si quieres, mira." Hostigado por la advertencia, el acosado pasó una pierna por sobre el marco de la ventana y saltó a la obscuridad. Cayó, resbalando, en un montón de papeles mojados, revueltos con frutas podridas, plumas, ostras —desechos del mercado que mañana, tras de los perros, revolverían los buitres. Y tal fue su cansancio, de pronto, que permaneció un tiempo allí, inmóvil entre cáscaras frías y escamaduras, sin resolverse a andar. Caída de arriba, una colilla arrojada por el hombre le hincó la mano con sus briznas encendidas. Era algo raro, con su aldeano papel de maíz, del que ya fumaban muy pocos. Sacado de su inercia por el dolor, se puso de pie, inseguro del rumbo. Buscó sus anteojos obscuros: habían quedado sobre una mesa de mimbre trenzado, cerca de la cama de Estrella —lo recordaba. Los faros de un auto que doblaba la esquina hicieron correr su sombra a lo largo de la pared.

Ahora se afanaba en desmanchar su traje azul junto a la vieja fuente —bebedero de caballos y de mulas en el tiempo de los carretones que bajaban a la ciudad, a prima noche, al ritmo de un cansado cabecear de cascabeles. A falta de estopa, frotaba la tela con un puñado de paja, mojada en el agua todavía tibia de sol. Pero le pareció, en el momento, que unos cargadores lo observaban demasiado. A pesar de que nada podía temer de tal gente, se alejó por una calle sucia de tronchos de col caídos al arroyo, de frutas pisoteadas sobre las rejas de las cloacas. El camino hacia la casa de la Gestión, aun evitándose todo rodeo, era largo. Lo pensaba en valores de árboles, por necesidad de sombras; y de montes, por descorazonamiento ante las cuestas, como si se tratara de una interminable ruta en despoblado.[112] Estuvo por tocar a la puerta de Estrella, para hacerla asomar; pero recordó que cuando estaba con alguien apagaba todas las luces del frente y no respondía a las llamadas, sabiendo que algunos, capaces de volver más tarde si la creían en diligencias de barrio,[113] tenían escrúpulos en yacer en sábanas todavía calientes de otro. Por lo demás no podía confiarse al azar de que la mujer despachara prontamente al del auto, ya que éste abusaría de lo dado en pago, permaneciendo, acaso, hasta pasada la medianoche. Era preciso, pues, llegar *allá* cuanto antes, y saber, saber por fin, de una vez, sin aplazamientos ni evasivas, si mañana terminaría la noche que duraba desde hacía tanto tiempo. Bien poco pedía él: un visado, algún dinero, y gente —eso: ¡gente!— que lo rodeara en el último momento. Aquel a quien hablaría ahora era Hombre de Palacio.[114] Se le había librado de un adversario temible con un libro enviado por correo que explotó al ser abierto. Había sido preciso conseguir un volumen espeso, fuertemente encuadernado, en cuyo papel pudiera cavarse una suerte de fosa —*Antología de*

---

[112] **Lo Pensaba . . . despoblado:** He thought of it [the way] in terms of trees—because of [his] need of shadows—and of mountains—because of his dejection at [the prospect of having to climb] the steep inclines—as if it were a matter of an interminable route through the countryside.

[113] **capaces . . . barrio:** [who] would come back later if they thought her [only] out on an errand in the neighborhood.

[114] **Hombre del Palacio:** high government official.

oradores: de Demóstenes a Castelar,[115] en edición madrileña, de comienzo del siglo, con tapas de becerro. La máquina infernal se colocó muy exactamente entre Cicerón y Gambetta.[116] Desde entonces, el preparador del tomo había caído con los otros, sin denunciar —o "cantar", como llamaban a eso. Sólo él —sobreviviente que andaba entre las 5
cortinas de hierro de una tortuosa calle de tiendas cerradas— conocía el secreto del envío. Para constancia, conservaba oculta la boleta del paquete certificado, remitido con falso nombre. Recordándolo[117] si fuera necesario; amenazando con enviar su copia a los periódicos, con amplio escrito aclaratorio, obligaría al Hombre de Palacio a actuar 10
sin más demoras. "No salgas de donde estás y espera" —le habían mandado a decir. Pero la espera era cumplida en demasía, y una muerte, venida a su encuentro, acababa de arrojarlo del Mirador. Pensó, en aquel instante, que algunos males por bien le venían.[118]
Aquella muerte de la vieja era, tal vez, el último acto de bondad que 15
debía a quien lo hubiera nutrido, un tiempo, con la leche de sus pezones . . . Apretó el paso, con un renuevo de valor, pensando que había sido tonto despachar a Estrella para pedir lo que él, mejor que nadie, tenía el derecho de pedir. Desembocó a la amplia avenida de doble hilera de árboles, donde velaba la estatua del Rey Español,[119] 20
con peluca, toisón y terciopelos de mármol, entre columnas de gran época, que, junto a las columnas embadurnadas de anaranjado y azul, de los portales vecinos, parecían los restos señeros de un triunfo antiguo, en medio de los tornasoles y ocurrencias de una arquitectura repostera y cuarterona.[120] Pasó frente a la altísima flecha gótica cuyos 25
arbotantes se abrían sobre una tienda de caracoles y amuletos para ritos negros, y, cruzando por el portal de la Gran Logia, esquivó las hoces del Partido, cuya Central[121] permanecía iluminada para alguna

---

[115] **de Demóstenes a Castelar:** Demóstenes (384–322 a. de J.C.), el más ilustre de los oradores de Atenas; Emilio Castelar (1832–1899), famoso orador, presidente de la República Española desde 1873 hasta 1874.

[116] **Cicerón y Gambetta:** Cicerón (106–43 a. de J.C.), célebre orador y escritor romano; Léon Gambetta (1838–1882) orador y político francés.

[117] **Recordándolo:** By reminding him

[118] **que algunos . . . venían:** that some of his misfortunes were turning out to be blessings.

[119] **estatua del Rey Español:** estatua de Carlos III en la Habana.

[120] **en medio de . . . cuarterona:** amid the brilliant colors and extravagances of an over-ornate and shabby architecture.

[121] **cruzando . . . Central:** crossing through the colonnade of the Grand [Masonic] Lodge, he avoided the sickles of the Party whose Headquarters.

reunión de célula. Apurando el andar, recordó que de eso también había renegado, a poco de llegar de Sancti-Spiritus, y buscó una útil excusa en el gesto de persignarse ante la Virgen de un zagúan. Más allá eran las rejas severas del Jardín Botánico, con sus canteros 5 empavesados de términos latinos, bajo árboles enfermos de orquídeas; sus Victoriarregias abiertas sobre aguas dormidas, entre malangas gigantes, moteadas de luces frías por los focos del alumbrado. Detrás, pintada en negro sobre nubes rojizas, se alzaba la prisión sobre su colina de empinadas laderas, afincada en contrafuertes de vieja fortaleza 10 española, semejante a las que, en estas islas, edificara —a demanda del Campeón del Catolicismo[122]— un arquitecto militar italiano,[123] grande de ingenio en ocultar mazmorras, corredores y celdas secretas en las entrañas de la piedra. El fugitivo se estremeció al recordar que era allí —cerca de la cuarta atalaya, junto a la tronera de los gritos— 15 donde, no hacía tanto tiempo, su carne más irreemplazable se había encogido atrozmente ante la amenaza del tormento. Como los árboles se espesaban, buscó sus sombras para librarse del abominable recuerdo. Se detuvo, sin resuello, al pie de la colina de la Universidad, en cuyas luces bramaban los altavoces. La iluminación, inhabitual a esa hora, 20 le recordó las representaciones dramáticas dadas por los de Literatura,[124] que se ofrecían, de tiempo en tiempo, en el Patio de las Columnas. Centenares de espectadores asistían, sin duda, a alguna tragedia interpretada por estudiantes vestidos de Mensajeros, de Guardas y de Héroes. El acosado midió, en aquel instante, lo corto que le había 25 sido el tránsito entre aquel edificio de altos peristilos, con el HOC ERAT IN VOTIS que podía leerse a distancia, bajo alegorías del Saber, y la fortaleza expiatoria, tenebrosa, donde le tocara vomitar abyectamente —"cantar", llamaban a eso— lo aprendido de hombres encontrados, mal encontrados, en los pasillos de las Facultades. 30 Bramaron los altavoces en alterado diapasón de Atridas,[125] y bramó el Coro una estrofa que detuvo al fugitivo a la orilla de una cuesta yerma, erizada de espinos: *Las imprecaciones se cumplen; vivos están*

---

[122] **(el) Campeón del Catolicismo**: i.e. Felipe II, Rey de España desde 1556 hasta 1598.

[123] **un arquitecto militar italiano**: el arquitecto italiano de las fortalezas La Punta y El Morro, Juan Bautista Antonelli.

[124] **los de Literatura**: i.e. los estudiantes de la Facultad de Filosofía y Letras.

[125] **Atridas**: nombre que se da a los descendientes de Atreo en leyendas griegas, particularmente Agamemnón y Menelao. Fue distinguido Atreo por su odio contra su hermano.

los muertos acostados bajo tierra; las víctimas de ayer toman en represalias la sangre de sus asesinos . . . [126] La brisa, girando, se había llevado las palabras. El hombre se sentó en el borde de la acera, al amparo de un álamo copudo que arrojaba semillas negras sobre el cemento levantado por sus raíces. Todo había sido justo, heroico, sublime, en el comienzo: las casas que estallaban en la noche; los Dignatarios acribillados en las avenidas; los automóviles que desaparencían, como sorbidos por la tierra; los explosivos que se guardaban en casa, entre ropas perfumadas con mazos de albahaca —junto a los impresos traídos en cestas de panadería o en cajas de cerveza cuyas botellas habían quedado reducidas al gollete.[127] Eran los tiempos de la sentencia pronunciada a distancia,[128] del valor sin alarde, del juego a vida o muerte. Eran los tiempos de la ejecución deslumbrante, cumplida por un emisario de sonrisa implacable, hallada al abrirse un libro, al recibir un presente de Pascuas, envuelto en papeles ornados de muérdagos y campanas. Eran los tiempos del Tribunal . . .

(. . . aunque haya tratado de encubrirlo, de callarlo, lo tengo presente, siempre presente; tras de meses de un olvido que no fue olvido — cuando volvía a encontrarme dentro de la tarde aquella, sacudía la cabeza con violencia, para barajar las imágenes, como el niño que ve enredarse sucias ideas al cuerpo de sus padres—; tras de muchos días transcurridos es todavía el olor del agua podrida bajo los nardos olvidados en sus vasos de cornalina; las lucetas encendidas por el poniente, que cierran las arcadas de esa larga, demasiado larga, galería de persianas; el calor del tejado, el espejo veneciano con sus hondos biseles, y el ruido de caja de música que cae de lo alto, cuando la brisa hace entrechocarse las agujas de cristal que visten la lámpara con flecos de cierzo.[129] El monje del higroscopio suizo está orando en su reclinatorio, con la capucha medio puesta,[130] pues cayeron algunas

---

126 ***Las imprecaciones . . . asesinos . . .*:** línea 1419 y siguientes del *Electra* de Sófocles, dramaturgo griego.

127 **cajas . . . gollete:** in fake cases of beer whose bottles were nothing more than necks sticking out.

128 **sentencia pronunciada a distancia:** i.e. sin beneficio de juicio legal.

129 **flecos de cierzo:** wintry fringe; i.e. glass prisms.

130 **El monje . . . puesta:** The [little figure of the] monk on the Swiss barometer is praying at his prie-dieu with his hood half on [thus indicating a rise in humidity].

gotas de lluvia cuando entrábamos. Sabemos todos lo que aquí va a decirse; sabemos todos que serán usadas las armas, ya cargadas, que están tras de la mampara. Y sin embargo, se tiene esto por necesario, para poder acabar de una vez, con manos más firmes. Son los tiempos 5 del Tribunal. Oigo el gorjeo de los pájaros en su jaula de barrotes dorados, que tiene cimborrios de filigrana y puertas de vidrio, y veo las tortugas que bostezan lentamente, sacando la cabeza del estanque de aguas turbias. Todo cobra una enorme importancia, en aquel instante del tiempo suspendido —todavía suspendido, como si todo lo que 10 hubiera ocurrido después le fuese anterior. Entran y se sientan, tras de la mesa, los de Derecho que oficiarán de jueces, y entra el acusado fumando una breva cuya ceniza trata de conservar lo más posible, en alarde de una calma que no se empareja con su palidez y el no saber qué hacer con las piernas. El Fiscal, que se ha puesto 15 corbata obscura donde todos aguardan en mangas de camisa, habla ahora del atentado al Canciller:[131] estaban estudiados sus itinerarios, elegido el lugar de la ejecución, dispuesto el apostadero de hombres con los periódicos abiertos o cerrados, señalando el más favorable camino para la fuga; los transformadores de carrocerías, con sus so- 20 pletes, sus aerógrafos, sus pinturas al éter, devolverían un auto desconocido,[132] aquella misma noche. Fue entonces cuando los imaginativos propusieron la galería subterránea. Y tanto era el deseo de acabar de una vez —de hacer volar al hombre con todos sus dignatarios— que empezó a cavarse un túnel partiéndose de las laderas del río, 25 hacia el panteón de familia, cuyo ángel blanco, de anchas alas abiertas, tenía las manos unidas en plegaria. Debajo de la última bóveda vacía colocaríamos las cargas destinadas a ser percutidas cuando alguien pronunciara el panegírico. Trabajábamos de noche, hundiéndonos un poco más, cada vez, en la tierra arcillosa, hedionda a albañales. 30 Cuando supimos, por los basamentos atacados a pico, que ya estábamos debajo de las tapias del cementerio, el hedor era tan atroz que algunos cavadores se desmayaban, y tenían los de Medicina que reanimarlos con pócimas preparadas por los de Farmacia. Proseguía el horroroso relevo hasta el alba, cuando los primeros gallos de los 35 pescadores terminaban con aquel oficio de tinieblas,[133] que alargaba

[131] **(el) Canciller:** i.e. el Presidente del Senado.

[132] **los transformadores . . . desconocido:** the men who transformed car bodies with their blowtorches, their spray guns, their quick-drying paints, would return an unrecognizable car.

[133] **oficio de tinieblas:** alusión irónico a la ceremonia de las *Tenebrae* (tinieblas) que se celebra durante Semana Santa.

lentamente su camino, bajo cruces y capillas, hacia el ángel blanco tomado por norte[134] . . . "¡Defiéndete!" —grito yo, cuando el Fiscal señala al Delator, cuyas palabras habían malogrado aquel trabajo magno, costándonos varias vidas. "¡Defiéndete!" —gritan todos, invocando la ignorada razón, la coerción intolerable, la imposible sorpresa, que pudieran dejar[135] las armas en la cama del cuarto de mamparas —inertes las palas, al pie del tronco más espeso. Pero el agobiado se encoge de hombros, y sus espaldas vencidas de antemano vuelven a aceptar lo que tanto sabíamos . . . La palabra "muerte" es pronunciada. Y luego de lo dicho, del verbo que es término, de la palabra que es desplome de creación, se alarga el silencio. Silencio ya en *lo después*. En lo que ya dejó de ser; pálpito y movimiento que ya saben del hierro arrojado a la rueda maestra,[136] de la tierra que caerá sobre la todavía caliente inmovilidad de lo detenido. El cuerpo presente —presente ya ausente— se desprende el reloj de la muñeca, sin prisa, porque ya se sabe fuera del tiempo; le da cuerda, por hábito conservado por el pulgar y el índice de su mano derecha; lo deja sobre la mesa, legándolo a otro, y mira, por última vez, las agujas de una hora que no terminará para él. Es cuerpo que me maravillaba en las duchas del Estadio, cuando volvía de ser aclamado, sudoroso, sucio de mataduras, con olor a bestia, y caían las felpas que envolvían los pelajes de su lomo. Quería, para mi propio cuerpo, esos dorsales que tan blandamente se movían sobre su osamenta; ese vientre que se recogía entre las caderas, hasta apretarse en negruras; esas piernas alargadas por el salto, que corrían hacia el agua, bajo un pecho que acababa de soltar un sobrante de energías, cantando y gritando. Y eran palabras horrendas mientras se enjabonaba la cabeza, proclamando que aun le quedaban ganas de hembras, de músicas, de licor. Podían escribirme los intelectuales de mi provinicia —asiduos contertulios de la sastrería, contempladores de la fuente a cuya sombra meditara Heredia—, que los músculos eran necios y grande el espíritu. Yo envidiaba aquella carne ceñida a su contorno más viril,[137] que vivía entre nosotros, inalterada por sus propios excesos, levitada por la garrocha, volando sobre los obstáculos, arrojando jabalinas de

---

134 **el ángel . . . norte**: the white angel used as a goal.

135 **gritan . . . dejar**: they all shout, demanding to know the unknown reason [for his betrayal, what] intolerable tortures [were used, hoping for] some unexpected excuse which would allow them to leave.

136 **pálpito . . . maestra**: palpitation and movement that already know the steel [bullet] hurled at the master balance-wheel (i.e. the heart).

137 **aquella carne . . . viril** that muscular flesh of his more virile shape.

guerrero antiguo. Ahora, una miserable espalda se redondeaba allí, frente a los Jueces, como contando sus postreros latidos. Y hay que levantar la mano y sentenciar. Son dos, cinco, no sé cuantas manos. La mía permanece inerte, colgante, buscando un pretexto para no 5 alzarse en el lomo de un perro que mece la cola al pie de mi silla. "¡Defiéndete!" —digo aún, con voz tan queda que nadie la oye. Y es, en la espera de todos, mi codo que al fin se mueve, elevando dedos cobardes al nivel de otros muchos. Todos abrazan al sentenciado sin mirarle la cara. Recogen sus armas los ejecutores. Y, poco después, es una 10 descarga al pie del árbol de tronco más espeso. Me asombro ahora, ante lo que yace, de lo simple que es tronchar una existencia. Todo parece natural: lo que se movía, dejó de moverse; la voz enmudeció en la bocanada de sangre que ya viste, como un esmalte compacto, el mentón sin rasurar; todo lo que pudo sentirse fue sentido, y la 15 inmovilidad sólo ha roto un ciclo de reiteraciones. "Era necesario" —dicen todos, con la conciencia en diálogo, buscándose en la Historia.[138] Y se dispersan en la noche, sin tener ya que esconderse, que desconfiar de las sombras, pues los tiempos cambiaron, repitiendo con tono cada vez más alto que *eso* era necesario para entrar con mayor pureza 20 en los tiempos que cambiaron. Y el diapasón se alza, mientras más lejos les queda el cadáver . . . Duermen los pájaros bajo sus cimborrios de filigrana; las tortugas siguen sin moverse, sacando la cabeza del estanque turbio. El fraile del higroscopio suizo ha bajado la capucha —lo recuerdo—, pues cayeron algunas gotas de lluvia, pronto sorbidas 25 por las tejas resecas. Sobre el árbol de tronco más espeso se detienen las moscas, buscando los plomos que traspasaron. En una de sus ramas, con secos graznidos de ave nocturna, canta un sapo. Eran, aquéllos, los tiempos del Tribunal . . .)

. . . los tiempos del Tribunal, pues hacía dos, tres años, entonces, 30 que la exasperación hubiera desatado lo terrible a la luz del sol, emplazando y derribando,[139] en un desencadenamiento de furias expiativas que se volvían, implacables, contra los débiles y los delatores. Pero, luego de lo necesario, de lo justo, de lo heroico; luego de los tiempos del Tribunal, fueron los tiempos del botín. Librados de represalias,

---

[138] **buscándose en la Historia**: looking for historical precedents.
[139] **pues . . . derribando**: it had been two or three years then since anger had unleashed terrible things to the light of day, dooming and overthrowing.

los descontentos se dieron a la explotación del riesgo, por bandas, partidas armadas, que traficaban con la violencia, proponiendo tareas y exigiendo premio, para volver a desatar las furias a la luz del sol, en provecho de éste o aquél. La misma policía huía de esos Temibles, a sueldo de protectores poderosos, para quienes siempre tenían fisuras las murallas de las prisiones. Todavía se afirmaba que aquello era justo y necesario; pero cuando el arrojado del Mirador, el sentenciado de ahora, regresaba de una empresa, tenía que beber hasta desplomarse, para seguir creyendo que lo hecho hubiera sido justo y necesario. Se había puesto precio a la sangre derramada, aunque ese precio se fijara en términos de revolución. Y al recordar el uso hecho, en aquellos días, del vocablo encubridor,[140] el hombre sentado en la acera crispó la mano que hubiera pedido una muerte.[141] Miserable era ahora su espalda que se redondeaba en la sombra de los álamos, temerosa de ver encenderse en la noche la mirada de los ejecutores . . . (Cargadas están las armas en alguna parte, como las que descansaban en la cama aquella, tras de la mampara, acoplados los gatillos, las culatas, las bocas, con las balas puestas antes de pronunciarse la sentencia. "Defiéndete" —dije. Pero dije sin querer que fuese oída mi voz. Dije para mí; para poderme decir que había dicho. Llego a preguntarme ahora si dije, o sonó en mí el eco de lo dicho por los otros. Y aquel tránsito, esquivando su mirada, hacia el tronco más espeso que mudaba de corteza —lo recuerdo— como éste que ahora pone en mis uñas un olor a almendras amargas. En una de sus ramas ha cantado un sapo, como la tarde aquella; como la tarde aquella, en que me creí autorizado a sentarme a la derecha del Señor . . .) Estaba asqueado, con náuseas de todo lo vivido desde entonces; con ansias de arrastrarse al pie de un confesionario para clamar que nada había sido necesario; para vomitar tales culpas que le impusieran penas excepcionales, las más terribles que la Iglesia hubiera instituido, complaciéndose en la idea de que tales penas existían para quienes pudieran volcar abominaciones semejantes a las suyas. Se tiró de bruces entre las raíces del álamo —tan bruscamente que sus dientes, al topar con algo, le pusieron en la boca el sabor de su sangre— al ver que dos hombres bajaban lentamente la acera en cuesta, hacia donde las sombras lo resguardaban "Un borracho" —dijo el mayor, inclinándose un poco.

---

[140] **vocablo encubridor**: cover-up word (i.e. la revolución).
[141] **hubiera pedido una muerte**: had voted for a death sentence.

"Puede haber muerto de un ataque" —opinó el que no quería mirar. "Ya lo recogerán mañana." Los dos transeúntes se alejaron hacia la avenida. También para ellos era la muerte algo fácil. Un cadáver, tieso, se hace una cosa de llevar o traer; algo molesto, porque mucho
5 pesa y mal se deja cargar, aunque no se le pueda dejar así, en la calle, por una cuestión de *forma*. Tiene de gente y evoca, por su contorno, un cierto transcurso que debe cerrarse debajo de las raíces y no encima.[142] "Ya lo recogerán mañana" —repitió el mayor, ya lejos, como para eximirse del deber de avisar. El fugitivo se levantó,
10 sacudiendo las hormigas rojas que le corrían dentro de las mangas. Sus hincadas lo espolearon a andar. Se detuvo, a poco, para cerciorarse de si aquellos pasos, que sonaban en la otra acera, eran los suyos. La brisa, pasada de sur a norte, volvía a traer el bramido de los altoparlantes, con sus coros de mujeres, en el que se destacaba, por lo agudo
15 del timbre, la voz de una estudiante de Farmacia que le era conocida: *Volved pronto al vestíbulo para terminar con el segundo asunto, así como habéis hecho con el primero.* Y respondía un hombre: *No temas, que sabremos rematar la tarea. —Pero pronto: ¡por el camino que quieras!* —aullaba, apremiante, alguna Electra. Tenía razón la voz. Era preciso
20 apresurarse y llegar allá cuanto antes, por cualquier camino. Tampoco había un mal presagio en el "sabremos rematar la tarea", de la otra voz . . . Frente a él se abría, hasta el mar cerrado por nubes palpitantes de relámpagos lejanos, la avenida en descenso, donde varios Presidentes, con espesas levitas de bronce, se erguían en zócalos de granito, esta-
25 tuados en talla heroica sobre los vendedores de helados y cosas frías que sacudían sus campanillas de viático. Aquí había que andar a lo largo de las casas, pues las palmeras, de copas más altas que los más altos focos, no hacían sombra. El fugitivo alcanzó la calle obscura del café triste, con sus columnas de madera verde que remedaban un
30 toscano escuálido, y a grandes trancos llegó a la esquina donde la Casa de la Gestión, sin paredes, quedaba reducida a pilares todavía parados en un piso de mármol cubierto de piedras, vigas, estucos, desprendidos de los techos. Ya se habían llevado las rejas, y los leones que mordían argollas. Un camino de carretillas, apuntado a lo alto,
35 atravesaba el gran salón, para desembocar en un cuarto de servicio, donde varias palas se aspaban sobre un montón de restos informes.

[142] **Tiene . . . encima:** There is something human about it and it suggests, by its shape, a certain process which ought to be finished beneath the roots and not above [them].

Junto a la verja de garabatos andaluces, la Pomona[143] del jardín estaba tendida, con zócalo y basa, entre las gramas salpicadas de yesos de una platabanda. Un perro dormía bajo el aviso pintado a espesos brochazos en una duela rota: SE REGALAN ESCOMBROS.

Quedaba una pared a la última habitación; una carretilla volcada ocupaba el lugar del bargueño cuya taracea le hubiera divertido tanto, aquella vez, por sus motivos de peleles manteados y de chisperos brincando toros a la pértiga.[144] Era difícil, por lo demás, reconstituir mentalmente el moblaje de aquel despacho, cuya mesa se hubiera adornado de un tintero sin tinta, con águilas de bronce y secantes montados en cordobanes repujados. Pero el estar sentado ahí, en aquel rincón que no alcanzaba la luz de un foco cercano, bastaba para que el momento de la fisura se le hiciera muy presente. Hasta aquel momento, todo había sido arrojo, olvido de sí mismo, sagrada furia, en los terribles trabajos del escuadrón. Lo habían enseñado a falsificar placas de tránsito, a andar con dinamita, a recortar los cañones de los fusiles, cargándolos luego con dos partes de perdigones finos y una del grueso; sabía de claves y criptografías, restando al alfabeto la palabra HIPOTENUSA —elegida por no tener letras repetidas—, para disponer nuevamente los caracteres en hileras desordenadas, que respondían, así, a un orden secreto;[145] descifraba el lenguaje de los periódicos abiertos o cerrados, y había hundido el pico en la greda hedionda a albañales, amasada con podredumbre de ataúdes, de aquella galería que debía alcanzar la bóveda del Canciller —por debajo del cementerio de los pobres de solemnidad— para hacer volar en sus funerales a todos los aborrecidos. "Bien muerto, el perro" —solía decir, en aquellos tiempos, con encono, al paso de ciertos entierros presurosos, cuyos enlutados andaban con miedo por entre las tumbas, mirando, desconfiados, hacia el tronco de los cipreses. "Bien muerto, el perro" —repetía, ante las esquelas orladas en negro, de los perió-

---

143 **Pomona**: deidad griega de los frutos y jardines.

144 **del bargueño . . . pértiga**: of the desk which had so interested him that time with its inlaid designs of mardi-gras dummies being tossed in blankets and ruffians pole-vaulting over bulls.

145 **restando . . . secreto**: removing from the alphabet [the letters of the] word HIPOTENUSA—chosen because it had no letters repeated—in order to rearrange the letters in jumbled rows which thus corresponded to a secret arrangement.

dicos, cuyos *Requiescat-in-pace*[146] le parecían demasiado indulgentes . . . Y un día le tocó disparar a su vez; era en la ancha avenida de los Presidentes de Bronce. El emplazado parecía feliz en el frescor mañanero, haciéndose llevar por[147] el camino del puerto para gozar de la
5 brisa: sus dedos tamborileaban una melodía en el metal de la portezuela verde. Un rubí le enjoyaba el anular. Los perseguidores se acercaban a la justa velocidad, levantando las armas del piso del automóvil, sin que los cañones se entrechocaran. "Quita el seguro"[148] —le advirtió el de la derecha, sabiéndolo bisoño en la tarea. La nuca, a poco, se le
10 colocó tan cerca que hubieran podido contarse las marcas dejadas en ella por el acné. Luego fue un perfil; una cara empavorecida, dos ojos suplicantes, un aullido y una descarga. El auto acribillado se arrojaba con estruendo de chatarra sobre una de las proas de galeras que flanqueaban el monumento a los Héroes Marítimos, mientras los
15 perseguidores huían por una avenida transversal. "Bien muerto, el perro." Pero aquella noche, sin embargo, le había sido necesario beber hasta aturdirse y caer atontado en la cama de Estrella, para olvidar la nuca marcada de acné que había estado ahí, al cabo de su arma —casi al alcance de su mano. Poco después, al saber de alguien re-
20 pentinamente favorecido por esa muerte, le habían asaltado dudas, pronto acalladas por los que a su alrededor manejaban diestramente las Palabras que todo lo justificaban. "La revolución —decían— no ha terminado aún." Y, de peldaño en peldaño, arrastrado por manos cada vez más activas, fue pasando a la burocracia del horror. El furor
25 primero, el juramento de vengar a los caídos, el HOC ERAT IN VOTIS pensado ante los cadáveres de los condenados, se hicieron un oficio de rápidos provechos y altos amparos.[149] Y, una mañana, sentado ante el bargueño de taracea goyesca, había aceptado un salario por dirigir la preparación de cierta *Antología de Oradores* y remitirla por
30 correo. Cuando lo prendieron, al día siguiente, cerca del café del mercado a donde iba siempre que salía de la casa de Estrella, comprendió que la policía actuaba por mera sospecha, sin indicio preciso, puesto que la papeleta del certificado estaba bien oculta, y el Preparador había huido de la ciudad, al saber que el libro había estallado
35 en las propias manos de su destinatario. En cuanto al Alto Personaje,

---

[146] ***Requiescat-in-pace*** (*latín*): Rest in peace.
[147] **haciéndose llevar por**: having himself driven along.
[148] **Quita el seguro**: Release the safety catch.
[149] **se hicieron . . . amparos**: became a job of quick profits and high-placed protection.

era el más interesado en callar . . . Recordaba el paso por el puente levadizo de la fortaleza; las negras gateras, de las que aún colgaban cadenas mohosas; el camino por corredores y celdas donde nunca se apagaba la luz, para impedir que los hombres echados en camastros de lona y cañería se ayuntaran en el suelo, como bestias. Y luego de dos días de olvido, sin alimento —sin alcohol, después de tanto beber durante meses— había sido la luz en la cara, y las manos que empuñaban vergajos, y las voces que hablaban de llegarle a las raíces de las muelas con una fresa de dentista, y las otras voces que hablaban de golpearlo en los testículos. La idea del atentado a su sexo se le hizo intolerable, fuera de todo derecho, de todo poder. El había matado, pero no había castrado. Y ahora iban a mutilarlo de sí mismo; iban a secarlo en vida, privándolo del eje donde el cuerpo había puesto su heráldica, sus más íntimos orgullos, alardeando de la infalibilidad de una fuerza a sí debida. Dentro de algunos minutos sería puesto sobre el camino de la vejez, privado de pálpitos futuros, de posesiones innumerables, muerto para otras carnes. Su realidad se quebraba, se desgarraba, bajo las luces encendidas sobre su cara, como las de una sala de operaciones, al sonido de voces cada vez más próximas —espantosamente acrecidas por la resonancia de aquella galería de bajo adarve— que hablaban de herirlo en su lozanía, de emascularlo, de malograrlo, de evirarlo. Las manos que se acercaban a su rictus, el sudor de sus miembros, exasperaban la aprensión de un dolor que le hubiera dolido menos en otra región de su ser. Ahora vendría el desplome de todo; una muerte anterior a la muerte, que habría de sobrellevar a lo largo de inacabables días sin abrazos, cargando con el peso de su propio cadáver. La primera mordida de una pinza le arrancó un grito de bestia, tan largo y desolado, que los otros, tratándolo de cobarde, se lo acallaron de una bofetada. Y cuando volvió a sentir el metal sobre su piel recogida, clamó por la madre, con un vagido ronco que le volvió en estertor y sollozo a lo más hondo de la garganta. Y, con los ojos fijos en las luces que le llenaban las pupilas de círculos incandescentes, abriendo las manos sobre lo suyo, con gesto de recobrarlo, de atraerlo a sí, de reintegrarlo a su carne, empezó a hablar. Dijo lo que quisieron; explicó la perpetración de atentados recientes, y, para menguar sus propias culpas, poniéndose de acólito, de comparsa,[150] pronunció los nombres de quienes, a estas horas,

[150] **poniéndose . . . comparsa:** making himself out to be only an assistant, an extra.

dormían en los divanes de cierta villa de suburbios, o bebían y tallaban cartas en la larga mesa del comedor, con las armas colgadas del espaldar de las sillas. Colmados por tantos informes y revelaciones, los interrogadores aceptaron que él nada supiera de la preparación y envío del libro, causante de dos muertes, atribuyendo el trabajo a la actividad colectiva del equipo. Y cuando el hombre desnudo, asido de su sexo, afirmó que no sabía más, lo devolvieron a su celda, con un cigarrillo en premio de su delación. Y fue nuevamente el encierro, con los pasos en el corredor y el miedo atroz de que todo volviera a empezar. Al amanecer, en recado enviado al Alcaide, pidió que se diera noticia de su prisión al Hombre de Palacio. Media hora después era puesto en libertad, por orden de un Secretario del Despacho . . . Atravesó el puente levadizo y bajó lentamente por la colina de la fortaleza, extrañado de su emoción ante el despertar de las calles, luego del tránsito por el infierno. Era como el inicio de una convalecencia; un regreso al terreno de los hombres. No tenía hambre, siquiera; ni ganas de acercarse a los grandes mostradores de caoba, donde los bebedores mañaneros derramaban las primeras gotas de licor, antes de probarlo, en ofrenda a las ánimas. Los álamos, bajo una luz suavemente aneblada, gorjeaban por todas sus plumas. La flecha de la iglesia del Sagrado Corazón, de una blancura difuminada, opalescente, elevaba su Virgen de mármol por sobre el aldeano cimborrio de San Nicolás, donde, a esa hora, oían misa las negras ancianas, de muchas canas y muchos rosarios, que cumplían promesas al Nazareno llevando[151] el sayal violado ceñido por un cíngulo amarillo. Y rebrillaban, en el sol mañanero, las cúpulas de mosaico encarnado, las cruces doradas, las espadañas cobrizas, del Carmen, de San Francisco, de las Mercedes, en el despertar de las azoteas orladas de balaustres, donde las lavanderas tendían sus ropas sobre un fondo de mar tan envolvente y alto, que las barcas de pesca parecían navegar por encima de los tejados. El libertado fue a su alojamiento, gozándose del frescor de los portales, del olor de las frutas puestas en balanzas, del humo de los tostaderos de café —descubriendo, como quien regresa del hospital, la untuosidad de la mantequilla, el crujir del pan entero, el manso esplendor de las mieles. Durmió hasta el mediodía, en que fue despertado por los voceadores de una edición especial. Los periódicos mostraban cadáveres yacentes en una acera que le era bien conocida, charcos de sangre

---

[151] **llevando**: by wearing.

entre muebles derribados, agonizantes en mesas de operaciones, y unas ventanas —la de la cocina y la despensa— por donde habían huido unos pocos, arrojándose a un barranco. Aquella misma tarde, cuando se dirigía a la casa del Alto Personaje —casa que ahora sólo tenía paredes de aire— halló a tiempo el resguardo de una columna, para librarse de una andanada de balas, disparadas desde un automóvil negro, de placa oculta por una maraña de serpentinas —pues se estaba en carnavales.

El perro despertó, y, mirando hacia las sombras de arriba, se dio a ladrar sin saña, monótonamente, con un ladrido tras otro ladrido, interrumpidos por pausas de girar sobre sí mismo, en busca de las inalcanzables pulgas de su cola rala. El acosado se levantó pesadamente y descendió por el camino de carretillas, entrando por el cielorraso en el salón donde todavía se dibujaban, sucias, desteñidas, las siringas y panderos de una alegoría pompeyana. En el umbral de la puerta sin batiente, lo esperaba el perro, ladrando con desgano. "No valgo el trabajo de una mordida" —pensó el hombre, atravesando el jardín erizado de estacas. Luego de hundirse hasta los tobillos en un lodo escamado de yesos, alcanzó la calle. La idea de volver a atravesar la ciudad por los caminos de árboles y columnas para llegar a las lejanías de Estrella se le hizo inadmisible. Su cansancio estaba más allá del cansancio. Era un denso sopor de todos los miembros, que aún se le movían, como llevados por una energía ajena. Estaba resignado a abandonar la lucha, a detenerse de una vez y esperar lo peor; y sin embargo seguía andando sin rumbo, de acera a acera, extraviado en la calle que mejor conocía. Se hubiera dejado caer al pie de aquel árbol, sin esos ladridos obstinados, sordos, próximos a sus tobillos, que lo seguían. Recordaba algunos solares yermos, entre cuyos matojos podría ocultarse y dormir. Pero resultaban demasiado remotos para su fatiga. El único dinero que poseía era el billete falso que Estrella le había devuelto, y sería rechazado en todas partes, promoviendo peligrosas disputas. Su anterior alojamiento estaba vigilado por *los otros*. En los hoteles baratos había que pagar por adelantado; para entrar en los grandes, con el ánimo de largarse por las malas al día siguiente,[152] su aspecto era demasiado lamentable. ¿Por qué no tenían los hombres de hoy aquella antigua providencia de "acogerse a sagrado" de que se hablaba en un libro sobre el Gótico? ¡Oh, Cristo! ¡Si al menos

---

[152] **con el ánimo . . . siguiente**: with the intention of skipping out the following day [without paying].

estuviesen abiertas tus Casas, en esta noche inacabable, para caer sobre las losas en la paz de las naves, y gemir y liberarme de cuanto tengo encubierto en el corazón! . . . ¡Oh, yacer de bruces en el suelo frío, con este peso de piedra que arrastro —la mejilla puesta en la 5 piedra fría, las manos abiertas sobre la piedra fría; aliviada mi fiebre, y esta sed, y este ardor que me quema las sienes, por la frialdad de la piedra! . . .

Una iglesia se iluminó en la noche, rodeada de ficus y de palmeras, rebrillando por todos los florones de su campanario blanco, más es-10 pigado sobre las luces que le salían de las gramas.[153] Se le encendían los vitrales; se le prendían las púrpuras y los verdes del rosetón mayor. Y, de súbito, se abrieron las puertas de la nave, a cuyo altar resplandeciente de cirios conducía un camino de alfombras encarnadas. El acosado se acercó lentamente a la Casa ofrecida; pasó bajo la ojiva 15 de uno de sus pórticos laterales, y se detuvo, deslumbrado, al pie de un pilar cuya piedra rezumaba el incienso. Las manos buscaron el frescor del agua bendita, llevándola a la frente y a la boca. Sonó un órgano, levemente, como en prueba de altos registros. Allá, plantada en un ara de encajes, se alzaba la Cruz, dibujada en claro[154] por el 20 cuerpo de Cristo. Tal era el pasmo del hombre ante la realidad venida a su ruego, que no podían musitar sus labios las plegarias aprendidas del pequeño libro. Sólo miraba; miraba interminablemente lo que para él ardía, fuera de la noche del miedo. Avanzaba de pilar en pilar —como antes hubiera andado de un árbol a otro árbol— acercándose 25 con timidez, paso tras paso, a la Mesa de la Eucaristía. Cada tránsito, cada estación, lo libraban de una túnica de espantos. Se detenía, aliviado, aspirando deleitosamente el aire oliente a ceras derretidas, a barnices usados en la reciente restauración de una Ultima Cena. Descansaba los dedos en el barandal del púlpito, en la madera de un 30 confesionario, con la impresión de palpar una materia preciosa. Por vez primera sabía —sentía— lo que podía ser una iglesia, llevando su carne, cada vez más llevadera, a lo largo del arca mística, hacia El que sangraba por sus clavos y las espinas de su corona, sobre manteles cubiertos de flores . . . "¿Es usted un invitado?" —preguntó una voz 35 queda, a sus espaldas. "Soy un invitado" —respondió, sin volverse,

[153] **más espigado . . . gramas:** [looking] more slender above the spotlights which rose out of the grass [at the foot of the tower].

[154] **dibujada en claro:** highlighted.

oyendo luego como se alejaba un andar en sordina. Pero, detrás de él, un gran murmullo, iniciado en el atrio, se hacía cada vez más sonoro al llegar bajo las bóvedas. Estaba cerca de la sacristía, cuando percibió ese rumor, de repente, como si le hubieran vuelto los oídos, tras de una vertiginosa ascensión a las cimas del universo. Entraban mujeres vestidas de claro, hombres de gran ceremonia,[155] niñas con ramos en las manos: gente que no lo miraba, que no lo veía, moviendo, bajo las luces, un tornasol de lazos y de vuelos. El acosado comprendió por qué las naves se habían iluminado en la noche: ahora vendría la novia, sonarían grandes marchas, se pagarían arras, se impondrían anillos, y el santuario, vacío de nuevo, volvería a las sombras. Cuando todo terminara, hallaría, por fin, quien quisiera escucharlo. Esta casa era de asilo y amparo. El Párroco, sin duda, conocería al Personaje cuya casa en demolición estaba tan próxima. Después de oir las abominables verdades que habrían de salir de su boca —lo diría todo; todo, como debe decirse a Quien nada puede ocultarse—, encontraría, tal vez, una ayuda en el confesor. Sonó el órgano en registros de epitalamio, y hubo un gran movimiento hacia el cortejo que se dirigía al altar. Envuelto en las penumbras de una capilla, el acosado asistía a la ceremonia, como en sueños, siguiendo los movimientos del oficiante. Interminables le parecían los ritos y lecturas, aunque se repitiera cien veces que su impaciencia era sacrílega, y que no era él quien estaba autorizado a opinar acerca de lo que ocurría bajo los clavos de la Cruz. Cantaron otra vez, con triunfales bramidos, los tubos del órgano. Y fue la dispersión, por grupos que demasiado demoraban en salir. Se fueron extinguiendo las luces; volvieron las sombras a la nave mayor, en tanto que cerraban, allá lejos, las altas puertas. Algunas siluetas diligentes se doblaron para enrollar las alfombras, mientras otras descolgaban adornos y volvían a alinear los bancos. Cuando aquella gente acabó por marcharse, fue el silencio: un gran silencio ardido de luminarias que alumbraban levemente las imágenes santas: el Cristo en Epifanía, el Cristo Sangrante y el Cristo en la Cena de los Apóstoles cuyos barnices demasiado frescos estaban jaspeados de reflejos ... El hombre esperó durante largo tiempo, sin atreverse a entrar en la sacristía, donde una presencia se manifestaba en un cerrarse de armarios, con leves choques de objetos metálicos. Pero, de pronto, la corpulenta traza del párroco se irguió en el marco de la

---

[155] **mujeres . . . ceremonia**: women dressed in pale colors, men in formal attire.

puerta, vestida de sotana clara. "¿Quién anda ahí?" —preguntó, con voz enérgica, echando mano a una pesada palmatoria. El acosado salió de las sombras, agobiado por la idea imprevista de que podía ser tomado por un ladrón. Como queriendo explicarse, mostró el libro de la Cruz de Calatrava. El sacerdote lo miraba, desconfiado, dejando en suspenso un leve ademán de defensa. Alguien trataba de hablarle, ahora, caído de rodillas, apretando el tomito obscuro entre las manos crispadas. Pero los sollozos entrecortaban sus frases, que no acababan de tener sentido, recayendo siempre en las mismas ideas de culpa y de abominación de sí mismo. Atónito, el párroco oía aquella voz enronquecida, que se rompía en llantos y resoplidos, acusándose de crímenes obscuros, de infernales perpetraciones, sin tratar de entender. El conocía, por oficio, las crisis de quienes podían permanecer un día entero con los brazos en aspas, al pie de la Virgen de los Dolores, reclamando para sí los puñales que en sus heridas llevaba;[156] o aquellos otros que narraban sus obsesiones como si las hubiesen vivido, volviendo a empezar cuando ya eran absueltos —confesándose cada mañana en una parroquia distinta, para contar lo mismo; o aquellos otros que se arrastraban de rodillas en el suelo de las iglesias, con varios escapularios en el pecho, afanándose de modo irritante en cargar con las andas de las procesiones —en meter el hombro para el Nazareno, con desmedidos alardes de fervor. Eran los mismos que, cuando enfermaban, se iban a las Vírgenes Falsas,[157] a los santos de caras negras, llamándolos por nombres bárbaros. "Mañana" —decía, pensando en tales feligreses. "Mañana. Ven a confesarte mañana." Y mientras más insistía el hombre, más apretaba la repetición del: "mañana, mañana, mañana", acentuada por una impaciencia que se tornaba enojo. Su mirada se detuvo, de pronto, en el pequeño libro de la Cruz de Calatrava que el arrodillado había dejado caer al suelo: a pesar del *imprimatur* rubricado en buena y debida forma, tales libros eran de los que se ofrecían entre muñecos vestidos de rojo, cencerros sacrílegamente marcados con un JHS,[158] y cabezas de barro con ojos de caracoles, en las tiendas de brujerías. Las oraciones eran buenas, pero se recitaban con el pensamiento puesto en herejías de santeros, pidiéndose cosas que no podían pedirse en una iglesia. La cólera enrojeció el rostro del párroco. Con garra vigorosa levantó del suelo al que seguía hablando,

---

[156] **reclamando . . . llevaba:** begging for themselves the daggers that [the Virgin] had in her wounds [in her heart].

[157] **las Vírgenes Falsas:** i.e. las deidades del culto voduísta.

[158] **JHS:** monograma de Jesús.

y lo condujo firmemente, a través de la sacristía de los arcones, hasta la puerta trasera, que quedó cerrada con su ancho cuerpo. "Mañana" —dijo, por última vez, suavizando el tono. "Y recuerda que debes venir en ayunas; no comer nada después de que hayan dado las doce." Varias vueltas de llave sonaron tras de la puerta. Luego, el batiente quedó asegurado con un madero. De súbito se apagaron todas las luces de la fachada, se obscurecieron los rosetones, y la iglesia se hizo una con las sombras de las palmeras y los ficus, repentinamente agitados por un viento que olía a lluvia. "No comer nada, después de que hayan dado las doce."

Andar de nuevo, tambaleándose, tropezando con todo —lastimado por las rayas de las aceras, por las raíces, por una piedra puesta donde su pie había de golpearla— con una última idea: todavía debían estar encendidos los cirios, allá, junto al ataúd de la vieja. Y alumbrarían hasta el alba, donde ya lo habían visto, donde no asomaría una cara nueva. Subir, estrechar otra vez las manos de los parientes, repetir el: "Lo acompaño en su sentimiento", y caer sobre el jergón del Mirador, sin preocuparse por los empellones dados desde adentro. Hasta después del entierro no lo molestarían. La casa no estaba lejos, ya que ésta era la calle de la talabartería del faetón, de la imprenta de tarjetas de visita. Apresuraba el paso, haciendo un nuevo esfuerzo, cuando dos manos nerviosas lo agarraron desde atrás, por los codos. Una conocida voz sonaba sobre su nuca resignada a recibir el tajo. "Quiero abrazar a un hombre" —dijo el Becario, soltándolo para tambalearse hacia él. Y, borracho, mimando la admiración con sesgados alejamientos del rostro,[159] hablaba de elevar un monumento a la gloria de los que conservaban, en tales tiempos, un espíritu heroico. "Necesitamos hermandades selladas por la sangre" —gritaba, sin hacer caso de quien pretendía acallarlo, clamando por muertes y escarmientos necesarios. Pedía que se le diera una oportunidad en la próxima empresa, haciendo ademán de disparar con las dos manos. Quiso llevar al acosado hacia las crudas luces de una fonda llena de gente. "Tráeme algo de comer" —imploró el otro, permaneciendo en la sombra de un pino. (Tiempo faltaba para que diesen las doce: quería demostrar a Alguien, mirando a un reloj, que no infringía la regla

---

[159] **mimando . . . rostro:** mimicking admiration, drawing back and cocking his head.

impuesta a quienes gemían por acercarse al Incruento Sacrificio.) El Becario, olvidado del ruego, regresó con una botella de aguardiente. Ambos fueron hacia el mar, que cerraba la avenida y se rompía con sordos embates en una franja de arrecifes . . . Y ahora estaban sentados, 5 lado a lado, en aquel antiguo baño público, en cuyas albercas rectangulares, cavadas en la roca, morían las olas llegadas por un angosto corredor ennegrecido de erizos. La casona de madera, con los techos hundidos donde le faltaban pilares, crujía por todas sus tablas desclavadas ante los repentinos empellones del viento. Una fosforescencia 10 entraba, de pronto, en la piscina mayor, como una flotante colada verde, iluminando un fondo carcomido, cariado de alvéolos, donde asomaban la cabeza, entre lapas con lomo de orugas, las morenas en acecho. Apagábase la flotante exhalación y todo caía en tinieblas. "Debemos volver al sacrificio humano" —desbarraba el Becario—, 15 "al teocalli donde el sacerdote exprime el corazón fresco, jugoso, antes de arrojarlo al pudridero de otros corazones; debemos volver al horror sagrado de las inmolaciones rituales, al pedernal que penetra las carnes y levanta los costillares . . ." El acosado conocía las retóricas del Becario, desde los días en que ambos habían estudiado en el mismo 20 instituto de provincia, haciendo grandes proyectos para el futuro. "Somos de este mundo" —divagaba ahora, con la lengua cada vez más torpe— "y a sus tradiciones primeras hemos de regresar. Necesitamos caudillos y sacrificadores, caballeros águilas y caballeros leopardos;[160] gente como tú." Varios relámpagos en sucesión ilumina- 25 ron, de pronto, la barraca de pinotea, desteñida de verde, ruinosa, roída por los comejenes, donde yacían ambos, a la orilla de charcas hediondas a algas encalladas, a moluscos muertos al sol, a mar enturbiada por los desperdicios de la ciudad. "Tengo hambre" —gemía el acosado, de cara al suelo. "Bendito quien tiene hambre" —dijo 30 el Becario— "en esta ciudad de ahitos, de abrazados a sus vientres."[161] Y era, ahora, el elogio de los que se purificaban por las privaciones, las pruebas pasadas, alzándose hacia las órdenes de caballería. La fatiga del otro era tal, que oía hablar al borracho sin tratar de seguirlo en sus divagaciones, gozándose de la única satisfacción que le quedaba 35 en esta miseria: la de sentir cerca la presencia de una voz que no le fuera una advertencia de peligro. El Becario le ofrecía la botella. Pero la idea de tragar aquel líquido quemante, sin consistencia ni

---

[160] **caballeros águilas y caballeros leopardos:** órdenes militares aztecas.
[161] **de abrazados a sus vientres:** of people hugging their stomachs.

densidad, ni durezas que mascar y sentir pasar por la garganta, le daba tales náuseas que fingía llenarse la boca, con chasquidos de la lengua, tapando el gollete con la palma de la mano, para que el olor no lo hiciera vomitar. "El superhombre" —decía el otro—. "El superhombre . . . La voluntad de poder", con las ideas tan anebladas que no podía seguirse a sí mismo en la exposición de una obscura teoría que quedaba en jirones de frases, entrecortados por gruñidos coléricos y confusos insultos, destinados a gentes innombradas. El acosado resolvió dejarse dormir: el Becario, bebida la botella, acabaría por dormirse también, o por marcharse, sin recordar donde había estado ni con quien. Se desciñó el cinto, zafó su cuello, puso en el suelo la pistola —que demasiado le pesaba— dejándose yacer, de espaldas, con los ojos cerrados, mientras sus oídos se alejaban de las palabras del otro, como se aleja el niño amodorrado de la canción de cuna, cuyas palabras se esfuman y borran . . . Cuando ya se hundía en un sueño agitado, el otro lo asió por el brazo, desovillándolo en un sobresalto. Cerca de ellos, un hombre y una mujer estaban trabados en una misma silueta. La cabeza alta se doblaba sobre la otra, en un envolvente afán de brazos que se estrechaban. A la claridad de un relámpago, pareció que ambos fuesen negros. El vestido de ella echó a volar, cayendo de mangas abiertas, con un vaho de vetiver. El hombre la estrechó por la cintura, quebrándola sobre un banco, y un nuevo relámpago iluminó, por un segundo, un cuerpo en metamorfosis, cuyo machiembramiento[162] movido de bramidos sordos más parecía el cumplimiento de un rito cruento que un abrazo deleitoso. De pronto, aquella carne anudada rodó del banco, con desplome de odre caído, sin dividirse ni separarse. "¡Son nuestra fuerza!" —clamó el Becario. "¡Son nuestra fuerza!" Las sombras se enderezaron. El hombre avanzó hacia quien había gritado, en actitud agresiva, en tanto que la mujer se agazapaba en un rincón, pidiendo su traje. El acosado se escurrió hacia la calle, mientras un ruido de golpes en carne blanda le hizo pensar que el Becario recibía puñetazos que no devolvía. De súbito retumbó un largo trueno y fue la lluvia. Una lluvia tibia, compacta, rápida, de las que barren de lo alto, dejando la tierra cubierta de coágulos polvorientos. Agarrado por el chaparrón, el fugitivo echó a correr hacia la casa del Mirador. Pero era tanta el agua que ahora se derramaba de los aleros, rebosando las goteras, cayendo en chorros sobre

---

[162] **machiembramiento:** palabra inventada por el autor para expresar la impresión de metamorfosis que da la unión sexual descrita.

las aceras, que se precipitó a entrar en un café próximo a la Sala de Conciertos, impulsado por un instintivo escrúpulo de conservar la decencia última de su traje obscuro. Dos hombres, al verlo, se levantaron. El acosado comprendió, por la concertación de las miradas, 5 el lento enderezo, el gesto llevado al bolsillo del corazón, que se levantaban para ejecutarlo. Su mano buscó la pistola, crispándose sobre su ausencia: el arma había quedado allá, en el suelo del baño público. Una ambulancia llegaba a todo rodar, aullando por sus sirenas: el emplazado se arrojó delante de ella, empavorecido, corriendo hacia 10 el vestíbulo de la Sala de Conciertos. La ambulancia, brutalmente frenada, había quedado entre su cuerpo y los gestos que estaban en suspenso a la altura del bolsillo del corazón.

III

(. . . y los músicos con esos instrumentos que parecen grandes resortes terminaron de tocar su música de jaurías bendecidas,[163] su 15 misa de cazadores; luego el silencio, tantas veces *escuchado* en las terribles soledades del Mirador —cuando la simple persona de un fijador de hilos telefónicos, izado hasta su flora de aisladores verdes,[164] al nivel de mi azotea, cobraba los poderes del Angel de la Muerte; tras de una pausa, es la otra música, la música a saltitos, con algo de esos 20 juguetes de niños muy chicos que por el movimiento de varitas paralelas ponen dos muñecos a descargar martillos, alternativamente, sobre un mazo; ahora vendrán los valses quebrados, los gorjeos de flautas, y serán las trompetas, las largas trompetas, como las embocaban los ángeles dorados del órgano de la catedral de mi primera comunión; 25 minutos, minutos nada más; luego todos aplaudirán y se encenderán las luces, todas las luces; y habrá que salir por una de las Cinco Puertas; tres atrás de mí, que serán como una sola; dos hacia el parque, que serán como una sola; ellos, los dos, esperarán afuera, fumando, con las manos atentas. Salir envuelto en gente; poner cuerpos alrededor 30 de mi cuerpo. Pero esos cuerpos se cruzarán, desordenarán su cerco, en presurosa dispersión; dejará de verse la mujer del zorro; atravesará el parque, solo, inútil por estar solo, el hombre de más allá; se irá el de adelante, cuyo cuello no quiero mirar; y el de la izquierda, con sus

---

[163] **jaurías bendecidas:** blessed packs [of hounds for fox hunting].
[164] **izado . . . verdes:** hoisted up into his flora of protective greenery.

resoplidos, y el alto de las rodillas inquietas, y los novios que escuchan con el ceño fruncido, agarrados de manos; y quedaré solo sobre el largo inacabable de la acera de granito mojado, resbaloso, malo para correr; estaré solo, en campo descubierto, sin arma, ante los que ahora sí tendrán el tiempo de llevarse las manos al bolsillo del corazón, de apuntar, de apretar los gatillos sin prisa, de vaciar los peines en una sola andanada. ¡Oh! el aullido, la mirada de aquel que rodaba delante, aquella vez, con el cuello marcado de acné —cuello tan semejante a este cuello que había de encontrarse aquí, más cerca que el otro, cuando lo puse en la mira de mi arma de cañón acortado . . . Los de afuera, los que me esperan, también miraban hacia el cuello marcado de acné —no mirarlo, no mirarlo. "Quita el seguro", dijo el alto, el que nunca olvidaba lo que debía hacerse en esos momentos, arrumbando luego la huida —"derecha, siempre derecha", "pasa el camión", "por la izquierda", "el túnel, ahora", "cuidado" —sin toparse nunca con un obstáculo, una estación de policía, o las barreras de una vía de ferrocarril; el alto que está afuera, esperando a que todos aplaudan y se enciendan las luces, con los ojos puestos en las tres puertas que son como una, o en las dos puertas que son como una, desde la esquina, donde se puede mirar, a la vez, a las cinco puertas. "Quita el seguro" —dirá, cuando revienten los aplausos y se enciendan las luces, y los porteros descorran las cortinas rojas haciendo sonar las argollas en sus barras, como fichas de poker . . . Los palcos, todos rojos en su penumbra; el raso encarnado de las sillas; el terciopelo carmesí de los barandales; el color vino de las alfombras; palco como casa, como alcoba, como lecho de altos bordes; acostarme en el suelo, sobre el olor del polvo, la mejilla entre las tachuelas del rincón, hundida la cabeza en la obscuridad, las piernas debajo de las sillas, como bajo techo, como bajo tejado, rojo como las tejas de la sastrería; echarme como perro, en lo muelle, lo envuelto, en lo que ablanda el suelo; volver a las chozas de la infancia, hechas de tablas, de retazos, de cartones, donde me agazapaba en días de lluvia, entre las gallinas mojadas, cuando todo era humedad, borbollones, goteras —como ahora— y no respondía a los que me llamaban, haciéndome gozar mejor de mi soledad en penumbras; no responder cuando me llamaban, saberme buscado donde no estaba . . . Ya hemos llegado a los valses quebrados, que nunca acaban de ser valses, a los gorjeos de las flautas; pronto serán las trompetas, las largas trompetas, y la mujer del zorro recoge ya su zorro y se alivia de algo que la molesta bajo las faldas, creyendo que todos miran hacia la orquesta; y es, en todo el público que está como en la iglesia, el casi imperceptible vuelo de manos, de mangas, de dedos vueltos al cuerpo, el enderezo, el recuento de lo traído, que acompaña en la iglesia el *Ite misa est.*[165] Respiro a lo hondo, serenado, muy serenado; encontré por fin lo que era tan fácil, tan fácil, mucho más fácil: lo único fácil. No saldré. Aplaudirán y se encenderán las luces, y será la confusión bajo las luces. Recogerán sus cosas, se subirán las pieles;[166] cuidarán de lucir sus alhajas, se despedirán por encima de las filas, diciendo que todo estuvo magnífico, y formarán grupos, hileras lentas, hacia las salidas; y será fácil ocultarse tras de las cortinas de un palco, y esperar a que todos se hayan marchado; esperar a que los porteros cierren las puertas de los palcos, después de ver si algo ha quedado olvidado en los asientos. Y creerán los dos que he salido con el público, revuelto, envuelto; creerán que mi cara se les ha perdido entre tantas caras, que mi cuerpo se ha confundido con demasiados cuerpos juntos para que pudieran verlo; y me buscarán afuera, en el café, bajo las pérgolas, tras de los árboles, de las columnas, en la calle de la talabartería, en la calle de la imprenta de tarjetas de visita; pensarán, a lo mejor, que he subido al piso de la vieja, por ocultarme entre las negras gentes del velorio; acaso subirán, y verán el cuerpo, encogido en su caja de tablas de lo peor; acaso me busquen hasta en el Mirador, sin sospechar que mis cosas puras, mis cajas de compases, mis primeros dibujos, están dentro del baúl. No pensarán que he permanecido aquí. Nadie se queda en un teatro cuando ha terminado el espectáculo. Nadie permanece ante un escenario vacío, en tinieblas, donde nada se muestra. Cerrarán las cinco puertas con cerrojos, con candados, y me echaré sobre la alfombra roja del palco aquel —donde ya se levantan los de atrás— ovillado como un perro. Dormiré hasta después de que amanezca; hasta después de la claridad de las diez; hasta después del mediodía. Dormir: dormir primero. Más allá empezará otra época.)

"*Luego de ese prodigioso Scherzo, con sus torbellinos y sus armas, es el Final, canto de júbilo y de libertad, con sus fiestas y sus danzas, sus marchas exaltantes y sus risas, y las ricas volutas de sus variaciones. Y he aquí que, en su medio, reaparece la Muerte, que es el más allá*[167] *de la Victoria. Mas, otra vez, la Victoria la rechaza. Y la voz de la Muerte se ahoga bajo los clamores del júbilo* . . . En fortissimo descendían ahora

[165] ***Ite misa est*** (*latín*): Go, the Mass is finished.
[166] **se subirán las pieles:** they will pull up their furs [around their shoulders].
[167] ***el más allá:*** ultimate fate.

las cuerdas y las maderas del "Presto", para abrirse a ambos lados de un alegre concierto de cobres. "¿Puedo abrir ya?" —preguntó el acomodador, viendo que el taquillero cerraba un libro con gesto irritado, sin atender ya a lo que sonaba tras de la cortina de damasco raído. Todo lo exasperaba esta noche: la sinfonía perdida, el olor de la lluvia en su único traje, las formas de la carne palpada que aún le entibiaban las manos, el deseo presente en latidos, el despecho de no poderlo aplacar, las penurias de su vida obscura —"detrás de las rejas . . ."— y la tristeza del cuarto en desorden que ahora lo esperaba para hacerle más ingrato el insomnio. La emprendía a media voz con Estrella, tratándola de lo que era. Y le volvían sus plantos acerca de la Inquisición y las cosas que había dicho bajo amenaza; seguro que había delatado a alguien; a alguien que se hubiera confiado a ella, olvidando que la ramera siempre es ramera, y basura su apellido; seguro que por haber delatado, trataba de encontrar disculpas en el aturdirse hablando:[168] "que si no iba a la cárcel de mujeres; que si no se iba del barrio; que si querían saber ahora hasta con quién buscaba vida". Y la había escuchado sin comprender, sordo para todo lo que no fuera el apremio de su deseo. Dio un puñetazo en la gaveta de los dineros, repitiendo, sin saciarse, el insulto que mejor le sonaba, desde que se viera echado de la casa por falta de unas monedas. A su izquierda, junto al *Beethoven, las grandes épocas creadoras*, se estampaba en un cartel orlado de medias cañas, el artículo de la reglamentación nacional de espectáculos: *El encargado de la venta al público de las localidades se hará cargo, con la debida antelación, del billetaje sellado, para su revisión y corrección de las faltas o dudas que hubiese, haciendo entrega de la recaudación debida dentro de su horario, para lo cual cerrará la taquilla media hora antes de la terminación de su jornada.*[169] Llovía de nuevo, y el rumor del agua en los árboles cercanos, en las aceras, en el granito de la escalinata se confundía con el ruido de aplausos que se levantaba dentro del teatro. "Abre" —dijo el taquillero, pasando llave a su puerta: "El director es infecto; llevó la Sinfonía de tal modo que no debe haber durado sus cuarenta y seis minutos." Miró hacia

---

[168] **trataba . . . hablando:** trying to find excuses [for herself] by talking herself into a state of confusion.

[169] ***El encargado . . . jornada:*** The person responsible for sales of seats to the public shall obtain, with due anticipation, stamped tickets, in order to examine and correct any errors or uncertainties, duly delivering the proceeds on schedule, for which reason he shall close the ticket window one half hour before the end of his shift.

la azotea de la vieja; pronto iría a cerciorarse de que no era ella quien había muerto. El público se apresuraba a salir de la sala, por temor a que el turbión arreciara, con esos vientos venidos del mar, que se anticipaban a los malos tiempos anunciados, en esos días, por el Observatorio. Se cerraron las puertas laterales y sólo quedaron algunos indecisos, discutiendo de la interpretación, entre los espejos y alegorías del vestíbulo.

Entonces, dos espectadores que habían permanecido en sus asientos de penúltima fila se levantaron lentamente, atravesaron la platea desierta, cuyas luces se iban apagando, y se asomaron por sobre el barandal de un palco ya en sombras, disparando a la alfombra. Algunos músicos salieron al escenario, con los sombreros puestos, abrazados a sus instrumentos, creyendo que los estampidos pudieran haber sido un efecto singular de la tormenta, pues, en aquel instante, un prolongado trueno retumbaba en las techumbres del teatro. "Uno menos" —dijo el policía recién llamado, empujando el cadáver con el pie. "Además, pasaba billetes falsos" —dijo el taquillero, mostrando el billete del General con los ojos dormidos. "Démelo" —dijo el policía, viendo que era bueno: "Se hará constar en el acta."[170]

CUESTIONARIO

1. *¿En qué sentido sirve la Sinfonía Heroica de Beethoven como marco de esta novela? ¿Cómo emplea Carpentier su profundo conocimiento de la música y la arquitectura en esta obra? ¿Tiene éxito artístico el autor con el empleo de estos elementos?*
2. *¿Cuáles son las impresiones que tiene el Taquillero de la gente reunida en el vestíbulo del Teatro? ¿Por qué le impresiona tanto al Taquillero la entrada del Acosado en el Teatro? ¿Cómo revelan estos pensamientos algunas facetas de la personalidad del Taquillero?*
3. *¿Cuáles son las aspiraciones sociales del Taquillero? ¿Qué importancia tiene la "música clásica" en este contexto? ¿Cómo justifica el Taquillero su empleo tan insignificante en el Teatro?*
4. *¿Por qué tiene el Acosado la sensación de conocer la música que se está tocando en el Teatro?*

---

[170] **Se hará . . . acta:** It will be noted in the report.

5. *¿Qué impresión en el lector produce el uso de nombres de tipo génerico o descripciones de personajes que no tienen nombre de ningún tipo? ¿Por qué es Estrella la única que tiene nombre común? ¿Tiene su nombre algún significado simbólico?*

6. *¿Cuáles son los contrastes que se notan en una comparación de las personalidades del Taquillero y el Acosado? ¿Por qué ansiaban el Taquillero y el Acosado dejar su pueblo provincial y viajar a la Habana?*

7. *¿Qué es la relación entre el Becario y el Acosado? ¿Desde cuándo se conocían? ¿En qué sentido es el Becario culpable por el estado actual de persecución del Acosado?*

8. *¿Qué papel había tenido el Acosado en la vida política de la época? ¿Es esta acción típica de la vida política en Hispanoamérica?*

9. *Según la novela, ¿con qué partido político se había asociado el Acosado durante sus días universitarios? ¿Por qué rechaza el Acosado al Partido Comunista? ¿Cómo resulta la asociación del Acosado con el grupo terrorista?*

10. *¿Qué conspiración elaborada tenía el grupo terrorista para asesinar al Canciller? ¿Por qué se malogró esta conjuración? ¿Cómo castigaron los terroristas al hombre que había revelado su conspiración? ¿Cuáles son las tres conspiraciones en que figura el Acosado? ¿Qué papel tiene él en cada una?*

11. *¿Por qué se cree Estrella culpable por el imprisionamiento del Acosado? ¿Cuántas veces visitaron los de la Inquisición a Estrella?*

12. *¿Cuánto tiempo había pasado el Acosado en el Mirador de la casa de la Negra? ¿Qué es la asociación anterior entre el Acosado y la Negra?*

13. *¿Por qué llega a ser el Mirador el único amparo que tiene el Acosado en la Habana? ¿Por qué se convierte el Mirador en una prisión en vez de amparo? ¿Cómo llega el Acosado a librarse de su cautiverio?*

14. *¿Cómo pensaba escapar el Acosado del país? ¿Cómo le iba a ayudar el Alto Personaje en esto? ¿Por qué no lo encontró el Acosado cuando volvió a verlo en su casa? ¿Qué le había pasado al Alto Personaje?*

15. *¿Cuáles son las actitudes de los diversos personajes en cuanto al amor sexual? Según el novelista, ¿en qué sentido reflejan estas actitudes la inmoralidad de la época?*

16. *¿Cómo se manifiesta el conflicto entre la moralidad cristiana y la vida de la época descrita en la novela? ¿Cómo se ve esta separación moral en la vida de Estrella? ¿Cuándo y por qué se da cuenta Estrella de la sordidez de su propia vida?*

17. *¿Qué educación religiosa ha tenido el Acosado? ¿Qué motivación tiene el protagonista para convertirse en creyente?*

18. *¿Qué importancia tiene para el entendimiento de la segunda parte de esta novela la cita bíblica que la encabeza? ¿Cuáles son los otros símbolos religiosos empleados?*

19. *Para el Acosado, ¿qué significado especial tienen el cuello con las marcas de acné, el drama griego estrenado en la Universidad y la sinfonía de Beethoven?*

20. *¿Qué importancia tiene el billete en las acciones del Taquillero? ¿De Estrella? ¿Del Acosado? ¿Era un billete falso? ¿Por qué le dijo el chófer a Estrella que era falso? Tracen la historia del billete por toda la acción de la novela.*

Vocabulario

Since this book is intended for intermediate and advanced students, the vocabulary has been simplified as much as possible by omitting the following: personal, demonstrative, and possessive adjectives and pronouns; adverbs in *-mente,* where the basic adjective is listed; proper names; and names of the months and days of the week. We have also excluded the first five hundred words in frequency in the Buchanan *Word List,* unless they were used with some meaning not commonly ascribed to them, and all obvious cognates. Definitions in the vocabulary pertain to the textual meanings; other definitions, however common, have not usually been included. Past participles are listed if they are the only form of the particular verb which occurs in the text or if they have an uncommon form or meaning; otherwise only the infinitive is listed. Nouns ending in *-a, -ión, -tad, -tud, -dad,* and *-umbre* are feminine; those ending in *-o -ón,* and *-or* are masculine, unless otherwise indicated. The gender of all other nouns is indicated by *m.* or *f.*

A

abadejo codfish
abalanzarse to pounce on
abandonar to leave
abandono abandon
abanicar to fan
abanico fan
abarca sandal
abarcador inclusive
abastecedor purveyor
abasto provisioning
abatir to knock down, lay low
abejeado swarming
abertura opening
abismo abyss
ablandar to soften
abnegado unselfish
abogado advocate
abominación loathing
aborrecido abhorred
abrazar to embrace
abrazo embrace
abrumador oppressive, overwhelming
absorto absorbed, fascinated
abstenerse to abstain
abstinencia abstinence from red meat, fasting
absuelto absolved
absurdo *m.* absurdity
abuelo ancestor, grandfather
abundar to abound
aburrido bored
aburrimiento boredom
abusar to take unfair advantage
abyección abjectness, baseness
abyecto abject, base
acá: **más — de** on this side of
acabar to end, finish
  — con to end up with, finish off
  — de to have just
  — de una vez to get something over with
  — se to finish
acalorado heated
acallar to silence
acariciar to caress, cling to
accionar to gesticulate
acechanza ambush
acecho ambush
aceite *m.* oil
aceituna olive
acento accent
acera sidewalk
acercamiento rapprochement
acérrimo very staunch
acertado well-aimed, well-considered, inspired
acertar to manage
aclamado acclaimed, applauded
aclaratorio explanatory
acné *f.* acne
acodado leaning on one's elbows
acoger to greet, receive
  —se (a) to take refuge in
acomodado well-to-do
acomodador usher
acompañante *m. or f.* companion
acongojante frightening
aconsejar to advise
acontecer to happen
acontecimiento event
acoplar to couple
acordarse (de) to remember
acorde *m.* chord
acortado shortened
acosar to hunt, pursue, worry
acoso pursuit
acostumbrado customary
acostumbrar to be accustomed to
  — se to get used to
acrecentarse to increase
acrecer to increase
acreditar to accredit, cause to appear true
acribillado riddled
acto act, actions
  en el — immediately
actuación performance
actualidad present time
actualmente at the present time
actuar to act, take action, penetrate
acuchillado slashed, stabbed
acudir to come, come up
acullá yonder, over there
acumulamiento accumulation
acunado fold
acuoso watery
acurrucado squatting
acurrucarse to huddle
achacar to accuse someone of

achacoso ailing
achicar to make one seem young
—**se** to grow small, shrink
achura entrails, scraps
achurador collector of entrails and scraps, scavenger
adarve *m.* wall (of fortification)
adelantado: **por —** in advance
adelantar to advance, progress, put forward
—**se** to beat someone to it, progress
adelgazado emaciated, thin
ademán *m.* gesture, movement
adhesión adherence, support
adiestrarse to practice
adivinar to fathom, guess
adjudicar to award
admirado impressed
adoptivo adopted
adorno ornaments
adosarse to lean against
adulación adulation, flattery
adular to flatter
advenimiento advent, arrival
advertencia warning
advertir to become aware, observe, warn
aéreo aerial
afán *m.* desire, eagerness
afanarse to busy oneself, strive
afeitado shaved
afeite *m.* make-up
afelpado cushioned
afelparse to become velvety
aferrado anchored
aferrarse to catch hold, cling to
aficionado fan, music lover
aficionarse to become fond of
afilado sharp-featured
afiliado affiliated member
afinación tuning
afincado resting firmly
afligir to afflict, trouble
aflorado oozing out
afortunado fortunate
poco — unfortunate
afrenta insult
afrocubano Afro-Cuban
agacharse to squat
agarrado clutching, holding
agarrar to catch, seize
—**se** to take hold
agarrotado bound
agazaparse to crouch
agigantado huge
agitado agitated, moved, rough, windy
agitar to shake, wave
agobiado exhausted, oppressed
agolparse **(sobre)** to crowd together around
agonía last moments, agony
agónico agonized
agonizar to die
agonizante dying
agotar to exhaust
agraciar to enhance
agradar to please
agradecimiento gratitude
agrado pleasure
agravar to aggravate
agravio grievance
agregar to add
agriar to embitter
agrio pungent
aguantar to tolerate
aguardar to await
aguardiente *m.* brandy
aguatero water-carrier
agudeza intelligence, wit
agudo sharp
aguijón spur
aguijoneado spurred
águila eagle
aguja hand (of a watch), needle
— de cristal glass drop, prism
agujero hole
aherrojado shackled
ahito surfeit
— *adj.* gorged
ahogar to choke, drown, drown out, muffle, stifle
—**se** to choke
ahondarse to sink down
ahora now, today
ahuecador *adj.* hollowing
aislar to isolate
ajeno alien, another's, foreign
— de unaware of, far from
ajetreo bustle
ajustar to adjust
ala wing
alabar to praise
—**se** to boast

alacena cupboard
alacrán *m.* scorpion
alambre *m.* wire
álamo poplar
alarde *m.* display, show
alardear to boast, show off
alargar to draw out, lengthen
  —se to stretch
alarido cry, yell
alarmarse to become alarmed
alba alb (white tunic worn by priest), dawn
albahaca sweet basil
albañal *m.* sewer
alberca pool
albergue *m.* lodgings, shelter
alborotar to excite, make an uproar
alboroto excitement, noise, uproar
alborozar to say excitedly
alcaide *m.* warden
alcance *m.* extent, reach
  al — within reach
alcanforado camphorous
alcanzar to achieve
aldaba knocker
aldabonazo blow with knocker
aldea village
aldeano villager
  — *adj.* rustic
alegar to comment, retort
alegato argument
alegoría allegory, allegorical sculpture
alegrar to make happy
alejar to carry away
  —se to draw away, leave
alero eaves
alerta *m.* watchfulness, watch out!
aleph *m.* first letter of Hebrew alphabet
alféizar *m.* doorway
alfiler *m.* pin
alfombra carpet
algas *f.pl.* algae
algazara rowdiness, uproar
algodón cotton
alhaja jewel
alhajado bejewelled
aliento breath, faint odor, whiff
alimentar to feed
  —se (con) to eat
alimento food
alinear to line up
alisar to smooth
aliviar to alleviate, remedy
  —se to relieve oneself, rid oneself of, get well
alivio freedom, relief, recovery
almacén *m.* store, warehouse
almenaje *m.* battlement
almendra almond
almidón starch, starched evening clothing
almohada pillow
alojamiento lodging
alojar to lodge
alpiste *m.* birdseed
alquilar to rent
alquiler *m.* rent
alquimia alchemy
alrededor *m.* surrounding, vicinity
altanero haughty
altavoz *m.* loudspeaker
alterado angry
alternativamente alternately
altiplano high plateau
altura height
  a la — de in sight of
alucinado deluded, mystified
alucinador hallucination-producing, mystifying
aludido the person spoken to
aludir to allude
alumbrado lighting
  — *adj.* illuminated, inspired
alumbrar to light, glow
alumbre *m.* alum, smell of alum
alvéolo cavity, tiny cell
alzada stature
alzapón seat of the pants
alzar to elevate, raise
  —se to rise
allá: más — de beyond, above
amago threat
amanecer to awaken, dawn
  el — the dawn
amansar to tame
amargar to embitter
amargo bitter
amarillento yellowish
amasar to knead
ambiente *m.* surroundings, atmosphere
  — *adj.* surrounding
ámbito limit
amedrentarse to be frightened
amelcochado candy-coated, thickened

amenaza threat
amenazar to threaten
amigo *adj.* fond, friendly
amistad friend, friendship
amodorrado made drowsy
amolar to annoy, crush
amonestación admonition
amonestar to admonish
amoral without morality
amoralidad amorality
amoratado purplish
amorío love affair
amparo protection, shelter
amplio ample
anaconda huge snake
anaranjado orange
anatema *m. or f.* anathema, curse
anca haunch
ancilar ancillary, distant
ancho *m.* breadth
andanada barrage, fusillade
andar *m.* pace, walking
andas *f. pl.* portable platform (for images)
andén *m.* platform
andrajoso ragged
aneblado clouded
anegarse to become flooded
angina del pecho angina pectoris
angosto narrow
ángulo angle, corner
  en — a at an angle to
angustia anguish, fear
angustiado distressed
anhelante eager, labored (breathing), panting
anhelo aspiration
anilla ring, hook
animar to animate, impell
  —se to get up the courage
ánimo intention, spirit
aniquilarse to waste away
anochecer *m.* nightfall
anonadado overwhelmed
anormal abnormal, uncommon
anotar to jot down
ansia eagerness, yearning
ansiar to long
ansioso anxious
antaño formerly
antecesor antecedent
antemano: de — beforehand
anteojos *m.pl.* glasses
antepasado ancestor
anticaciquismo anti-bossism
antídoto antidote
antier day before yesterday
antiguamente in the old days
antigüedad antiquity
antirosista anti-Rosas
antojo urge, whim
anudado knotted
anular *m.* ringfinger
anunciar to announce, predict
anuncio announcement, warning
anzuelo fishhook
añejo old
añico bit
añoranza longing
añorar to long for
apachurrar to break
apagado extinguished, in low spirits, lifeless
apagar to lower, turn off, silence
  —se to die away
apantallar to impress
aparador buffet
aparatoso ostentatious
aparentar to seem, pretend
aparente apparent, feigned
aparición appearance
apartar to separate, push away
apedrear to stone
apellido surname
apeñuscado crowded
apeñuscamiento crowd
apestar to stink
apetencia craving, desire
ápice *m.* peak
aplacamiento calming
aplacar to calm, satisfy
aplastado flattened
aplazamiento postponement
apocalíptico apocalyptic, world-shattering
apoderarse (de) to seize
apogeo apogee, climax
aposento dwelling, room
apostadero lookout, outpost
apoyado relying
  — en considering
apoyar to assure, back up, lean
apozado concave, deeply rutted
apremiante insistent, pressing

apremio pressure
aprendizaje *m.* apprenticeship, learning
aprensión apprehension
aprestar to quicken
 —se to prepare
apresuradamente hastily
apresurado hurrying
apresurar accelerate
 —se to hurry
apretado prudish
apretar to clench, cling, crumple, squeeze
 — el paso to quicken the pace
 —se to narrow, grow heavier, converge
apropiado appropriate
aprovechar to profit
 —se to take advantage
aproximación approach, nearness
aproximarse to approach
apuesto well-dressed
apuntalado underpinning
 — *adj.* propped, propped shut
apuntar to aim, prop
apunte *m.* note
apurar to speed up
apuro financial difficulty, predicament
 cara de — worried expression
aquietar to calm
 —se to calm down
ara altar
arado plowed
aradura plowing
arboleda grove
arbotante *m.* flying buttress
arbusto plant, shrub
arca ark, nave
arcada arcade
arcano mystery
arcilloso clayey
arco arch
arcón chest
archipiélago archipelago
arder to burn, long for
ardor burning
areca palm tree
arena sand, dust
arenga harangue
argolla ring
arisco skittish, vicious
armadura framework, ribs (of a fan)
armado (de) armed with
armar to stir up
armario cabinet, wardrobe
armón limber (forepart of caisson)
arpía harpy (a mythical monster with a woman's head and a bird's body)
arpillera burlap
arquear to arch
arqueo totaling the cash
arrancar to be off, call forth, extract, pull (off), tear out
arras *f.pl.* thirteen coins given by bridegroom to bride
arrasar to raze
arrastrar to drag
arrebolarse to turn red
arrebozar to cover
arreciar to grow stronger, grow worse
arrecife *m.* reef
arreglar to arrange, dress up, make (bed), put in order, take care of
arremeter to rush toward
arremolinarse to mill about
arrempujar to shove
arrepentido repentant
arrepentimiento repentance
arriesgado daring, risky
arriesgar to risk
arrimado (a) leaning against
arrimar to draw near
 —se to approach, move closer
arrodillarse to kneel
arrogarse to arrogate
arrojo fearlessness
arropado wrapped
arrostrar to face
arroyo gutter
arroz *m.* rice
arruga wrinkle
arrugado wrinkled
arrullo lulling (to sleep)
arrumbar to direct
artesano artisan
articular to articulate, pronounce, utter
arzón saddle-bow
asado roast
asaltar to assault
ascendiente *m.* ancestor
ascensión ascent
asco disgust
 dar — to disgust
asecho ambush
 en — on the lookout

asegurar to affirm, grip firmly, secure
asemejarse (a) to resemble
aserrar to saw
asesinar to assassinate
asesino assassin
asiduo assiduous
asiento seat
asilo asylum
asido (de) holding, clutching
asir to seize
asistir (a) to attend, be present at
asomar to appear, come to the door, show, stick out
  —se (a) to appear, have a look, lean, look down into
asombrarse to be amazed
asombro amazement
aspa vane
  en —s in the form of a cross
aspar to form an X
aspecto appearance
áspero harsh
aspirar to breathe
asqueado nauseated
asta horn
astrágalo astragal (convex moulding on rounded surface)
astro star
asustado frightened
atadura bonds
atajar to head off, squelch
atalaya watchtower
atar to tie
atarantamiento amazement, wonderment
atarantarse to be stunned
atareado busy
ataúd *m.* coffin
ateísmo atheism
atender to attend (to), pay attention
atentado assault, attempt, crime, attempted assassination
atento attentive, kind
aterciopelado velvety
aterrador terrifying
aterrorizado terrified
atesorar to hoard, possess
atisbar to watch, spy on
atizado stirred up, stoked
atolondrado amazed
atónito astonished
atontado groggy
atormentado tormented
atractivo *m.* attraction
atraer to attract, draw toward
atragantarse to stick in the throat
atravesar to cross, rack
atribuir to attribute
atril *m.* music stand
atrio atrium, portico
atronar to cause to rumble, thunder
atroz atrocious
atuendo dress
aturdirse to become stunned
audición hearing
augurio augury, omen
aullante howling
aullar to howl
aullido howl, howling
aumentado increased
aun still, even
aún still, yet
aurora dawn
ausencia absence
ausente absent, absent-minded
autóctono native
autómata *m.* automaton
autorizado authorized
avance *m.* advance
avanzar to advance
  — contra to attack
avaro avaricious, greedy
avena oats
aventar to fan, magnetize, stir up
  —se to leap up
avergonzarse to be ashamed
avidez *f.* avidity, eagerness
avinagrado sour
avisar to inform, notify, report
aviso warning
avispa wasp
axila armpit
ayuda help
ayuna fast
  en —s fasting
ayuno fasting
ayuntamiento town council
ayuntarse to couple
azabache *m.* jet
azafrán *m.* saffron
azahar *m.* orange blossom water
azar *m.* chance
azorar to frighten
  —se to get excited

azotado whipped
azotea flat roof, terrace
azufre *m.* sulphur
azularse to become blue
azuzar to prod, tease

B

baboso silly
bacalao codfish
bachiller *m.* bachelor, university graduate
badajo clapper
bahía bay
baile *m.* dance
bajado deposited
bajar to come down, descend, go down stairs, dismount, lower, recede
—se to bend down
bajo *m.* lower part, lower floor
bala bullet
balanzas scales
balaustre *m.* balustrade
balazo shot
baldazo bucket-full
balde: de — in vain
bálsamo balm
banano banana tree
banco bench
banda band, gang, side, edge
bandeja tray
bandido bandit, thief
bando faction, party
barajar to jumble, shuffle
baranda railing
barandal *m.* railing
barandilla railing
baraúnda uproar
barcaza barge
barcino reddish brown or gray and white
bargueño desk
barniz *m.* varnish
barquichuelo little boat
barra bar, curtain rod
barraca cabin
barranca ravine
barranco ravine
barrer to brush, sweep
barrera barrier, crossing gate
en — as a barrier
barriga belly
barrio neighborhood, section of city
barro clay, mud
barroco Baroque
barrote *m.* bar
barruntar to guess
basa base
basamento foundation
base *f.* base, basis
bastidor frame
basura trash
batahola uproar
batallón batallion
batea wooden tub
batiente *m.* door, jamb
baúl *m.* trunk
beatitud joy
beato blessed, devout
bebedero drinking trough
bebedor drinker
bebida drink
becario scholarship student
becerro calf
belvedere *m.* cupola
bendición blessing
bendito blessed, holy
beneficiado benefitted
beneficio charitable deed
berrinche *m.* tantrum
bien *m.* good, happiness
bienaventurado blessed
bienhechor benefactor
bifurcación crossroad, where a path divides
bifurcar to fork
bigote *m.* mustache
bigotera bow-compass
bilis *f.* bile, gall
billete *m.* bill, ticket
bisel *m.* bevel, edge
bisoño inexperienced
blancura whiteness
blandir to brandish, wave
blando bland, soft
blandura softness
blanquecino whitish
blanquiazul blue-white
boca loud-mouth, mouth, slot, pit
bocado bite, mouthful
bocanada mouthful
boceto outline
bocina horn
bochorno heat

bofe *m.* lung
bofetada slap
bohemia Bohemian existence
boj *m.* boxwood
boleto ticket, receipt
bolita huddle
bolsillo inside coat-pocket
borbollón bubble
  en — boiling
borbollonear to bubble
borborigmo rumbling (of the stomach)
borbotón
  salir en — to spout
bordado embroidered
borde *m.* bank, edge
borrachera drunken party
borracho drunkard
borrar to erase
borroso blurred
boruca uproar
bosque *m.* forest
bostezar to yawn
bostezo yawn
bota boot
bote *m.* thrust
botín *m.* booty
botón button
bóveda dome, vault, vaulting
boya buoy
bramar to bellow, roar
bramido roar
brasa coal
bravo fierce
bravura bravery
breva flat cigar
brevedad brevity
brida bridle
  volver —s to turn one's horse around
brillantez *f.* brilliance
brillar to shine
brincar to leap
brinco leap
  — sesgado sidewise leap
brindis *m.* toast
brío spirit
brizna blade (of plant), fiber (of corn-husk)
brocha brush
  — de afeitar shaving brush
brochazo brush stroke
bronquinemonía bronchial pneumonia
brotar to break out, exude, gush, rise
bruces: de — face down
bruja witch
brujería sorcery
brusco brusque, sudden
bruto animal, fool
  — *adj.* brutish, foolish
bucráneo bucranium (architectural term)
buenmozo good-looking
buey *m.* ox, steer
bufar to snort
bufido snort
buganvilla Bougainvillea
buhardilla garret
buitre *m.* buzzard
bula papal bull, edict
bulto shape, mass
bullanguero rowdy
bullir boil
burla joke, scoffing
  en — de making fun of
burlonamente mockingly
busca search
búsqueda search
busto bust, upper body
butaca armchair, orchestra seat
buzón letter-drop, mailbox

C

cabalgadura horse, mount
cabalgar to mount, ride
caballería chivalry
cabañuela weather forecasting in January
cabecear to nod the head
cabeza head
  de — head first
cabezada saddlebow
cabizbajo downcast
cabo: al — de at the end of
cacique *m.* political boss
cachete *m.* cheek
cachorro cub
cadena chain
cadencia cadence, rhythm
cadera hip
caer to fall (in folds of drapery)
  caérsele to drop
caído: brazos —s his arms at his sides
caja box, coffin
cajetilla *m.* a dude from Buenos Aires

calabaza squash
calabozo prison cell
calado eyelet, openwork
— *adj*. soaked, pulled on
cálculo calculation
caldear to heat up
caldero kettle, kettledrum
calderón flourish
caldo broth
calentar to warm, heat
calentura fever
calenturiento feverish, sun-warmed
cálido warm
caliente hot
calificar to characterize, evaluate, judge to be
cáliz *m*. chalice
calor warmth
entrar en — to warm up
calumnia slander
calzada avenue, causeway, highway
calzoncillo underwear
calzones *m.pl*. breeches
callado silent, unspoken
callar to keep quiet, not to mention, suppress
calle *f*. street
— de por medio down the middle of the street
a las pocas —s a few streets away
callejero street urchin, bad
camaraderismo camaraderie
camarero valet
camastro filthy bed
cambiar to cash, change, exchange
caminante traveler
caminar to move, travel, walk
camión *m*. truck
camisa chemise, shirt, nightgown
campana bell
campanario belfry
campesino peasant
cana grey hair
canalla dog, riffraff
cancel *m*. gate
candado padlock
candelabro candelabrum
canilludo long-legged
cansancio exhaustion
cántaro: llover a —s to rain heavily
cantero flower bed
cantidad quantity
cantina bar
canto corner, melody, song
caña (shaft of) column
cañaveral *m*. canebrake
cañería metal pipes, tubing
caño pipe
cañón barrel
caoba mahogany
capa stratum
capaz capable
capilla chapel
capital *f*. capital city
capitel *m*. capital (of column)
capitular *f*. edict, fiat
caprichoso capricious
caracol *m*. snail, shell, spiral stairwell
en — winding
caracoleante prancing
caracolear to cavort
carácter *m*. character, letter
carámbano icicle, iceberg
caramillo whistle
carancho bird of prey
carbón lump of coal
carbunclo carbuncle, ruby
carcajada guffaw
cárcel *f*. jail
carcelario jail-like
carcoma wood-borer
carcomido worm-eaten
carecer (de) to lack
carencia shortage
carente (de) lacking
carestía shortage
carga burden, charge, freight
cargador loader, stevedore
cargar to carry, charge, load, be burdened with, pick up
cargo charge, duties, position
cariacontecido woebegone
cariado decayed
caricia caress, petting
caridad charitable deed
cariño affection
caritativo benevolent
carmesí scarlet
carnavales *m.pl*. Mardi Gras season
carne *f*. body, flesh, meat
carnicero butcher
carnicería butchershop, carnage
carnificino *adj*. butcher
carnosidad fleshiness

carrera course, run
  de — running
  emprender — to set out
carrero cart-driver
carreta cart
carretilla wheelbarrow
carretón cart
carta card, letter
cartabón triangle (used in drafting)
cartapacio notebook
cartel *m.* placard, show-bill
cartera purse
cartón cardboard, carton
cartucho cartridge, charge
cartulina cardboard
cascabel *m.* harness bell
cáscara peeling, rind
casco helmet, hoof
  — de corcho pith helmet
caserío hamlet
casilla shack
caso case, problem
  — de even if
  hacer — de to pay attention to
casona big house
castaño chestnut-colored horse
castigador sadistic
castigar to punish
castigo punishment
castillo castle
castrar to castrate
casual accidental
casualidad accident
catecismo catechism
categoría category, class
catre *m.* bed, cot
catrín *m.* fancy-pants, member of the upper-crust
catrino fancy, swell
catrinura finery
cauce *m.* riverbed
caudillismo political system in which there is excessive dominance of provincial bosses and their factions
caudillo chief, leader
causante *m.* cause
cautela caution
cauteloso cautious
cautivar to captivate
cautiverio captivity
cautivo captive
cavador digger
cavar(se) to dig
cavilar to ponder
caza hunting
cazador hunter
cazar to hunt, kill
cazuela pot
cebado hungry, baited
cebarse (con) to feed on
ceder to give in
cegar to blind
celda cell
celo heat, sexual desire
  —s jealousy
celosía shutter
celoso jealous
célula cell
cementerio cemetery
cencerro cowbell
ceniza ash
cenizo grey
centenares *m.pl.* hundreds
centrar to constitute the center
ceñir to encircle, girdle, hold
ceño aspect, brow, frown
  — fruncido knit brows
cera wax
cercano near, nearby
cercar to surround
cercén: a — at the root
cerciorarse to ascertain, assure oneself, make sure
cerco fence
cerdo pig
cerilla match
cerradura lock
cerrajero locksmith
cerrojo bolt
certero accurate, sure
certificado certified, registered
cerveza beer
cerviz *f.* neck
cesar to cease
césped *m.* grass
cesta basket
cianuro cyanide
cicatrizado healed
ciclo cycle
ciego blind
cielorraso ceiling
cifra cypher, number
cilindrero organ-grinder
cilindro cylinder, hand-organ

cima peak
cimarronero wild
cimborrio dome
cincha cinch
  a la — attached to the cinch
cíngulo cingulum (priest's girdle)
cinismo cinicism
cinta hatband, ribbon
cinto belt
cintura belt, girdle, waist
cinturón belt
ciprés *m.* cypress
circo circus
circundar to encircle, surround
circunvalado surrounded
cirio candle
cisne *m.* swan
cita appointment, date, quotation
clamar to cry, shout
clamoroso clamorous, shrieking
claridad brightness, light
clarín *m.* bugle
clarinada clarion call
claro clear, light, pale, pure
  a las claras clearly
claudicante stumbling
clavar to drive into, fix (a look), nail, point at, stick fast
clave *f.* key (to a code)
claveteado studded
clavícula clavicle
clavo nail
clericalismo excessive interference of clergy in politics
clima *m.* atmosphere, climate
cloaca sewer
clorofila chlorophyll
coágulo clot
cobarde *m. or f.* coward
  — *adj.* cowardly
cobardía cowardice
cobertizo shed
cobijado sheltered
cobrar to acquire, assume, charge, collect
cobre *m.* copper
cobrizo copper-colored
cocido stew
cocimiento concoction
cochambre *m.* filth
cochera coach-house
cochero coachman
codazo elbow-thrust
codiciado coveted
codo elbow
cofradía brotherhood
cogida: manos —s folded hands
coger to catch, seize, take
cojín *m.* cushion
cojo lame
col *f.* cabbage
cola tail
colada a kind of soup made with flour (or rice) and milk; milky substance
colcha bedspread
coleccionado collected
cólera anger
colérico angry
colgante hanging
colgar to hang
colilla cigarette butt
colina hill
colmar (con or **de)** to heap upon, lavish upon, fill, complete
colmo peak
colocar to place
  —se to put oneself
colonia suburb
coloquio conversation
colorado red
colorear to color
colorido color, coloring
columpiarse to soar, swing
comadre *f.* crony, gossip
comadreo gossip session
comarca region
comedor dining room
comején *m.* termite
comentar to comment on
comerciante businessman
comestible edible
cometer to commit
comible edible
comienzo beginning
comisión committee, commission
cómodo comfortable
compadecer to be sorry for
  —se to feel sorry for
compadecido compassionate, sympathetic
compadre *m.* friend
comparecer to appear
comparsa troop
compartir to share

compás *m.* beat, compass, measure, time
compendio collection
competencia competition
competente competent, proper
complacerse to take pleasure in
completarse to fulfill oneself
cómplice *m.* or *f.* accomplice
— *adj.* implicated
complicidad collaboration
complot *m.* plot
comportamiento behavior
compositor composer
compra purchase
comprender to comprehend, understand
comprimir to hold down, press down
comprobar to ascertain, discover, prove, verify
comprometer to compromise, force
—se to get involved
compromiso compromise, commitment
compuesto composed
compungido remorseful
comulgante *m.* or *f.* first-communicant
común *m.* privy
comunicarse to communicate with one another
concebible conceivable
concebido conceived
conceder to attribute, concede, grant
concentración gathering
concepción conception, idea
concernir to concern
concertación accord
— de miradas meaningful glances
concertar to synchronize
conciencia conscience, realization
conciliar to conciliate
— el sueño to get to sleep
concluir to conclude, end
concreción concision
concurrencia gathering
— desconocida crowd of outsiders
concurrente *m.* spectator
concurrido crowded
concurrir to attend, congregate
concurso crowd
condenar to condemn
conducir to lead
confabularse to plot
confeccionar to make
confesarse to confess
confesionario confessional
confianza confidence
confiar to confide, trust
—se to rely on, confide in
confidencia secret
en —s telling secrets
conforme in agreement
— a in accordance with
confrontar to compare
confundir to confuse misjudge, mix
—se (con) to lose oneself in
confuso confused
congénito congenital
congratulante gratifying
conjunto whole
conjurar to conjure away
conjuro conjuration, spell
conmoción emotion
conmoverse to be deeply moved, move, stir
conocedor expert
conocimiento acquaintance, knowledge, information
conquistar to conquer
consabido well-known
cosechar to harvest, gather
consejo advice
consentir to consent
conservarse to be well preserved
consola console
consonancia harmony
conspirar to conspire
constancia documentary proof
constituir to constitute
consuelo consolation
consumir to consume
—se to waste away
consunción consumption
contador accountant
contaduría box office
contar (con) to count on
contener to control hold, hold in check
—se to control oneself, hold back, refrain
contenido suppressed
contento pleasure
— *adj.* content, delighted
contertulio member of a regular gathering)
contorno contour, environs
contrabajo bass fiddle

contraer to contract
— **el ceño** to frown
contrafuerte *m.* buttress
contraído scowling
contrariado opposing
contrariedad annoyance
contusión bruise
convencer to convince
convento convent, monastery
convidado invited
convite *m.* party
copa glass, tree-top, top
copioso copious
copudo thick-topped
coquetear to flirt
coraje *m.* anger
corazón heart
— **bien puesto** right-minded
corbata tie
corcel *m.* steed
corcho: **casco de** — pith helmet
cordel *m.* string
cordero lamb
cordobán *m.* cordovan leather
coreográfico choreographic
cornalina carnelian
corneta: — **acústica** ear trumpet
cornetín *m.* cornet
corno horn
coro chorus
corona crown, wreath
coronado crowned
corporizarse to materialize
corral *m.* stockyard
correa thong
corredor porch
correntino from Corrientes (Argentine province)
correo mail
correr to descend, blow, experience, run, run about, chase away
a todo — as fast as he could run
—**se** to flow
— *m.* rumbling
correspondiente appropriate, corresponding, respective
corriente *f.* current
corroborante nourishing
corromperse to decay
corrompido corrupt
cortadura cut
cortante cutting, decisive
cortar to break, cut, cut short, divide, interrupt
corte *m.* cut-off, dress cutting, tailoring
— **de la luz** to cut off the electricity
cortejo procession
— **al paso** slow procession
cortés courteous
cortesía courtesy
corteza bark
cortina curtain
— **de hierro** iron curtain (which pulls down and locks over store entrance)
corto short
corva back of the knee or the leg
coser to sew
costado side
costar to cost
costilla rib
costillar *m.* rib
costumbrismo a literary current apparent in the nineteenth century which emphasized descriptions of local customs
costura sewing
cotidiano daily, work-a-day
coyuntura joint
coz *f.* kick
cráneo cranium, head
a — **descubierto** bareheaded
crecer to grow, increase
crecido growing, large
creciente growing
credo creed
credulidad gullability
crepúsculo twilight
cresta comb, crest
criar to rear
criatura creature
crimen *m.* crime
criollismo late nineteenth-, early twentieth-century literary current in literature which emphasized typically Spanish American elements
criollista see *criollismo*
criollo creole, European born in America; see *criollismo*
criptografía code
crisis *f.* crisis, hysterics
crispación contraction

crispar to tense, clench, irritate
  —se to arch
cristal *m.* crystal, glass, lens
cristalería glasswork, collection of crystal
cromatismo use of colors
cromo colored picture
crónico chronic
cronología chronology
croquis *m.* sketch
crudeza crudeness
crudo coarse, crude, cruel, raw
crueldad cruelty
cruento bloody
crujido creaking, rustle, cracking noise
crujiente crunchy
crujir to crack, creak, crunch, gnash, rustle
cruz *f.* cross
  en — spread-eagled
cruzar to cross, fold
  — el rostro to strike across the face
cuaderno notebook
cuadra block, one hundred fifty yards
cuadrado square, squared
cuadrar to suit
cuadrilla pack
cuadro square
  a —s checkered
cuajo clot
cuanto: — antes as soon as possible
  en — a with regard to
Cuáquero Quaker Oats
cuaresma lent
cuaresmal lenten
cuartería apartment house
cuarto quarter, room
cubo bucket
cuclillas *f.pl.* haunches
  de — squatting
cuchara spoon
cuchicheo whispering
cuchilla cleaver, knife
cuchillada knife thrust
  a —s by means of a knife fight
cuchillo knife
cuello collar, neck
cuenta account, bead
  darse — to realize
cuento counting
  sin — without number
cuerda cord, string
  dar — to wind
cuero hide, leather, voluptuous woman
cuerpo body
  — presente the accused person being present; the body lying in state
cuervo crow
cuesta hill
  en — sloping
cueva cave, hole
cuidadosamente carefully
cuidar (de) to take care, care for
culata gunbutt
culebra snake
culpa fault, guilt, sin
  La Culpa the Fall
culpable guilty
cumpleaños *m.* birthday
cumplimiento fulfilling
cuna cradle
cupé *m.* coupé
cúpula cupola
curso course, year
curtir to tan
  a medio — half-cured
custodiar to guard, watch
cutis *m. or f.* skin

Ch

chal *m.* shawl
chalana scow
chaleco vest
chaparrón downpour
charca pool
charco puddle
charla talk
charnela hinge
chasquido swish
chatarra scrap-iron
chato commonplace, flat-nosed, short
che Hey!
chicote *m.* whip
chícharo pea
chiflar to whistle
chiflido whistle
chileno Chilean
chillante rustling
chillar to screech
chimenea chimney, smokestack
chinche *m. or f.* thumbtack

chiripá baggy cloth pants
chismoso gossipy
chispa spark
chispar to speak, talk back, bristle
chisporrotear to sputter
chiste *m.* joke
chistido whistle, "sh-h-h"
chistoso witty
chocante *m.* boor
chófer *m.* taxi driver
choque *m.* crash, impact, rattling
chorizo sausage
chorro stream, lots
  a —s copiously
choza shack
chubasco shower
chucho malaria, recurrent fever
chulo pretty
chupar to age, sap
chusma mob

D

daga dagger
dama lady
damasco damask
danza dance
daño harm, hurt
dar to give, face, kick, strike
  —se to begin to, dedicate oneself
  —se cuenta to be aware of
  —se por to act, consider oneself
dardo sharp point, thorn
dato datum, fact
debido due
débil weak
debilidad weakness
década decade
decaído decayed
decidirse to make up one's mind
décimosexto sixteenth
decisivo crucial, decisive
declive *m.* incline, slant
decreto decree
dedo finger, toe
  — gordo big toe
deforme deformed, monstrous
defraudar to cheat, defraud
degollado beheaded
degollador exterminator, throat-cutter
dejado lying
dejar to allow, leave, leave behind, lose, permit
  — de to cease to
  —se caer to fall
delación informing
delantero front
delatar to denounce, give information concerning, reveal
delator informer
deleite *m.* delight
  — de desire for
deleitoso delightful, pleasureable
delgado thin
deliberado deliberate
delimitar to delimit
delirar to be delirious
delirio delirium
demacrado emaciated
demanda demand, search
demasía: en — excessively
demencia madness
dementirse to be out of line
demora delay
demorar to linger, remain
demostrar to demonstrate, show
denunciar to announce, denounce, reveal, squeal
dependiente employee
depósito warehouse
derecha *f.* right
  — *adv.* straight ahead
Derecho lawschool
derecho *m.* law, right
  — *adv.* straight
derramar to pour out, spill
  —se to overflow, spill, spread out
derrame *m.* discharge
  — cerebral cerebral hemorrhage
derretido melted
derribado fallen, knocked down, overturned
derrumbado collapsed, crumbling
derrumbar to tumble
  —se to collapse
desacato irreverent act
desacostumbrado unaccustomed
desafiar to challenge, defy
desaforado disorderly, impudent, monstrous, wild
desagravio amends
desahogar to relieve, get out of one's system
desahogo expression, outlet, relief, revelation, playground
desahuciado despaired of

desahuciar to give up hope for
desamparado helpless
desamparo aloneness
desaparición disappearance
desarrollar to develop
desarrollo development
desarrugado unwrinkled
desasirse to break loose
desasosegado anxious
desatar to untie
desatentado reckless
desazonado taken unawares
desbandarse to disband, scatter
desbaratarse to do more than one's share
desbarrar to rave
descalabrar to pound one's head
descalzo barefoot
descarga discharge, firing, shot
descargar to discharge, fire, explode, strike
descarnado bony, fleshless
descascarado peeling
descender to descend, go down river
descenso descent
  en — descending
desceñir to unfasten
  —se to rid oneself
descifrar to decipher
desclavado unnailed
descolgar to take down
descolorido faded
descompasado excessive, immoderate
descomponerse to decompose
descomposición decomposition
desconcierto disorder
  por más — to add to the confusion
desconchado peeling
desconfiado suspicious, unsure
desconfianza mistrust
desconocedor ignorant
desconocer not to recognize
desconocido unknown, unfamiliar
desconsideración lack of consideration
descontento discontentment
descorrer to pull back
descuartizamiento quartering
descuido neglect
desde from, since
  — ya immediately
desdeñar to disdain
desdeñosamente disdainfully
desembocar to come into, end up
desempeñar to perform, play
  — un papel to play a role
desempeño performance
desencadenado unchained
desencadenamiento unchaining
desencaminarse to go out of one's way
desenfadado unembarrassed
desenfrenado unbridled
desenlace *m.* outcome, denouement
desenredar to untangle
deseoso desirous
desesperación despair, desperation
desesperado desperate
desesperante hopeless, maddening
desesperar to drive wild
desfigurarse to become disfigured
desgano boredom, indifference
desgarrar to rend, tear
  —se to burst forth, separate
desgastado worn away
desgracia misfortune, trouble
desgraciado unfortunate
desgreñado disheveled
desguazado disjointed
deshabitado uninhabited
deshacer to tear to pieces, undo
  —se to break up
deshechar to get rid of, cast aside
deshecho reject
deshilvanar to unravel
desierto deserted
desintegrar to separate
  —se to disintegrate
desjarretar to hamstring
desleal disloyal
deslizar to slip
  —se to slip in
deslumbrado bewildered, blinded, dazzled, stunned
deslumbrador dazzling
deslumbramiento dazzlement
deslumbrante dazzling, showy
deslumbrarse to be dazzled
desmadejado listless
desmanchar to remove spots
desmandarse to get out of line
desmayado unconscious
desmayarse to faint
desmedido excessive
desmedrado deteriorated, sickly
desmesurado terrible
desnucado with wrung neck
desnudar(se) to undress

desnudez *f.* nudity
desnudo bare, naked
desolado desolate
desolador desolating, depressing
desolladero slaughterhouse
desollar to flay, skin
desorden *m.* disorder, disorderliness
desordenar to throw into disorder
desovillar to cause to uncurl, disentangle
despachar to dispatch, send, send away
despacho office
desparramar to scatter
 —se to scatter
despavorido terrified
despechado discouraged, downcast
despecho dispair, disgust
 a — de in spite of
despedazar to tear to pieces
despedida good-by, leave-taking
despedir to emit, give off
 —se to say good-bye
despegar to separate, open, take away, unstick
despejar to clear
 —se to clear up, become deserted
despellejar to skin
despensa pantry
desperdicio waste
despilfarrar to squander
despilfarro wastefulness
despintado unpainted
despintar to remove lipstick
desplomarse to collapse, drop, topple over
desplome *m.* collapse, fall
despojar to despoil, deprive
despojo spoil
déspota *m.* despot
despreciar to scorn, reject
desprecio scorn
desprender to come loose, detach, extricate, release, take off
 —se to come forth, come loose, detach oneself, leap up, issue, move away, start out
desprendimiento tearing sensation
despreocupación carelessness, lack of concern
despreocuparse to stop worrying
después *m.* hereafter
desquite *m.* compensation, retaliation
destacado outstanding
destacarse to stand out
destartalado shabby
destejer to untangle
desteñido faded
desterrado exiled
destinado destined, set aside
destinatario addressee
destreza dexterity, skill
destrozar to destroy, tear to pieces
desusado old-fashioned
desvaído spindly
desvalimiento helplessness
desvanecer to cause to disappear
desvestir to undress
desviar to deflect, divert
 —se to turn away from
desvivirse to outdo oneself
detallado detailed
detallarse to picture to oneself
detalle *m.* detail
detallismo detail
detener to detain, stop
 —se to stop, drag by, pause
detenido detained, unmoving, held in
determinar to decide, determine
deuda debt
deudo relative
devanar to roll
devolver to give off, return
 —se to turn back
devoración devouring
devorar to devour
devoto devout
día day
 — a — day by day
 Días Santos Holy Week
 de — by day
diamantino diamond-like
diapasón *m.* diapason, tone
diario diary, newspaper
 — *adj.* daily
 de — everyday
dibujado drawn
dibujarse to be outlined
dibujo drawing
 — a pluma pen drawing
dictadura dictatorship
dicharacho obscenity
dicho aforesaid
diestramente dextrously, skillfully

difumino halo, haze
difundir to diffuse, spread
difunto deceased, defunct
dignarse to deign to
dignatario dignitary
dilatarse to expand
diluir to dissolve, fade into
  —se to disappear, dissolve
diluvio flood
diminuto diminuitive
dirección address, direction
dirigir to address, conduct, direct
  —se (a) to address, go toward, head for, turn to
disco record
disculpa excuse
discurrir to invent
discusión argument, discussion
discutir to argue, discuss
disfraz *m.* disguise
disfrazar to disguise
disgustar to disgust, displease
disimular to disguise
disipado dissipated
disminuir to diminish
disparado like a shot
disparar to shoot
dispensar to dispense, excuse
dispersarse to disperse
dispersión dispersal, scattering
disperso scattered
disponer to decree, display, prepare
  —se to be about to, be disposed to
dispuesto arranged, placed, ready
distancia distance
  a la — from a distance, some distance, some distance away
distanciado far apart
distenderse to uncoil
dístico distich, a pair of verses
distinguido distinguished
distinto different, various
distraer to amuse, distract
distraídamente absentmindedly
divagación wandering
divagar to ramble
diversificarse to be distinguishable
diverso different, diverse
divertir to amuse
  —se to amuse oneself
divisa device, insignia
divisar to glimpse
doblar to bend, crease, fold, turn, toll
  —se to bend double
docilidad docility
dócilmente meekly
doctorarse to take a doctor's degree
documental *m.* documentary (film)
dogo watchdog
dolencia pain
doler to grieve, hurt
doliente ailing
dolorido grieved, hurt, sorrowful, pained
doloroso painful, sorrowful
domador tamer
domar to tame
dombo dome
domesticidad tameness
domicilio home
dominar to compel, control, dominate, drive, impel
Domingo de Ramos Palm Sunday
dominio control, rule
dona wedding present
donante *m.* donor
dorar to gild
dórico Doric
dormitar to doze
dorsal *m.* dorsal (muscle)
dosis *f.* dose
dotado endowed
drago dragon tree
dramaturgo dramatist
dril *m.* drill
ducha shower, shower room
dudar to doubt
duela barrel stave
durar to last
dureza hardness

E

echado lying
echar to fling, throw, throw out, move, emit, cast (a look)
  — a to start to
  — en cara to accuse
  — en olvido to forget
  — la culpa to blame
  — mano a to take out, reach for
  — una vuelta to take a turn
  —se to throw oneself down, assume, lunge

—se atrás to draw back
edén *m.* Eden
edificar to construct
educado educated
mal — ill-bred
efectivamente indeed, in fact
efecto effect, impression
en — in fact
tener — to take place
eficacia efficacy, power
efusivo effusive
egoísta selfish
eje *m.* axis
ejecución execution
ejecutado performed
ejecutor executioner
ejercer to exercise, exert
ejercicio exercise
ejercitado practiced
elección election, selection
a — for the choosing
elegido chosen
elemental basic
elevar to raise
—se to rise
elogiado praised
elogio eulogy, praise
elzevirio Elzevirian (letter)
emanar to emanate, give off
embadurnar to daub
embadurno paint
embajador ambassador
embarcación boat
embate *m.* attack, surf
embocar to put in (or to) the mouth
emborronar to blot
embravecerse to become bold
embravecido angry
embriagar to inebriate
embrutecido dehumanized
emerger to emerge
emigración emigration, exile
emisario bearer (of a message), emissary
empalidecimiento paling
empanada meatpie
empapado soaked
empapar to drench
—se to become soaking wet
emparejarse (con) to match
empavesado bedecked
empavorecido terrified
empellón shove
empenachado beplumed
empeñado pawned
empeño insistence, pawn
casa de — pawn shop
emperatriz *f.* empress
empero nevertheless
emperrado stubborn
empinado steep
empingorotado member of high society
emplazado doomed, summoned
emplearse to work
empleo use
emponzoñado poisoned
empotrar to embed
emprender to begin, undertake
—carrera to set off
—la con to quarrel with
empresa undertaking, task
empujar to push
empuje *m.* agility
empujón shove
empuñadura hilt, handle
empuñar to grasp
enamorado in love
enanchar to drag out
enano dwarf, dwarfed
enardecido inflamed
encabezar to head
encadenamiento chain, series
encajarse (en) to force one's way into
encaje *m.* lace
papel de — paper doily
encallado hardened
encandilamiento bedazzlement, spots before the eyes
encandilar to dazzle
encantar to delight, enchant
encanto charm, charming thing, enchantment, spell
encarar to face
encarcelado jailed
encargado superintendent, supervisor
encargo task
encarnado red
encarnarse to be incarnate in
encarrilado (set) on the right track
encender to light, light up, incite, stir up, illuminate, turn on
—se to catch fire, become luminous, become excited (with inspiration), become angry

encendido lighted, aflame, inspired, bright
encerrar to enclose, hold, shut in
—se to shut oneself up
encierro confinement, enclosure
encogerse to wince, writhe, shrink
— de hombros to shrug
encolerizarse to get angry
encomendar to commend
encono rancor
encontrado: mal — having met to one's sorrow
encontrar to encounter, find
encordado bound
encorvarse to bend, stoop
encuadernado bound
encubrir to hide
encuentro encounter
al — de to meet
salir al — to cut someone off
encumbrado exalted
enchapado silver plate, chromium plate
endeble feeble
enderezarse to straighten up, sit up
enderezo straightening up
endurecido hardened
enemistado angry
— con la vida tired of life
enérgico energetic
enervar to enervate, weaken
enfadoso tiresome
enfermar to get sick
enfermedad sickness
enfermero nurse
enfermo sick, sickly
enfocar to consider, focus, view
enfriamiento chill
enfriarse to get cold
enfurecido infuriated
engaño deception, trick
engullir to gulp down
engusanarse to become wormy
enhechizar to bewitch
enhorquetado (en) straddling
enjabonadura lather
enjabonar to lather
enjaezado caparisoned, decked out
enjambre *m.* swarm
enjaulado caged
enjoyar to bejewel
enjuto lean
enlazador roper
— de a pie roper who works on foot
enlazar to lasso
enlevitado wearing a frock coat
enloquecer to drive wild
enlutado mourner, in mourning
enmohecido rusty
enmudecer to become mute, become silent
ennegrecido blackened
ennoblecer to embellish, ennoble
enojarse to get mad
enojo angry
enojoso annoying
enracimado bunched
enredar to entangle
—se to get entangled
enrejado latticed
enriquecido enriched
enrojecer to redden
enrollar to roll
enronquecer to become hoarse
ensangrentado bloody, bloodied
enseña sign, standard
enseñar to show, teach, train
enseres *m.pl.* utensils
ensombrecido darkened, saddened
entablamento entablature, roof
entendimiento understanding
enterado informed, well-informed
enterarse (de) to be (sexually) roused, become (sexually) sensitive or potent, find out about
enternecer to move, touch
enterrar to bury
entibiar to warm
entierro burial, funeral
entonado harmonizing
entornado ajar, half open
entrada comings, entrance
entrambos both
entraña entrail
entrañable heartfelt, profound
entreacto intermission
entrecortar to break, cut short, interrupt
entrechocar to knock together
—se to strike one another
entregado resigned
entregar to deliver, turn in, hand over, surrender
entrelazado interlaced

entrelucido: andar de— to meddle
entremezclado mixed in
entretanto meanwhile
entretejer to interweave
— **se** to entwine
entretenido occupied
entrever to glimpse
entrevisto envisioned
entristecer to depress, sadden
entumecido benumbed
enturbiarse to become muddied, become clouded
entusiasmado enthusiastic
envalentonado emboldened
envase *m.* box
enviar to send
envidia envy
envidiar to envy
envío sending, shipment
envolvente encircling
envolver to enfold, wrap
enyerbar to drug (with herbs)
epitalamio marriage hymn
época epoch, season, time
equilibrio balance
equipo team
equivaler to be equal to
equivocarse to make a mistake
era age
erguir to raise upright, rouse
— **se** to rise, rouse, straighten up, stand up, set oneself up as
erizado bristling
erizarse to bristle
erizo sea urchin
esbelto slender
esbirro agent
escabullirse to get away
escalera staircase
— **de caracol** winding staircase
escalinata outdoor staircase
escalofrío chill, shudder
escalonar to distribute, place at intervals
escama scale
escamado scaly
escamadura scales
escándalo scandal, uproar
escaparse to escape
escapatoria way to escape
escapulario scapular (two small cloth squares joined by strings worn around the neck so that the squares hang before and behind; special indulgences may be won by wearing them)
escarbar to dig, probe for
— **dentro de sí** to rack one's brain
escarmiento punishment
escasear to be scarce
escasez *f.* scarcity
escaso few, scarce, rare, slight
escenario stage
escénico picturesque, theatrical
esclarecido illustrious
esclavo slave
escolar *adj.* school, student
escoltar to escort
escombros *m.pl.* debris
esconder to hide
—**se** to hide
escopeta shotgun
escotado wearing a low-cut dress
escote *m.* bosom, low-cut dress, low-neck
escrito *m.* document
escrúpulo scruple
escrutador critical, searching
escuadra: a — squared
escuadrar to square
escuadrón squadron
escuálido squalid
escudilla bowl, coffee cup
escudo escutcheon
escultórico sculptural
escurrir to drain, run down, trickle
—**se** to slip away
esencia essence
esfinge *m. or f.* sphinx
esfuerzo effort
esfumarse to fade away
esgrimir to brandish
esmalte *m.* enamel
espada sword
espadaña belfry
espalda back, shoulder
de —s backwards, with one's back toward
espaldar *m.* back (of chair)
espantable terrible
espantada sudden movement caused by fear
espantado amazed
espanto fright, horror, How awful!

espantosamente frightfully
espantoso terrible
esparto esparto grass cord
especie *f.* kind, species
espectáculo amusement, performance, spectacle
espectador member of audience, spectator
espectral ghostly, spectral
espejo mirror
espejuelos glasses
espera suspense, wait
esperanza hope
esperanzado hopefully waiting
espesar to thicken
  —se to grow thick
espeso thick
espiar to spy, watch for
espigado slender
espina spine, thorn
  — dorsal backbone
espinazo spine
espino thorn
espolear to prick, spur
espolvoreado powdery
espuela spur
espuma foam
espumarajear to spew
espumarajo froth
esquela death notice
esquina corner
esquinero corner
esquitera popping (of pop corn)
esquivar to avoid
esquizofrenia schizophrenia
establecer to establish
estaca stake
estación station, season, stage; station (visit to specified church which earns an indulgence)
estadio stadium
estadista statesman
estado condition, stage, state
estallar to break out, burst, explode
estallido explosion
estampar to engrave, to stamp
estampido report (of gun), roar
estancado stagnant
estancia dwelling, room
estanque *m.* pond
estarse to stay
estatua statue
estatuado sculptured
estatura size, stature
estentóreo stentorian
estercolero dung heap
estertor gasping
estiércol *m.* dung
estilo style
  por el — and so on
estimado esteemed
estío summer
estirar to stretch, stick out, pull
  — el pellejo to kick the bucket
  —se to grow, stretch
estola stole
estopa rag, tow
estorbar to prevent
estragado polluted
estrapada whipping
estrechado hugging
estrechar to hold tightly, hug
estrechez *f.* closeness
estrecho narrow, tight
estrellar to smash
  —se to explode, shatter
estremecer to shake
  —se to quiver, shiver, shudder, tremble
estremecimiento trembling, quivering
estrenar to première, wear for the first time
estrépito noise
estrepitoso noisy
estría groove, fluting (of column)
estridente strident
estrofa strophe
estruendo loud noise, uproar
estuco piece of stucco
estuche *m.* box, case
estudioso scholar
estupefacción amazement
estupefacto stupefied
etapa stage
etiqueta label
eucaristía eucharist
evangelio gospel
evasiva evasion
evirar to emasculate
evocación evocation, mention
evocador calling forth
evocar to evoke
evolucionado evolved
exageradamente exaggeratedly

exaltante exciting
exasperación anger, discontent
exasperar to aggravate, exasperate, increase, rouse
excelso sublime
excepción distinction, exception
excitación excitement
exhalación exhalation, emanation
exhalar to exhale, emit
exhibirse to exhibit oneself, be on display
exigencia demand
exigir to demand
eximirse to exempt oneself
éxito success
expedito expedition
experimentar to experience
expiación expiation
expiar to expiate, pay for
expiativo expiative, punishing
expiatorio expiatory, penitential
explicable understandable
explicación explanation
explicar to explain
—se to understand
explotación exploitation
en — in operation
explotar to explode
expoliación exploitation, thievery
exposición exposition, explanation
exprimir to squeeze
expuesto condemned, expounded
extranjero foreigner
extrañado surprised
extrañamente strangely
extrañarse to be surprised at
extraviado lost, misplaced
extravío misconduct, misplacing
extremado extreme
extremaunción extreme unction (rite of annointing the dying)
extremista radical
extremo end, extent
exvoto votive offering (small metal charms)

F

fábula fable
faceta facet
faceto fussy, silly
factor: — tiempo time factor
facultad faculty, option, privilege, school
fachada facade
faena job, work
faetón phaeton (carriage)
fagot *m.* bassoon
faldón coattail
falsificar to falsify
falso counterfeit
faltar to be absent, be disrespectful, be lacking, be missing, slip
falto devoid
fallar to fail, miss
fallecimiento death
fama fame, recognition
familiar *m or f.* relative
— *adj.* family
fámula servant
fango mud
farallón cliff
faro headlight, lighthouse
farol *m.* lamp, lantern
fase *f.* phase, stage
fastidiar to annoy
fastidio exasperation
fatalidad fatality, fate
fatalmente inevitably
fatiga fatigue, hard breathing
fatigado fatigued
fatigante fatiguing
favor: a su — in one's favor
favorecer to benefit, favor
faz *f.* face
fe *f.* faith
mala — dishonesty
fealdad ugliness
fecundar to fertilize
fechoría misdeed
feísmo emphasis on ugly and grotesque
feligrés *m.* parishioner
felpa plush, blobs of foam
fénico: ácido — phenol (antiseptic)
feroz ferocious, fierce
ferroviario *adj.* railway
festejar to entertain
festón *m.* festoon
fibra fiber
ficus rubber tree
ficha chip

fidelidad fidelity
fiebre *f.* fever
fiel faithful
fiera wild beast
fiereza fierceness
fiero fierce
fierro iron
figuración daydream, symbol, vision, figuration
figurar to represent
figurín *m.* model
fijador: — **de hilos telefónicos** telephone lineman
fijamente intently
fijar to fix, focus
  —**se** to notice, watch
fijeza fixity, glare, steadfastness
fijo fixed, fastened steadfast
fila row
filigrana filigree
filo edge, cutting edge
filoso sharp-edged
finado deceased
final *m.* end, finale
finalidad end, purpose
fingir to pretend
fino fine, shrewd, refined
fiscal prosecutor
fisgonería curiosity mockery
físico physical
fisonómico relating to the study of psysiognomy (the study of character by means of analysis of features)
fístula fistula, sore
fisura fissure, breaking off of relations
flaco thin
flagelación flogging
flamante brand-new
flanco flank, side
flanquear to flank
flatulencia flatulence, gas on the stomach
flauta flute
fleco fringe
flecha spire
flojo loose, slack
flor: — **de lis** fleur-de-lis
floreado decorated with flowers
florón finial
flotante floating
fluir to flow, run
foco center, core, focus, light bulb, street light
fogón stove
fonda restaurant
fondo back part of house, depth, rear, bottom, ground, background
  en el — in the back of my mind
forcejar (**forcejear**) to struggle
formal real
fornido robust, stout
fortaleza fortress, strength
fortissimo (*Italian*) very loud
forzoso unavoidable
fosa cavity, grave
fosco dark
fosfórico phosphorescent
fracaso failure
franc-masón Masonic
franja strip, fringe
franqueza frankness, generosity
fraque *m.* coat
frase *f.* phrase
frecuentar to attend regularly
frenazo violent application of the brakes
frenesí *m.* frenzy
frenético frantic
frente *f.* brow, face, forehead, head;
  — *m.* front (of house or building)
  de — forward, from in front
fresa burr
  — **de dentista** dentist's drill
fresca cool time of evening
frescor coolness
frialdad coldness
frigidez *f.* frigid
frondoso leafy, vigorous
frotar to rub
fruncir to wrinkle
fuente *f.* fountain, source
fuera *adv.* out, outside
  — **de sí** beside himself
fuero privilege
fuerza effort, force, power, strength
  a — **de** by dint of
  a —**s** unwillingly
  por — of necessity
fuga flight, escape

fulgente resplendent
fulgurante flashing
fumar to smoke
función performance
fundamento reliability, respectability
fúnebre *m.* funeral
— *adj.* funereal, gloomy
funerales *m.pl.* funeral
funeraria funeral parlor
furibundo furious
furor furor, rage
furtivo furtive
fusil *m.* gun
fusta whip
fuste *m.* shaft (of column), timber

G

gacho bowed, drooping
gafas glasses
galera galley
galería gallery, tunnel
galpón shed
gallardo gallant, handsome
galleta biscuit
gallina hen, chicken
— **de guinea** guinea hen
gallo rooster
gambetear to caper, prance
gana desire
ganado cattle
gancho hook
garabatear to scribble
garabato curlicue
garboso sprightly
garra claw
garrocha pole (used in pole vaulting)
garrón hock
garrotazo blow
gatear to crawl
gatera hawse-hole, hole
gatillo trigger
gaveta counter, drawer
gaviota gull
gaznuchazo blow
gema gem
gemido moan
gemir to moan, whine
gendarme *m.* policeman
genealogía family tree, genealogy
genérico generic
género material, genre
generosidad generosity, nobility
generoso generous, noble
genio genius
geometría geometry, geometrical figure
germen *m.* germ, seed
gestión (political) affair, coup
gesto expression, face, gesture, hand
en — as a gesture
gimotear to groan, moan, whimper
giorno (*Italian*): **a** — brilliantly lighted up
girar to change direction, turn, rotate
— **sobre sí mismo** to turn completely over
giro money-order
globo balloon
goloso greedy
golpe blow, stroke
— **de ojo** glance
a —s in masses
de — suddenly
golpear to beat, pound, strike, thump
gollete *m.* neck (of bottle)
gorjeo warbling
gota drop
gotear to drip
gotera leak
goterón fluted cornice
gótico Gothic
goyesco in the style of Goya
gozar (de) to enjoy
gozo pleasure
grabado engraving
— *adj.* recorded
gracia amusement, charm
gracioso charming
grado degree, extent
graduarse to graduate
grama Bermuda grass
gramófono gramophone
granada pomegranate
granado pomegranate
grandullón oaf
granja farm
grano grain, seed
grasa fat, grease
grasiento greasy
grava gravel
gravedad gravity, seriousness
graznido call, croak, squawk
greda clay

griego Greek
grieta crack
grifo faucet
grillo cricket
gringo foreigner, Englishman
gris gray
grisáceo grayish
gritar to shout
gritería shouting
grito cry, shout
 a —s shouting
grosero crude
grueso thick
grumo (doughy) clot
gruñido growl, grunt
gruñir to growl, grunt
guarda guard, Watch out!
guardero watchdog
guardia: empleado de — night watchman
gubernativo governmental
guerrero warrior
guía guide
guiar to guide
guiso dish
guitarrista *adj* guitar-playing
gula gluttony
gurbio sneaky
gusano worm

H

habichuela bean, pod
hábil skilful
habitación lodging, room
habitante *m. or f.* inhabitant
habitar to inhabit, live in
hábito habit
habituado accustomed
habladuría gossip
hacanea pony
hacendado land-owner
hacer: — a to concern
 — tiempo to kill time
 —se to act, become, seem
hacienda treasury
hacinar to crowd
hacha axe
hachador logger
hacheador woodcutter
halcón falcon
hambre *f.* hunger
hambriento hungry, starving
haranganear to loaf
harina flour
harpía harpy
hartarse to stuff oneself
hartazgo bellyful
harto considerable
haz *m.* bundle
hazaña deed
he aquí Behold!
hebilla buckle
heces *f.pl.* dregs
hechizar to bewitch
hecho act, deed, fact, event
hediondez *f.* stench
hediondo stinking
hedor odor, stench
helado ice cream
 — *adj.* frozen, icy
hembra female
henchir to blow up, swell
 — de to fill with
heráldica heraldry
herbívoro herbivore
hereje *m. or f.* heretic
herejía heresy
herejote *m.* big heretic
herencia heredity
herida wound
herir to wound, hurt
hermandad brotherhood
heroico heroic, huge
herradura horseshoe
herraje *m.* ironwork
herramienta tool
herrero blacksmith
hervidero swarming, milling
hervir to boil, mill
hiel *f.* gall
hielo ice
hierbabuena mint
hierro steel
hígado liver
hilacho rags
hilera line, row
hilo thread, thin stream, string, wire, line
 a —s streaming
hincada sting
hincado stuck, kneeling, sunk, resting on, stuck full
hincar to sting, stick

hincapié *m.* firm stance
  haciendo — digging his feet into the ground
hinchar to swell, fill
  —se to swell
hipotenusa hypotenuse
historiado semi-historical
historiador historian
hito: mirar de — en — to stare at
hocico muzzle, snout
hoja door, leaf, page
hojaldre *m. or f.* puff paste
holgarse to amuse oneself
hollar to tread
hollín *m.* soot, piece of soot
hombrera shoulder-piece
hombro shoulder
homecillo little man (archaic form)
homúnculo homunculus, mannikin
hondo deep, profound
hondura depth
honrado honorable
horadar to pierce
horca gallows
horcajada: a —s astride
hormiga ant
hormiguero anthill
horqueta forked log
horqueteado (sobre) straddling
horrendo horrible, obscene
horripilante hair-raising
horroroso frightful
hospicio poorhouse
hostigado driven
hostilidad hostility
hoyo hole
hueco hollow
huella footprint, mark, trace, track
huerta orchard
hueso bone
huésped *m.* guest, host
huevo egg, testicle
huida escape, flight
huir to flee
hule *m.* oilcloth covering, tablecloth
humeante smoking
humedad dampness, humidity, wetness
húmedo damp
humildad humility
humilde humble
humillación humiliation
humillar to humiliate
humo smoke
hundir to bury, cave in, go deeper, plunge, sink
  —se to bury oneself, disappear, sink, sink down, sink into
huraño shy
husmear to smell, sniff, get a whiff of

I

idóneo suitable
ignorar to be ignorant of
ilimitado unlimited, unqualified
iluminarse to shine
ilusión ideal, great desire
ilustrado enlightened
ilustre illustrious
imagen *f.* image, mental picture, symbol
imaginarse to imagine
imán *m.* magnet
impalpable intangible
impasible impassive
impedir to hinder, impede, prevent
impensado unthought of
imperar to prevail
imperativo commanding
imperio dominion
impermeable raincoat
ímpetu *m.* urge
imploración supplication
imponente imposing, impressive
imponer to impose
  — anillos to exchange rings
impotencia powerlessness
imprecación accusation, curse, supplication
imprenta printery
impresión idea
impresionar to impress
  —se to be upset
impreso printed, printed matter
imprevisto unforeseen
imprimatur ecclesiastical permission (to print a book)
improperio insult
impropio improper, unfit for, unsuited
impudor immodesty
impuesto tax
impulsar to impel
inacabable endless
inalcanzable unattainable, unreachable
incapaz incapable, unable

incendio fire
incertidumbre uncertainty
incienso incense
incitación incitement, stimulation
incitar to incite, urge
inclinar to bow
 —se to bend down, bend over, bow, lean
inclusive including
incluso including, even
inconsciente unconscious
inconsistente of no consistency, unsubstantial
inconstante fickle
incontrastable invincible
inconveniencia improper remark
incorporarse to raise oneself, stand up
incrédulo unbeliever
increpar to scold
incruento bloodless
incubadora incubator
indeciso hesitant, undecided
indefectiblemente unfailingly
indesarraigable impossible to extirpate, indestructible
india Indian girl
indianista Indianist, dealing with the problems or situation of American Indians
índice *m.* index, index finger
indicio indication, piece of evidence
indigesto indigestible
indignado indignant
indigno unworthy
índole *f.* kind
indomable uncontrollable, indomitable
indulgencia indulgence (pardon for sins committed granted by the Church to those who abstain during lent)
 — plenaria plenary indulgence (full remission of temporal, usually purgatorial, punishment for sins)
ineludible ineluctable
inequívoco unmistakable
inerte inactive, inert, listless
inesperado unexpected
inexistencia non-existence
inexorable inescapable, inexorable
infame *m. or f.* scoundrel
 — *adj.* infamous
infatigable tireless
infecto foul
informarse to find out
informe *m.* information
 — *adj.* shapeless
infructuoso unavailing, unfruitful
infundir to inspire
ingenio cleverness, ingenuity, wit
ingrato harsh, unpleasant
ingresar (en) to enter, join
inhabitual unusual
inhóspito inhospitable
iniciar to begin, initiate
inicio beginning
injuria insult
inmaterial immaterial, spiritual
inmediaciones *f.pl.* environs
inmóvil motionless
inmundicia filth
inmundo filthy
inquietante disturbing
inquietar to disturb
inquieto restless
inquietud anxiety, uneasiness
inquirir (en) to investigate
insensibilidad indifference
inservible useless, unusable
insigne famous
insomnio insomnia
insoportablemente unbearable
insospechado unsuspected
inspirar (a) to inspire in
instituir to institute
instituto high school
intentar to attempt, intend
ínterin *conj.* while
interior inner
interlocutor speaker
intermedio intermission
internarse (en) to disappear into, go deeper into
interpelar to interrogate
interrumpir to interrupt
intervenir to interject
intestino internal, intestinal
intimidad intimacy, private affair
íntimo intimate, interior
inútil useless
invadir to invade, overwhelm
invento fabrication
inverosímil incredible, unlikely
inviolado inviolate, undefiled
inyectado injected
 — de sangre bloodshot

ira anger, wrath
iracundo angry, wrathful
irreemplazable irreplaceable
irremediable incurable, undisguised
irremisible inescapable
irrespecto lack of respect
irritar to irritate, stir up
  —se to get angry
izado hoisted

J

jabalí *m.* wild boar
jabalina javelin
jactarse to boast
jadeante panting
jadear to pant
jalar to pull
jalón tug
jamba jamb
jaqueca headache
jardín garden
  — zoológico zoo
jarro pot
jarrón vase
jaspeado speckled
jaula cage
jauría pack (of hounds)
jayán *m.* giant, oaf
jerga jargon
jergón straw mattress
jeroglífico hieroglyphic
jinete *m.* rider
jirón bit
jornalero day laborer
jovencito young-looking
júbilo jubilation, rejoicing
juez *m.* judge
jugo juice
jugoso juicy
juguete *m.* toy
juicio judgment
juicioso wise
junco rush
junquera rush
junta meeting
juntar to gather up
  —se to join, meet, gather, unite, associate
juramento oath
jurar to swear
jurisconsulto jurisconsult

L

laberinto labyrinth
labrar to carve, cut down, fashion, work
lacio straight
lacónicamente laconically
ladear to tilt to one side
  —se to lurch
ladera side, slope
lado side, place
  al — next door, beside
  por otro — on the other hand
ladrar to bark
ladrido bark, barking
ladrillo brick
ladrón thief
  — *adj.* thieving
lamer to lick
lana wool
  de —s furry, wooly
lanudo wooly
lanza lance
lanzar to cast, emit, lash out, hurl, spurt, thrust, utter
  —se to bound, jump, rush, strike
lapa limpet (gastropod mollusk)
lapacho tree native to southeastern South America
lápida slab
lapidación stoning
largueza generosity
lastimero pitiful
lata can
lateral lateral, located at the side, side
latido heartbeat, pulse, throb, throbbing
latigazo blow with whip, convulsion, crack of whip, lash
latir to beat, throb
latón brass
lavandera washerwoman
lazo lasso, bond, bow
lealtad loyalty
lebrillo tub
lectura reading
lechería creamery
lecho bed
legar to bequeath
legión legion, multitude
legítimo genuine
legua league

a la — a mile away
lejanía distance, distant place
lejano distant
lema *m.* motto
lengüeta reed
lentitud slowness
leña firewood
león lion, mountain lion
lépero foul-mouthed
letanía litany
letargo lethargy
letrero sign
letrina latrine
levadizo: puente — drawbridge
levantamiento uprising
leve light, slight
levemente lightly, softly, slightly
levita frock coat
levitado levitated, raised
leyenda caption
liana liana vine
liar to tie
libertador liberating
libertino freethinker, libertine
librar to free, liberate
—**se** to be free, free oneself, escape, rid oneself
librea livery, servants' uniforms
libreta account book
ligadura bond, tie
ligar to bind
límite *m.* limit
limosna alms
linde *m.or f.* edge
lindero boundary
línea line, shape
lira lyre
lírica lyric poetry
liso smoothe
lisonjear to flatter
lista stripe, list
listado striped
listón stripe
literato writer
litografía lithograph
litro litre
liturgia liturgy, rites of the church
litúrgico liturgical
liviano lewd
lívido livid, pale
lobo wolf
— *adj.* half-breed
localidad seat
locomotora locomotive
locuaz loquacious
lodazal *m.* mudhole
lodo mire, mud
lomo back
lona canvas
longitud length
loro parrot
losa flagstone
loza dish
lozanía pride, vigor
lozano flourishing, lively
lúbrico lewd
luces *f. pl.* enlightenment
luceta windowpane
lucidez *f.* lucidity
lucimiento show
de — showy
lucir to display
lucha fight, struggle
luchar to fight, struggle
lugar place, stead
dar — a to make room for, give cause for
darse su — to know one's place
lúgubre gloomy, grim, lugubrious
lujo luxury, elegance
lujoso elegant
lumbre fire
luminaria candle, illumination (for decoration), sanctuary light
luna glass (of mirror)
luto mourning crape, mourning band
luz *f.* electricity, light, street light, window

LL

llaga sore
llama flame
llamamiento call
llamativo attractive
llano plain
llanto crying, tears, weeping
llave *f.* key
echar — to lock
pasar — to lock up
llegar to arrive, be forced to, overtake
llevadero bearable, easy to carry
llevar to carry, lead (life), direct, spend (time), receive one's share

—**se** to assume
lloriqueo whimpering
lloroso sobbing, tearful
llover to rain
— **a cántaros** to rain heavily
lloviznar to drizzle
lluvia rain

M

macana club
macerado boiled
maceta flowerpot
macetón large flowerpot
machete *m.* cane-knife
macho male
madera (piece of) wood, woodwind
maderamen *m.* woodwork
madero wooden bar
madrugada dawn
de — at dawn
maduro fully developed, mature
maestro conductor, master
— *adj.* master
magistralmente masterly
magno great
maíz *m.* corn
papel de — corn-husk
majestuoso majestic
mal *m.* illness, misfortune
— **de ojo** evil-eye
malanga caladium
maldad wickedness
maldición curse, Damn!
maldito accursed, cursed, damned
malintencionado evil-minded
malinterpretar misinterpret
malograr to ruin, spoil
malvado wicked
mampara screen
mampostería rubble-work
manada herd
mancarrón nag
mancillado stained, spotted
mancha spot
manda vow
mandado errand
mandamiento command, regulation, law
mandíbula jaw
manejar to handle, manage
manejo handling
manga sleeve
mango handle
maniatado manacled
manifestación demonstration, manifestation
maniobra maneuver
maniquí *m.* dress form, mannikin
manotazo slap
manotear to fluff up, slap
manso gentle, tame
manta blanket
mantel *m.* altar-cloth, cloth, tablecloth
el Mantel The Holy Shroud
mantener to keep
—**se** to maintain oneself, remain
manto veil, shawl
maña craftiness
mañana *m.* future day
mañanero *adj.* morning
maraña tangle
maravillar to amaze, fill with wonder
—**se** to wonder
marca mark, scar
marco frame, outline, sill
marcha movement, progress, walk
ponerse en — to start moving, set out
marear to make giddy
—**se** to get dizzy, become nauseated
marejada groundswell
mareo dizziness, nausea
marfil *m.* ivory
margarita daisy
marino: azul — navy blue
mariposa butterfly
marítimo maritime, naval
mármol *m.* marble
marrano pig
martillar to hammer
martilleo hammering
martillo hammer
mascar to chew
mástil *m.* neck
mastín *m.* mastiff
mata brush, plant, bush
matadero slaughterhouse
matadura abrasions (sporting term)
matahambre *m.* brisket
matanza slaughter
mate dull, lusterless
matinal early

matiz *m.* hue, shade
matojo thicket
matricularse to matriculate, register
maullido howling
mayordomo foreman
mazazo blow, crash
mazmorra dungeon
mazo bunch, peg
mazorca ear of corn
mecedora rocking chair, swing
mecer to rock, wag
mecha fuse, wick
mechón lock
media stocking
mediados: a — de about the middle of
mediante by means of
mediar to come between, intervene
medida: a — que in proportion as
medir to measure, keep time
mejilla cheek
meloso fawning, sweet
mellado dented
membranoso filmy
mendigo beggar
mendrugo crust
menear to shake
menester *m.* ministry
  — *adj.* necessary
menguar to diminish
menos: venir a — to fall on hard times
menosprecio scorn
mensaje *m.* message
mensajero messenger
mentar to mention
mente *f.* mind
mentecato stupid
mentir to lie
mentira lie
mentón chin
menudeo retail
mercancía merchandise
merecimiento merit
  con — de in order to deserve
merendar to eat supper
merienda luncheon, tea party
mero mere, simple
mestizo half-breed
mesura dignity, gravity
metáfora metaphor
metal *m.* brass (musical instrument)
metido absorbed with
metro metre
mezcla mixture
mezclar to mix
mezquino insignificant, wretched
miedoso fearful
miel *f.* honey
mies *f.* cereal
miga soft part of bread
migajón crumb
milagroso miraculous
militar *m.* soldier
millares *m.pl.* thousands
mimbre *m. or f.* wicker
minero mining
minutero minute hand
miope nearsighted
mira sight
mirada face, look, eye, glance, gaze
mirador cupola
mirar *m.* look
mirar to look at
  mal — to look upon with disfavor, dislike
misa mass
miseria pittance
misericordia mercy
mísero wretched
mitad half
moblaje *m.* furnishings
moda fashion
modal *m.* manner
modista seamstress
mofarse (de) to scoff at
mohín *m.* expression, face, grimace
mohoso rusty
mojar to get damp, drench, drip, sop, wet
  —se to get wet
moldura moulding
molestar to bother, cause trouble
molestia bother
molesto annoying
molusco mollusk
mondongo tripe, gut
moneda coin
  — corriente everyday matter
monja nun
mono monkey
montar to mount, ride, set
montaraz *m.* jungle dweller
  — *adj.* wild
monte *m.* mountain, jungle, woods
  de — jungle

montería hunting
montero hunter
montón heap, pile
a montones lots
montura saddle
monumento altar, gravestone, monument, a beautiful woman
moño bow
moquete *m.* punch in the nose
morada stop
morado purple
moral *f.* morality
mordaz caustic
morder to bite
mordida bite
mordisco bite
mordiscón snapping
mordisquear to chew on
morena moray eel
moribundo dying
morisco Moorish
moroso tardy
mortecino sickly
mortífero deadly
mortificar to embarrass, trouble
mosaico mosaic
mosca fly
mostrador counter
mota pincushion
moteado speckled
motivo cause, reason, motif, motive
móvil *m.* motive
mudanza move, moving
mudar (de) to change
—se to move
mudo mute, silent
muebles *m.pl.* furniture
mueca grimace
muela molar, tooth
muelle soft
muérdago mistletoe
muestra indication
muestrario sample book
mugido mooing
mugriento filthy
multa fine
mundial *adj.* world
muñeca wrist
muñeco doll, puppet, voodoo doll
muñón stump
muralla wall
murciélago bat
murmullo murmur
murmuración gossip, rumor, slander
muro wall
músico musician
musitar to mumble
muslo thigh
mustio boring
mutuo mutual

N

nacimiento birth
nado: a — by swimming
nafta naphtha, gasoline
naipe *m.* card
nalga buttock, rump
a — pelada on the bare buttocks
naranjo orange tree
hoja de — orange-leaf tea
nardo tuberose
narices *f.pl.* nose, nostrils
naturaleza nature
nave *f.* nave
navecilla little ship
navegar to sail
navío ship
necio fool
negarse (a) to refuse
negativa refusal
negrear to be silhouetted
negrura blackness
—s dark areas
negruzco blackish
neorrealista neo-realist
nervioso nervous, sinewy
neurastenia neurasthenia, weak nervous system
nido nest
nimio insignificant, useless
Niño Dios the Child Jesus
nivel *m.* level
níveo snowy
Nochebuena Christmas Eve
nodriza nurse
noticioso full of news
novedad change, novelty, news
novedoso novel
novelín *m.* novelette
novenario novena (nine days of special prayers and sermons)
novillo steer
nubarrón storm cloud

nube *f.* cloud
poner en las —s to praise to the skies
nublar to cloud
—se to cloud over
nuca nape
nudillo knuckle
nudo knot
nudoso knotty
nueva piece of news
nutricio nutritious
nutrir to nourish, feed
—se to feed on
nutritivo nutritious

Ñ

ñacaniná large viper of Argentina
ñandubay *m.* mimosa tree found in River Plata area

O

obedecer to obey
obelisco obelisk
obispo bishop
oblicuamente obliquely
obra deed, effect, task, work
obraje *m.* logging camp
obrajero logger
obrar to act, work, do
obscuridad darkness
obscuro obscure, dark
obsequiar to give, present
obsequio: de — as a gift
obsequioso obsequious
observar to examine
observatorio observatory, weather-station
obstinación obstinacy
ocasional accidental
ocioso idle, lazy
ocre *m.* ochre
ocultar(se) to hide
oculto hidden
ocuparse to bother about
ocurrencia bright idea, occurence
odiar to hate
odio hatred
odioso hateful, loathesome
odre *m.* wineskin
oferta offering
ofertorio offertory
oficiante *m.* minister, officiant
oficiar (de) to officiate as
oficio equipment, job, office, profession
ofrecerse (a) to offer to
ofrecimiento offering
ofrenda offering
ofuscar to obfuscate, dazzle
ojear to eye
ojera circle under the eye
ojeroso with dark circles under the eyes
ojiva Gothic arch
oído ear, hearing
ola wave
oler to smell
olfatear to sniff
olfato sense of smell
oliente smelling
olor odor
oloroso fragrant
olvido forgetfulness
olla pot
omnímodo all-embracing
omóplato shoulder blade
opacamente darkly
operación operation, effect
operar to act
opinar to have an opinion
oprimido oppressed, pressed
opúsculo short work, pamphlet
oquedad hollow
oración prayer
órbita socket
orden *m.* order, architectural style
de — law-abiding
organismo organization
orgía orgy
orgullo pride
orgulloso proud
originar to cause
—se to originate
orilla bank edge, shore
orines *m.pl.* urine
orlado bordered
ornado ornamented
orquídeas *f.pl.* orchids
oruga caterpillar
osamenta bone structure
oscurecer to grow dark
oso bear

— **hormiguero** anteater
ostender to display
ostentoso showy
ostra oyster
otorgar to grant, bestow
otrora of yore
ovillar to curl up
ovillo rolled-up ball, tangled mess

P

pábulo encouragement
paca cavy (South American rodent)
padecer to suffer
padecimiento suffering
padrastro stepfather
pagar to pay (for)
— **la casa** to pay the rent
pago payment
paisaje *m.* countryside, scenery
paja straw
pala shovel
paladar *m.* palate
palco box
palenque *m.* hitching-post
palidez *f.* pallor
palio canopy, pallium
palmada clapping, pat, slap
palmatoria candlestick
palmera palm tree
palmoteo clapping
palo beating, log, rod, stick, wood
palomilla gang
palpar to touch
pálpito thrill
pan *m.* bread, loaf
panadería bakery
panal *m.* honeycomb
pandero tambourine
pandilla gang
panegírico funeral oration
pantano bog, marsh
panteón burial vault
pantera panther
panza paunch, stomach
paño cloth
papel: — **de Arabia** cigarette paper
papeleta slip of paper
par: **de — en —** wide
paraguas *m.* umbrella
paraje *m.* place
parar to come to rest, end up, park, stand, stop
—**se** to stop
pardo brown, mulatto
parecer *m.* opinion
parecer to resemble, seem
—**se (a)** to resemble
al — seemingly
parecido similar, resembling
pared *f.* wall
parejo: **por —** equally
parentesco kinship
paria *m. or f.* pariah, outcast
parienta female relation
pariente *m.* relation, relative
parilla grill, gridiron
parir to give birth to
parnasiano Parnassian, school of French poets around 1850 noted for classical perfection of form
parpadear to blink
párpado eyelid
parra grapevine
párrafo paragraph
párroco parish priest
parroquia parish church
parroquial parochial
parte *f.* part, place, behalf
por mi — as for me
por otra — furthermore
partida band, gang, departure
partidario partisan, supporter
partido match
partitura score
parto childbirth, whelping
párvulo child
pasaje *m.* fare, passage
pasajero passing, temporary
pasar to come by, go away, happen, suffer, swallow, be the matter
—**de** to last longer than
—**se (a)** to go over to
Pascuas *f.pl.* Christmas
pasillo corridor
pasmo amazement
paso footstep, pace, passage, situation, stride
— a — step by step
al — del caballo riding along at a walk
al — que while
pasquín *m.* lampoon
pasta cardboard binding

pastoril pastoral
pata hoof, foot
pataleo stamping
patear to kick, trample
patente evident, obvious
paterno paternal
patilla sideburns, side whiskers
pato duck
patrocinio patronage
patrón boss, landowner, mister, overseer, pattern, sir
pautado lined
pavo turkey
pecado sin
pecador sinner
pecaminoso sinful
pecar to sin
pechada bump (with breast of horse)
— **al sesgo** oblique bump
pechera shirt front
pedazo piece
hacerse —s to outdo oneself
pedernal *m.* flint knife
pedido request
pedrada blow with a stone
pegajoso sticky
pegado a clinging close to
pegar to deal (a blow), glue, strike, stick
— **un tajo** to take a whack at
peinado coiffure, combed
peine *m.* cartridge clip
peineta comb
pelado bare, hairless, peeled, worn
pelaja fur
pelaje *m.* fur
peldaño step
peleonero quarrelsome
pelirrubio blond
pelón bald, lacking feathers; poor, lower class
pelona hussy
peluca wig
pellejo hide
estirar el — to kick the bucket
pellón saddlepad
pena pain, penance
a duras —s with great difficulty
penca: en — filleted (and dried)
pendenciero quarrelsome
pender to hang
pendiente hanging
pensión scholarship
penúltimo penultimate
penumbra semidarkness
penuria hardship, penury
peor worse
de lo — of the cheapest kind
pequeño small
en — in miniature
percatarse to realize
percibir to examine, perceive
percutido set off
perdido out of the way, stray
perdigón buckshot
perdurar to last
perfil *m.* profile
perfilar to outline, represent
pérgola arbor, pavilion
peripecia adventure, incident
permanecer to remain
peroración peroration (conclusion of the sermon)
perplejo perplexed
persecución pursuit
perseguidor pursuer
perseguir to persecute, pursue
persiana shutter, venetian blind
persignarse to make the sign of the Cross
pertenecer to belong
pesadilla nightmare
pesado dull, heavy
pesadumbre sadness
pésame *m.* (visit of) condolence
pesar to weigh
— *m.* spite
pesca fishing
pescadilla small hake
pescuezo neck
peso weight
pestaña eyelash
petiso stocky
pezón breast
pezuñazo blow with hoof
dar — to stamp
piadoso charitable
piafante pawing
piafar to stamp
pial *m.* lasso (aimed at feet of animal)
pialador *m.* roper who uses *pial*
pialar to rope with *pial*
picada path

picana goad
picante *m.* hotsauce, spice
picar to bite, sting
pícaro tricky
pico pick
piedra: — del trueno thunder egg (pre-Columbian axe-heads thought by the ignorant to be objects with magical properties)
piel *f.* skin, fur
piélago sea
pila pile
pilar *m.* pillar
pino pine
pinotea tropical pine, a kind of resinous wood
pintarse to appear, be cast, show up
pintoresco picturesque
pintura depiction, lipstick, paint, painting
—de aceite oil-base paint
pinza pincers
pique: palo a — palisade; fence of stakes
piscina pool
piso apartment, floor, story, footing
pisotear to trample
pita century plant
pitagórico Pythagorean
pitillo cigarette
placa plaque, record
— de tránsito license plate
plaga plague
plana page
planchada dock
plano flat, level, plain
plantado jilted
planto lament
plañido complaint, lamentation
platabanda flower bed
platea orchestra
plato plate
— sopero soup plate
playa enclosure, yard, beach
plazo date of payment
plebe *f.* common people
plegar to bend over, fold
plegaria prayer
pleno full, very
pliego sheet
plomizo leaden
plomo lead, slug
caer a — to fall flat
poblar to cover, crowd, populate
pócima potion
poco: a — de shortly after
podredumbre putrefaction
podrido foul, rotten
polenta polenta
policía *m.* police, sanitation
policromado polychrome
pólvora gunpowder
reguero de — [spreading] wildfire
polvoriento dusty
pomo bottle
pompa funeral
pomeyano Pompeian
pómulo cheek
poncho poncho, raincloak
—calado wearing one's poncho
porcentaje *m.* percentage
porción a number of
porfía: en — argumentatively
poro pore
poroto bean
portal *m.* arcade (around plaza), gate, entrance, portal, porch
portarse to behave
portavoz *m.* mouthpiece
portazo slam (of door)
portentoso extraordinary, portentous
porteño of Buenos Aires
portero doorman
portezuela car door
pórtico front, portico
portón great door
porvenir *m.* future
pos: en — de in pursuit of
Posadas *f.pl.* the nine days before Christmas. Each evening, carolers re-enact the arrival of Joseph and Mary at the inn (*posada*)
poseedor possessor
poseído possessed
posesión love affair, possession
posguerra postwar period
postrero last
pósthumamente posthumously
postigo transom
postre *m.* dessert
pozo well
prado meadow

precipitación haste
precipitar to bring to a crisis, precipitate
  —se to be about to occur, to rush
precisamente in fact, precisely
preciso: ser — to be necessary
precolombino pre-Columbian
precursor preceding, precursor
predecir to predict
predicador preacher
pregón announcement
pregonar to advertise
pregonero hawker
premio prize, reward
  en — as a reward
prenda garment
prender to catch, light, set fire to, seize, stick, strike
preñado full, pregnant
  — de charged with
preocupación concern, preoccupation, worry
preocupado worried
presa booty, morsel, prey
  — de a prey to
  hacer — to catch hold of
presagio omen, presage
presencia display, odor, presence
presenciar to be present, witness
presentación introduction
presentante introducer
presente *m.* present
  — *adj.* in one's mind, present
preso captive
prestar to lend, render
  —se to lend oneself
presto quickly
presumido pretentious
presumir to presume, show off
  — *m.* pretension
presuroso hasty
pretender to aspire to, pretend, try
pretendiente *m.* suitor
pretextar to use as an excuse
pretina apron strings
prevención caution, prejudice
previsión anticipation
previsor prudent
previsto foreseen
primo first
  a prima noche in the first quarter of the night, soon after dark
primoroso lovely
principio:
  al — at first
  a —s at first
prisa:
  de — in a hurry
  dar — to (cause to) hurry
prisión imprisonment
prisionero prisoner
  — *adj.* imprisoned
prístino pristine, original
privar to deprive
proa prow
probar to taste, undergo, prove, try on
procedencia point of departure
prócer *m.* hero
proceso trial, process
prodigar to give prodigally, lavish
prodigio wonder, prodigious effort
producirse to take place
proeza prowess, deed
prolongarse to last a long time
prometer to promise, show promise
promiscuación to eat both meat and fish on fast days
promover to cause
promulgar to publish (a decree), promulgate
pronóstico prognosis, prediction
pronto *adj.* quick, ready
propagar to extend, propagate
  —se to spread
propensión inclination
propiamente properly speaking
propicio favorable, propitious, suitable
propio adequate, own, proper, very
proponer to propose, set
propósito intention, purpose, resolution
  a — de apropos of
  hacerse el — to make up one's mind
propulsor: — primero Prime Mover
prorrumpir to burst out
proseguir to continue
prosista *m.* prose-writer
proteger to protect
prototipo model, prototype
providencia foresight, providence, precaution, provision

provinciano provincial
provocar to entice
proyectar to blow, cast, project
prueba test, proof
  a toda — ready for anything
pudor delicacy, modesty, shame
  por — de ashamed to
pudridero compost heap
pueblerino small townish
puesto stall
pulga flea
pulgada inch
pulgar *m.* thumb
pulmonía pneumonia
pulular to teem
puntal *m.* prop
puntapié *m.* kick
puntera reinforced toe of boot
puntería aim
puntilla: de — on tiptoe
punto dot, point
  a — de on the verge of
  al — at once
punzada pang
punzó poppy-red
puñado handful
puñal *m.* daggar
puñetazo blow with fist, punch, pounding
puño fist, grasp, hilt
purgar to expiate
Purísima (image of) the Virgin Mary
purulencia purulence, sore
pústula abscess, pustule, sore
puta prostitute
puteada insult (to call a woman a prostitute)

Q

quebrado weak
quebrantado weak
quebrar to bend, bend over, break, overcome
  —se to break, burst, rupture
queda curfew
quedar to remain, be, stop
  — encima de sí to remain in control of oneself
quedo quiet, soft
quehacer *m.* things to do
queja moaning
quejido moan, whine
quemante burning
quieto still, down!
quietud *f.* stillness
quijada jawbone, bared teeth
quinina quinine
quinta villa, farm, pastures
quintero farmer
quitarse to go away, stop
  quitársele a uno to lose

R

rabia anger, rage
rabioso furious
racha gust
radicar to reside
radioso radiant
raído threadbare
raigambre *f.* root system, plant
raíz *f.* root
ralo sparse
rama branch, branches
ramera harlot, prostitute
rancho hut
rapaz *m.* lad
  — *adj.* rapacious
raro strange, surprising, unusual
ras *m.* level
  a — de close to, level with
rascar to scratch
rasgadura rip, tear
rasgar to tear
rasgo characteristic
rasguñar to rub the wrong way
raso satin
rasposo scratchy
rastreante groveling, trailing
rastro scent, trace, trail
rasurar to shave
rata rat
rato interval, while, time
  a —s cortos from time to time
ratón mouse
raya crack
rayo lightning, ray, thunderbolt
  como de — like lightning
razón *f.* reason
  dar — to explain
reabrir to open
real *m.* real (a coin)
  — *adj.* real, royal

reanimar to revive
 —se to revive, recover one's strength
reanudar to review, take up again
reaparecer to reappear
rebelarse to rebel
rebelde rebellious
rebeldía rebellion
rebosar to burst, overflow
rebotar to rebound
rebrillar to gleam, glitter
rebullirse to bustle about
rebuscón gleaner, gatherer, scavenger
recado equipment, riding gear, saddle
recaer to bring up again, return to
recámara bedroom
recaudación collection
receta prescription
recibir to admit, greet, receive
 —se to be admitted as
recién *adj.* recent
 — *adv.* freshly, newly, recently
reciente fresh, recent
recio heavy
recitación recital, recitation
recitar to recite
reclamar to call for, claim
recoger to gather, gather up, pick up, take in
 —se to take refuge, draw back, narrow, shrink from
recogido collected, held close to the body, shrunk
recompensado rewarded
reconocer to recognize, acknowledge
reconocimiento examination
reconstituir to rebuild, reconstruct
reconvenir to remonstrate with
recordar to remind, remind one of, remember, recall
recorrer to cross, make a tour of, go all over, go through
recortar to shorten, cut out
recorte *m.* cut-out
recostado leaning
recreo recreation period
recto right, straight, exact
recuento count
recuerdo memory, remembrance, souvenir
rechazar to drive away, reject, repulse
rechinar to grate, squeak
 hacer — to gnash

red *f.* net
redactor editor
redención redemption
redentor redeemer
redimir to redeem
redoblar to redouble, bend
redondear to fill out, become rounded, droop
 —se to become rounded, droop
redondo round
 en — around
reducirse to limit oneself to
reeditar to republish
refajo slip
referir to tell
 —se to refer to, speak about
refinamiento refinement
 hasta el — exquisitely
reflector floodlight
reflejar to reflect
reflejo reflection, reflex
reflexionar (en) to reflect, think about
reforzar to tighten
refrán *m.* proverb, rhyme
refrenar to check
refrescar to refresh
 —se to refresh oneself
refresco drink, refreshment
refugiarse to hide, take refuge
regadera watering pot
regado sprinkled
regalar to give (as a present), regale, entertain
 —se to give away
regalo: **de —** as a present
regañar to scold
regañón nagging
regar to sprinkle
regazo lap
régimen *m.* regime
registro organ-stop, register
regla rule, regulation, slide rule
reglamentación regulation
reglamentario prescribed
reglamento rule, regulation
regocijado joyful
regocijarse to rejoice
regodeo delight, playing
reguero flow, sprinkling, garbage can, (scrap) heap
regular: **por lo —** generally
rehusar to reject

reja grill, grating
rejilla grating, little bar
rejuntar to assemble
relación friend
relacionado (con) related to
relajar to relax, weaken
relámpago flash of lightening
relato tale
relevo relay
reliquia relic, remains
reluciente gleaming
relucir to shine
relujado shiny
relumbrante gleaming
relumbrar to shine
relumbre *m.* sparkle
rematar to finish
remate *m.* end
  de — completely
remedar to imitate
remedio remedy
  no haber más — que there to be nothing to do but
  no tener — to be hopeless
remirar to look again
remitir to send
remo oar, leg
remontar to go up
  —se to rise
  —se *m.* succession
removido deeply felt
renascentista Renaissance style
rencoroso resentful
rendir to overcome, surrender, render
  — cuenta de to account for
renegar (de) to renounce
renglón line
renombre *m.* renown
renuevo renewal
reñir to fight
reojo: de — out of the corner of the eye, over one's shoulder
repartido assigned, cast
repartir to distribute
  —se to share, distribute
reparto distribution
repasar to examine, practice, review
repente: de — suddenly
repentino sudden
repintar to repaint
repleto full
replicar to reply, retort
reponer to reply
  —se to recover
repostero pastry cook
reprender to scold
represalia retribution, reprisal
representar to act, imagine, represent
reprimir to hold in, rein, repress
  — el paso to rein in
repugnar to be repugnant
repujado embossed
requerir to require
res *f.* beast, steer
resaltar to stand out
resbalar to slip, slip off
resbalón misstep
resbaloso slippery
reseco dry
reserva quantity
resfriarse to catch cold
resguardar to shield
resguardo protection
residir to reside
resistirse to refuse
resolver to decide on, resolve
  —se to decide
resonar to resound
resoplar to gasp
resoplido hard breathing
resorte *m.* impulse, spring
respiro breath, breathing
resplandeciente resplendent
resplandor brilliance, flash
responder to answer, correspond, respond
respuesta reply
resquebrajado full of cracks, pitted
resquebrajadura crack
restablecer to re-establish, recover
restallar to crack, twang
resto remains
restregarse to rub
resucitar to revive, resurrect, resuscitate
resuello breath, breathing
resultado result
resultar to be, turn out to be
resurgir to resurge
retacado filled, stuffed
retardar to delay, put off
retazo scrap
retener to retain
retirado: de — from a distance

retirar to take away, take out
  —se to retire
retorcido twisted
retórica rhetoric, sophistry
retozo tussle
retratar to depict
retreta band concert
retumbar to resound
retumbo rumble
reunido gathered, reunion, meeting
reunir to reunite, assemble
revelador indicative
revelar to reveal
reventar to burst
revertido reversed
revés *m.* backstroke, backlash
revestimiento covering
revestir to assume
revisador inspector
revisar to inspect, check
revista magazine, review
revivir to relive
revolar to flutter
revolotear to flutter about
revoltura return
revolver to pick over, stir (up)
  —se to writhe, resolve, turn
revuelo flight, rapid movement
revuelto mixed (up), upset, unkempt
rezagado leaving, leftover
rezar to pray
rezo prayer
rezongar to grumble
rezumar to ooze
riachuelo creek
rictus *m.* convulsive grin
ridículo humiliation, humiliating situation
rienda rein
riesgo risk
rincón corner
riñón kidney
riñonada kidney membrane
rito rite
rivalizar to vie
robo theft
rocío dew
rodado bruited about, rolled
rodar to roll
  a todo — at full speed
rodear to encircle, surround, detour
rodeo roundabout way, detour
roer to gnaw
rogativa public prayer
roído gnawed, moth-eaten
rojez *f.* redness
rojizo reddish
rollizo log
rombo rhombus
romero rosemary
romper to break, tear
  —se to come apart, tear
ronco hoarse, low
ropero wardrobe
rosado pink, rose-perfumed
rosario rosary
rosetón rose window, rosette
rosina of Rosas
roto torn
rotura breaking
rubricado certified
rudo rude, rough
rueda disc
ruego plea
rugido roar
rugir to roar
ruin delapidated
ruinoso in ruins
rumbo course, direction, district, neighborhood, way
  — a in the direction of, toward
rumor murmur, noise, rumble, sound
runrunear to purr

S

sábana sheet
saber (a) to taste of
sabiduría wisdom
sabor taste
sabroso tasty, pleasant
sacar to take out, take off, allow to protrude, draw, extract, sustain, stick out
  — de ejemplo to use as an example
sacerdote *m.* priest
saciarse to satiate oneself
sacrílego sacrilegious
sacristía sacristy (room where church vessels, etc., are kept)
sacudida jerk
sacudimiento jolt
sacudir to shake
saeta hand (of watch)

sagrado sacred, sanctuary
sala auditorium, hall, living room, room
saladero meat-salting plant
salazón meat-salting
salida departure, door, exit, goings
salir to come out, develop, go out, last, leave
  — con to get along in
  — de + *adj.* to cease to be + *adj.*
  —le al paso to meet by chance
salmuera pickled food
salón living room
salpicar to spatter
salsa sauce
saltar to leap, jump
salto broad jump, leap, jump
  a —s skipping
  de un — in one leap
salvaje *m. or f.* savage
salvar to save
  —se to survive
salve *m.* Salve Regina (prayer to the Virgin)
sándalo sandlewood
sangrante bleeding
sangrar to bleed
sangraza blood
sangre *f.* blood, race, strain
sangriento bloody
sanguinolento bloody
sano healthy, sound
santero person who has a superstitious veneration for images
santiamén *m.* instant
santidad holiness, sanctity
santo holy, saint
  los Santos Reyes the Three Kings
santuario sanctuary
saña anger
sapo toad
sarao soirée
sastrería tailor shop
satisfacer to satisfy
saturar (**de**) to saturate with
savia sap
sayal *m.* sackcloth habit
sayón executioner
sazón *f.* time
sebito bit of fat
secante *m.* blotter
secar to dry, dry up
seco dry
  en — suddenly, dry
sed *f.* thirst
seda silk
sediento eager, thirsty
seducir to attract, seduce
seguido successive
  —s one after another
  muy — constantly
seguimiento pursuit
según according to, according to what, according as
seguro convinced, sure, certain
selva forest
selvático native to the jungle, woodsy
sellado sealed
semblante expression, face
sembrar to sow
semejante like, similar, such, such a
semejanza similarity
semilla seed
sencillo simple
senda path
sendero path
sendos one each, one from each
seno breast
sensualidad pleasure, sensuality
sentido meaning, sense
sentimiento feeling, sorrow
seña signal
señal *f.* indication, sign, signal
señalar to point at, point out, indicate
señero solitary
señuelo herd of tame steers
sepelio burial
sepultado buried
sequedad dryness
sequía drought
serenar to calm
serenidad serenity
sereno calm
serie *f.* series
serpentina serpentine
serrín *m.* sawdust
servil servile
servir to be of use to, serve
  — de to serve as
sesgado angled to one side, oblique
seso brain
sexo genitals
sexto sixth grade

sien *f.* temple
siesta midday
sigilosamente silently
siglo century
significación meaning
significar to mean, signify
significativo significant, meaningful
signo omen, sign
siguiente following
silbar to whistle
silbido whistle
silueta silhouette
silla chair, saddle
sillón chair
  — de brazos arm chair
símbolo symbol
  — de la fe the Creed
simulacro image
simular to pretend
síncope *m.* fainting spell
siniestro left, sinister
siquiera even, at least
  ni — not even
sirena siren
siringa pan-pipe
sisear to hiss, shush
sistro sistrum (Egyptian rattle)
sitiado besieged
sitial *m.* place, seat
sito situated
situado situated
situarse to settle down
sobar to beat
soberbia haughtiness, proud bearing
soberbio proud, superb
sobra leftover
  de — more than enough
sobradillo sloping roof
sobrante *m.* surplus
sobre *m.* envelope
sobrecogido seized with
sobreentendido understood
sobrehumano superhuman
sobrellevar to bear, suffer
sobremanera exceedingly
sobresaliente outstanding
sobresalto shock, start
sobreviviente survivor
sobrina niece
socarrón sly
socavón cave
socorrer to help, provide for
sofocado smothered
sofocante embarrassing, suffocating, oppressive
sofocar to choke, knock the breath out of
solapa lapel
solar *m.* lot
soledad solitude
solemnidad solemnity
  pobre de — really poor
soler to do customarily or often
solfeo music
solicitado attracted
solicitante *m. or f.* applicant
solicitud business, care
solidaridad sympathetic understanding
solista *m. or f.* soloist
soltar to loose, turn loose, utter, release
  —se to get free
sollado hold, lower deck
sollozar to sob
sollozo sob
  — en seco dry sobbing
sombra shade, shadow, shadowy figure
  a la — de in the shadow of
  mala — bad luck
sombrío shadowy, gloomy, grim
someterse to submit
son *m.* sound
sonar to blow, play, sound
sonata: **—s de montería** sounds of the hunt
sonido sound
sonoro sonorous
sonreir(se) to smile
sonriente smiling
sonrisa smile
sonsacadora seducer
soñado imaginary
soñar to dream, imagine
soñoliento drowsy
sopa soup
sopero *adj.* soup
sopesar to feel the weight of
sopor lethargy
soportar to bear
sorber to gulp
sorbetera ice cream freezer
sorbido absorbed, swallowed
sorbo gulp
sordera deafness
sordidez *f.* sordidness

sordina mute
  en — muted
sordo deaf, dull, muffled, muted, silent
sorprendente surprising
sorprender to surprise, catch by surprise
  —se to be surprised
sorpresa chance, surprise
sorpresivo stealthy
sortear to avoid, make one's way among
sosegar to calm, calm down
sosiego calm
sospecha suspicion
sostener to sustain, maintain, support
sotana cassock
suave gentle, soft
  estar — to be pleasant, have one's fun
suavidad softness
suavizar to soften
subconsciente subconscious
subido mounted, lifted, on top of, standing on
subir to ascend, climb, come upstairs, pull up to, rise, go up river, climb in, lift
subitáneo sudden
súbito sudden
  de — suddenly
sublevar to rebel
  —se to rebel
sucesivo subsequent
suceso event
suceder to happen
  —se to follow one another
sucedido happening
sucio dirty
sudar to sweat
sudor sweat
sudoroso sweaty
sueldo salary
  a — de in the pay of
suelo floor, ground
suelto loose, relaxed
sueño dream, sleep
  con — sleepy
suerte *f.* sort, luck
sufrimiento suffering
sufrir to suffer
sujetar to hold, pin down
sujeto *m.* person, subject
  — *adj.* held up, held in place
suma the ultimate
sumamente extremely
suntuario sumptuous
suntuoso sumptuous
superficie *f.* surface
suplicante entreating
suplicar to beg
suplicio torture
suponer to imply
  —se to imagine
suponible imaginable
supuesto: — que considering that, since
surco furrow
surgir to appear, surge, rise
suspender to lift
  —se to stop
suspendido poised
suspenso *m.* suspense, suspension
suspirar to sigh
suspiro sigh
sustento sustenance
sutil fine
suyo: muy — very typical of one

T

tabla board, plank
taburete *m.* stool
taco rolled tortilla
  — de sal salted rolled tortilla
tacón high heel
taconazo kick with the heel
taconear to walk with clicking heels
taconeo sound of heels
tacto touch
tacuara cane
tachuela hobnail, tack
tajada slice
tajo slash, slice, stroke
talabartería saddlery
taladrar to bore into, pierce
talonario roll of tickets
talla scale, size
tallar to carve, deal
talle *m.* figure, waist
tallo stem
tamaño so important
tamarindo tamarind
tambalear to stagger
  —se to stagger
tambor drum
  — mayor drum major
tamborilear to drum

tañido sound
tapa cover, lid
tapar to cover
tapia wall
taquilla ticket office
taquillero ticket seller
taracea inlaid work
tararear to hum
tarascón snap
  darse de tarascones to snap at
tarazón slice
  dar un — to take a whack at
tardar to delay, be late, take (time), wait long
  —se to take a long time
tarea task, job
tarjeta card
  — de visita calling card
tasajo dried beef, mangled flesh
taza cup
teatral theatrical
teclado keyboard
técnica technique
techo ceiling, roof
techumbre f. ceiling
teja roof tile
tejado ceiling, tiled roof
tejer to twine, weave
tela canvas, cloth
telaraña cobweb
telefónico *adj.* telephone
tema *m.* theme, topic
temática thematic material
temblar to tremble
temblor tremor
tembloroso trembling, quivering
temer to fear
temible to be feared, dangerous, terrible
temor fear
tempestad storm
tempestuoso stormy
templado courageous, tempered
temple *m.* courage, temper
templo church
temporal temporal
temporalmente temporally, temporarily
temprano early
tenazas pincers
tender to hang, lay out (a corpse), stretch, tend
  —se to stretch oneself
tendido lying in state
tenebroso gloomy
tentación temptation
tentar to feel, touch, try
tenue delicate, faint, tenuous
teñir to dye, tint
teocalli ancient Mexican temple
tercera third class
terceto trio
terciopelo velvet
terminar(se) to end, finish
término end, term
ternura tenderness
terquedad stubborn idea, stubbornness
terral *m.* land breeze
terraplén *m.* embankment
terrenal earthly
terreno *n.* terrain, land
  — *adj.* earthly
terroso earth-colored, earthy
terso smooth
tertulia club, gathering place
tesoro treasure
testamento testament, will
testículo testicle
testigo witness
teta teat
texto text
tez *f.* complexion
tía aunt, old lady
tibieza warmth
tibio warm
tiempo time, weather
tienda store
tiento caution, leather strap
tierno tender
tierra ground, country, land
tieso stiff
tiesto flower pot
tiesura brittleness
tifo typhus
tifoidea typhoid
tigre *m.* jaguar, tiger
tijera scissors
tilingo nonsense word
timbre *m.* timbre, tone, quality
timidez *f.* timidity
timorato timid
tiniebla darkness
tinta colored ink, dye, ink
  — china India ink
tintero inkwell
tinto tinted

tintoso inky
tiple *f.* soprano
— *adj.* high
tipo common
tiralíneas *m.* ruling pen
tiránico tyrannical
tirar to throw away, pull, pull out, spill, throw
—**se** to fling oneself
—**se de bruces** to throw oneself face down
tiritar to shiver
tiro shot
tirón jerk, tug
tironear to tug at
tisis *f.* consumption
títere *m.* puppet
titubear to hesitate
titubeo hesitation
tobillo ankle
tocado with the head covered
tocante touching, regarding
tocar to mention, knock, play, ring, touch, toll, be the responsibility of
— **a muerto** to toll for the dead
—**le a uno** to be one's turn, fall to one's share
Todopoderoso the Almighty
toisón the insignia of the Order of the Golden Fleece
toldado covered with an awning
toldo awning
tolerar to tolerate
tomar to take, drink
— **de** to stretch from
— **hacia** to head for
tomo tome, volume
tonada melody
tongorí *m.* innards, entrails
tonto stupid
topar to bump
—**se (con)** to run into
toque *m.* blast, call, shock
— **de ánimas** bell rung at nightfall
— **de corneta** bugle call
torbellino whirlwind
torcer to twist
torcido crooked
tormenta storm
tormento torture
tornar to return, turn
tornasol *m.* irridescence
torneo tournament
torno: en — de around
toro bull
torpe slow
torre *f.* tower
torrencialmente torrentially
torrente *m.* torrent
tortuga turtle
toruno steer castrated after he is three years old
tos *f.* cough
— **ferina** whooping cough
toscano Tuscan (order of architecture)
toser to cough
tostadero roaster
tostado toasted
traba hobble
poner —s a to put obstacles before
trabado joined
trabajar to work
trabajo effort, work
trabajoso difficult
trabazón *f.* chain of events
tractorista *m.* tractor driver
traducir to translate
tráfago activity, traffic
traficar (con) to deal in, traffic
tragaluz *m.* skylight
traición treachery
traicionar to betray
traído drawn
traje *m.* dress, suit
trama network, texture, plot
trámite *m.* step
sin — immediately
trampa trap
tranca crossbar
tranco step, stride, threshold
al — at a walk
tranquera gate
tranquilizador soothing
transcurrir to go by, pass
transeúnte *m.* passerby
transigir to compromise
tránsito journey, passage, traffic, transition
Tránsito The Assumption of the Virgin
transparencias glimmer
transpasar to pass through, pierce
transplante *m.* transfer
transversal cross (street)
trapo piece of cloth, rag
tras after, behind, in pursuit of, through
trasero back
trasfondo background, wings
trasladarse to move

traslúcido translucent
trasmutación change, transmutation
traspatio backyard
traspuesto crossed
trasto tool
trastorno upset, disturbance
trasuntar to copy
trata slave trade
tratar to call, mention, treat, try, know
  —se to be a matter of, have to do with
trato deal, dealings
traza form
trazar to draw, trace
tregua truce, letup
tremebundo dreadful
trementina turpentine
trémolo tremolo
trémulo trembling, tremulous
trenzado braided, woven
trepado climbing, perched
trepar to climb, mount
treta trick
tribunal *m.* kangaroo court, tribunal
tributar to render
trino trill
tripa tripe
triple third
triste sad
tristeza sadness
tritón Triton
triunfar to triumph
triunfo triumph
trofeo trophy
trompa horn, trumpet
trompada punch (in the nose)
trompeta trumpet
tronar to thunder, pop
tronco tree trunk
tronchar to cut off
troncho stalk
tronera narrow window
  — de griVos gatekeeper's window
tropa herd
tropel *m.* bustle, confusion
  en — in a mad rush
tropezar to come upon, bump into, stumble
trotar to trot
trote *m.* trot
  al — quickly
trozo fragment, piece, section
trueno thunder clap
tubo pipe
tuerto one-eyed
tumba tomb
tumbar to knock down
tumulto tumult
tumultuosamente tumultuously, violently
tuna cactus
túnel *m.* tunnel
túnica tunic
  — interior undergarment
tupido thick
turbación embarrassment
turbamulta mob
turbar to trouble
turbio cloudy, muddy, turbid
turbión *m.* storm, thunder storm
turno turn
turrón nougat
tusar to shear

U

ubre *f.* breast, udder
últimamente lately
último last, most recent, recent
  las últimas the last moments
umbral *m.* threshold
unción devotion
  — de Dios peace of God
uncioso unctuous, devout
ungido anointed
único only, unique
unido joined, united
unirse (a) to join
unitario Unitarian, Centralist
universitario *adj.* university
untado anointed, dampened
untuosidad unctuousness
untuoso greasy
uña claw, fingernail, toenail
uso use
  de mucho — much used
usurpador usurper
útil useful

V

vaca cow
vaciar to empty
vaciedad emptiness
vacilación hesitation
vacilante hesitating, unsure
vacilar to falter, hesitate
vacío emptiness, vacuum
  — *adj.* empty

al — into space
vacuno bovine
vadear to ford
vado: a — wading, by wading
vagar to wander
vagido cry
vago loafer
— *adj.* vague
vaho breath, faint odor, vapor
valer to avail, be better, be worth, bring about, attract
valija valise
valor bravery, valor, value
vals *m.* waltz
vano hopeless, vain
vapor steam, steamboat
vara yard
variar to change, vary
varios several
varita small rod
varonil manly
vasallaje homage
vasco Basque
vasillo blood vessel
vaso glass, vase
vecindad tenement house
vecindario neighborhood
vecino neighbor, neighboring
vedar to forbid, prohibit
vejez *f.* old age
vejiga bladder
vejigazo blow with a bladder
darse de —s to hit each other with bladders
vela candle, fire
velada wake
velador night table
velar to keep watch over, sleep with one eye open, veil, watch
velo veil
velocidad velocity
velorio wake
veloz rapid
vena vein
venado deer
vencedor victor
vencer to conquer, expire, overcome
— el plazo for the payment to be due
vencido worn out
vendaval *m.* strong wind
vendedor vendor
vender to sell
veneciano Venetian
veneno venom, poison
veneración respect, veneration
venerar to venerate
venganza revenge
vengar to avenge
—se to avenge oneself
vengativo vengeful
ventilar to ventilate, dispute
ventura: a la — at random
vera edge, side
veras: de — really
verdadero real, true, authentic
verdinegro greenish black
verdoso greenish
verdura vegetable
verga whip
dar — to whip
vergajo whip
vergüenza shame, embarrassment
verídico truthful, realistic
verificar to carry out
verija crotch, pubes
verja grating
verosímil likely, believable, realistic
vertiginoso vertiginous
vértigo whirlwind
en — like the wind
vestíbulo vestibule
vetiver vetiver (perfume)
veto prohibition
vía way
en — de engaged in
viajero traveler
viático viaticum, viaticum bell (bell which is rung before priest who is carrying the sacrament to a dying man)
víbora viper, snake
vibrante quivering
vibrar to shake
vicio vice
Victoriarregia giant water lily
vidriera glass pane
vidrio glass
vidrioso glassy
viento wind
vientre *m.* stomach, belly, womb
Viernes de Dolores Good Friday
viga beam, plank

vigencia force
vigilancia vigilance
vigilar to watch
vigilia vigil, sleepless hours, abstinence (from red meat)
vil vile, common
vileza vileness
vilo: en — in expectation
villa villa
vino wine
violar to violate
viril virile
virtud virtue
viruela small pox
visado visa
visión spectacle, vision
visitante visitor
vislumbrar to glimpse
víspera the day before, eve
vista sight, eyes, glance
vistoso showy
vitorear to cheer
vitral *m.* stained-glass window
viuda widow
viva shout, hurrah
vivienda dwelling
viviente *m.* living being
vivir to live
  de mal — loose living
vivo lively, intense, vivid, alive
vocablo word
vocerador crier
vocerío shouting, uproar
vociferación shout
vociferante shouting
vociferar to vociferate
voduísta *adj.* voodoo
volar to fling, fly, blow out, blow up
  hacer — to blow up
volatería fowl
volcar to pour out, dump, turn
  —se to have one's attentions fixed
voluntad will, will power
voluta volute, scroll, curlicue
volver: — en sí to come to
vomitar to vomit, repeat
vomitorio entrance (to bullring or stadium)
voseo use of the word *vos* where *tú* is normally used in Castilian, with archaic verb forms
voz *f.* voice, word
  a media — softly
  a voces loudly
  a voces de according to
  en — alta aloud
vuelco flip
vuelo flight, inspiration, movement, ruffle
vuelta spin, turn, return
  a la — around the corner, nearby
  dar una — to take a walk
  dar — to turn, turn the corner
  dar —s to spin
  de — returning

W

Westminster clock

Y

ya now, already, yet, soon, ah yes!
  — no no longer
  — que since
  casi — just about
yacaré crocodile
yacente lying
yacer to lie
yema yolk
yerba herb
yermo barren, desolate, uncultivated
yerto rigid, stiff
yeso piece of stucco
yesoso stucco-covered

Z

zafar to come loose, loosen
zagala country lass
zaguán *m.* vestibule
zambullirse to dive
zanco stilt
zanja ditch
zanjón deep ditch
zapato shoe
zarpa paw
zócalo pedestal
zoquete *m.* chunk
zorro fox
zumbido buzz, hum